岩　波　現　代　文　庫

可能性としての戦後以後

加藤典洋

Norihiro Kato

文芸 323

岩波書店

鶴見俊輔氏に

スタートのライン
——日の丸・君が代・天皇——

高度成長の時期の経験は日本人に、どういう課題を与えたか。

わたしは、この問いに最も早い回答の形を示した系譜を、わたしなりに整理して、村上春樹、村上龍、竹田青嗣という線に見ている。

村上春樹は、いまここに生きていることの「気分のよさ」を肯定して、ここを唯一の足場に、どう生きてゆけるか、という問いが、高度成長以後、新しく現れていることを、一九七〇年代の末、第一作『風の歌を聴け』を書いて、わたし達に示した。

村上龍は、そこにある二項対立が実は、「……したい」という欲望に立つ生き方と「……しなければならない」という義務感に立つ生き方の対立であり、高度成長は、前者が後者をさまざまな意味で凌駕する契機だったことを、一九八〇年代の半ばに書かれたあるエッセイで語った。

また、竹田青嗣は、この村上龍の「……したい」という欲望に立つ生き方のリアリティ(ポップスの勝利)を否定すべからざる基礎と見て、ここから、これまでわたし達は「……しなければならない」(何をなすべきか)という命題の上にモラルを築いてきたが、いまや「……したい」という欲望の上に、どうモラルを編み上げるかを問われている、という考え方を示し、高度成長がわたし達につきつけている課題を、一つの問いの形にはじめて「定式化」した。

これはわたしのコトバでいえば、「自分のため」からはじめてどう「他人のため」に至ることができるか、というみちすじの探求がいま、わたし達に求められている、ということである。私利私欲と公共性、といってもいい。これまでこの二つは対立するものと考えられてきた。でも、私利私欲と公共性はほんとうは対立しないのではないか。公共性は、私利私欲の上に立脚しなければ、強いものにはならないのではないか。そういうことを、わたし達の歴史のいくつかの例、たとえば石橋湛山の「先ず功利主義者たれ」というリベラリズムは、示している。高度成長は、一つの経験として、そういう歴史性をもう一度わたし達に考えさせたのである。

さて、これを別にいうと、こうなる。

ここにあるのは、あの一九六〇年代末、高度成長のさなかにいわれた「いま・ここ」からの出発、という主張の、また別の現れ、ではないだろうか。

このいわゆる「全共闘的」な主張が、いかに非歴史的な、日本的時勢主義の流れにあるものであるか、ということについては、丸山眞男が、一九七二年、「歴史意識の「古層」」で手厳しくこれを指摘している。そのことをわたしは知らないわけではないが、いまわたしの抱いているこの考え方は、形として、この主張にとても似ている。もちろん、この考え方は、その本質からして、大いに間違うことがあり得るから、たえず、検証と修正に開かれている必要がある。しかし、その上でいえば、これは、丸山のいう日本的な時勢主義を超えるまた別種の試みでもある。これは一九六〇年代末の主張の、そういう意味での、四半世紀後の結実なのである。

わたしはその頃、埴谷雄高の「死滅した眼」という主張にひどく心を動かされた覚えがある。未来の突端で、国家は死滅するであろう。その最終地点に眼をおき、そこから現在のすべてを見る時、この現在の事象のすべてはどう見えるか。その架空の視点の必要にふれ、埴谷は、このコトバ、「死滅した眼」を語っていた。

いまもわたしは、こうした架空の視点を、時間的にも、空間的にも——「死滅した眼」、あるいは「日本を超える眼」として——重視するが、しかし、考え方として、より大事なのは、何を目標にするか、というゴール地点の特定であるより、どこから何をはじめるか、というスタート地点の特定ではなかろうか、と考えている。したがって、厳密にいえば、このわたしの考えは、ゴール地点からの視点をあわせもつ複眼的思考を否定しはしないが、しかし、それ以上に、スタート地点さえはっきりすれば、人は、それでいいのだ、という「死滅した眼」の否定への傾斜を強く抱えている。それがわたしの考えでは、高度成長の経験がわたしに与えた、考え方の順序なのである。

こういう観点から考えると、日の丸・君が代・天皇という三題噺めいた命題は、わたしにこんなふうに見える。

ふつうこの命題は、日の丸(国旗)・君が代(国歌)・天皇(国の象徴)が、ともに保守反動の側を利するアイテムで、革新的な立場に立つならこれに反対すべきだ、というように考えられている。しかし、こういう考え方は、先にいう、ゴール地点の視点に立つ考え方ではないだろうか。そこでのゴール地点とは矛盾のない社会、やはり未来の突端に想定される、理想的な社会である。それは一種の「死滅した眼」の基点であり、そこから見ると近代国家も悪、天皇も悪、であって、近代国家の属性である国旗・国歌(日の丸・君が代)と、いわば前近代性をひきずる天皇制(天皇)は、五十歩百歩、「同じ穴の狢」、いっしょくたの存在としか、見えない。

しかし、わたしのようにゴール地点は捨てて顧みず、スタート地点さえあればいいのだ、という観点に立つなら、この三つのアイテムは、同じものではなく、むしろ対立する。三者は、五十歩百歩のまま、五十歩と百歩の違いを明らかにする。わたしは、近代国家に多くの不都合があることを認めるが、しかし、それを先験的に否定しようとは思わない。

まず、国旗の日の丸だが、数年前、あるところで占領史中の人物であるオーティス・ケーリと談論した際、氏が、こういった。湾岸戦争で日本の自衛隊の掃海艇が戦前の軍隊の旗である旭日旗をかかげて旧侵略地であるマニラ湾に入っていくのを見たが、驚いた。なぜ、日本の自衛隊は艦船に日の丸を掲げず、旭日旗を掲げるのか。なぜ日本国民はそのことを余り気にしないのでしょうね。これに、座談会の別のメンバーが、でも、日の丸でも現地の人には同じように嫌でしょう、と応じると、ケーリ氏は、こういった。

「でもね、何か掲げなければならない」

その時の会話はわたしに強い印象を残したが、わたしの考えをいえば、わたしもケーリ氏同様、日本の船(普通の船舶)が国外に出る時には、「何か掲げなければならない」以上、わたし達は、国旗の存在を否定できないし、否定すべきでもないと思う。わたし達は船ではないから、国旗なしに国外に行くが、しかしどんな国家死滅論者も、国外に出る時にはパスポートをもつ。これは自分が一国の国民であることを自任しているということである。

だから、ここにあるのは、日の丸という現在の国旗を否定的なものと見つつ、それに他方依存している、わたし達のなかなか説明しにくい現状である。大切なのは、日の丸の国家性を考えること以上に、この現状を検証し、これを、壊すことなのではあるまいか。

日本が近代国家であり、そのことをわたし達が否定できない以上、わたし達は、国旗の存在を否定できないのではないだろうか。国旗の否定は、わたし達がその前提たる近代国家の存在理由を現時点で認めている限り、無責任だろうと思う。そして、国旗をこの日本という国がもたなければならない限り、このイメージの悪い歴史的な日の丸を別のものに換える理由は、わたし達にない。他のものに換えるよりは、日の丸というこの国旗が世界の中に、そしてわたし達の中に現在もっている意味を、変えることの方が、困難ではあるけれども、大事だというのが、わたしの考えである。

旭日旗と日の丸は違う。日の丸を、戦争のしるしからそうでないものの——高度成長を通過した、私利私欲に立脚した社会の――しるしに変える努力、それが、この問題のスタート地点を構成する内実にほかならない。

オリンピックの会場でふられる日の丸と、やがてフランスでのサッカーのワールド・カップの会場でふられることになる日の丸の違い、そういうものに、わたし達は、旭日旗と日の丸の違い同様、これからもっと敏感にならなければならないだろう。

また、君が代は、現在、非公式な国歌だが、これは内容として、天皇の治世を讃えた歌である。わたしは、日本に住む一人である自分の気持ちとして、天皇の治世を讃えたい気持ちはもっていない。国歌は、考えてみれば、国旗ほど、実際的なメリットは少ない。いま、わたし達にこれがかかわってくるのはどんな機会か。ボクシングの世界タイトルマッチ、大相撲の千秋楽、いずれにおいてもそれらは儀式的意味あいにおいてしかそこに生きていない。

したがって、現在の非公式の歌である限り、これは歌うも歌わないも自由なのだから、このままでいいともいえるが、一方これを国歌にしたいという主張があることを考えると、それにわたしは反対を唱えざるをえない。いずれこれは、もっと便宜的に、誰にでも歌えるものになるのがいい。日の丸の場合と違い、国歌は、このようなものであるなら、なくてよいというのがわたしの考えで、次善の策として、もし、どうしても作りたいなら、誰でも歌えるもの、というのがその場合、わたしのつける条件である。

さて、最後、天皇だが、ここで問題になるのは、国民主権の近代国家の主権者であるわたし達と天皇の関係である。

歴史的にわたしはこんなことを考える。日本の天皇というのは君主制の中でも変わった存在である。イギリスの君主は、かつてキング(王)で、その国を支配していた。これを、はじめは貴族が、次には平民つまりネイションが、これに抵抗して、その権限を制限し、主権を奪取し、現在の形、「君臨すれど統治せず」になった。ここで国民主権は、歴史的経緯として明らかである。でも、日本の場合、一部の雄藩の下級武士たちが、外圧と国家独立の危機の中で、藩内で一種のクーデタを起こし、また、藩として、江戸幕府に対しクーデタを企て、革命に成功した。しかし、それを自分の名において成就できないばかりに、実質的には、そこで力をもたない天皇という君主権者ないし祭祀権者を「祭り上げ」、名目上の君主とした。注意深くこの経緯を追えばわかるが、戦後占領軍の手で反復されたのもおおすじこれと同質の経過である。近代天皇制の本質は、これがほんらい名目的な(象徴的な)機能を担った機関だということにある。

さて、しかし、その機関は、歴史的に、特に対外戦争の主体となることで、対外的な存在、一個の責任主体となった。わたしは、この時点で、この存在は、歴史的な可視の存在となったと考える。わたし達はわたし達として、この機関を責任主体としてもつ責任を、対外の関係者、具体的にはアジアその他の国の人民に対し、もっていることになる。

天皇の制度は、日本の近代化、特に明治維新の過程で、一国の独立の維持の上に一定の歴史的な意味をもったといえる。しかし、いま、その意味はほとんど失われている、あるいは著しく減じている。その意味の減少にしたがって、天皇の臨在のリアリティは、今後、日本社会の中で減少していくだろう。

わたし達は、この制度については特に国外に対し、責任をもっている。天皇の過去の戦争についての責任を明らかにすること、またその現在から将来にむけての意味の減少が、国外に迷惑を及ぼさないようにすること、この二つが、そのわたし達の責任の主要な内容である。天皇についても、これをわたし達が考える理由は、侵略戦争によって被害を与えた外国の国家および人民に、わたし達の責任がある、ということだ。それがわたし達がこの問題を考える、わたしにおける、スタート地点である。

わたしはスタートの方がゴールより大事だと思う。スタートの中には無限がある。一番手前からスタートを切る時、わたし達が、一番遠くまでいくことができるのは、そのためである。

目　次

スタートのライン
——日の丸・君が代・天皇——

I

「日本人」の成立……3

II

失言と癒見……115
——「タテマエとホンネ」と戦後日本——

「瘠我慢の説」考……193
——「民主主義とナショナリズム」の閉回路をめぐって——

チャールズ・ケーディスの思想……241
——植民地日本の可能性——

III

二つの視野の統合……265
——見田宗介『現代社会の理論——情報化・消費化社会の現在と未来』を手がかりに——

戦後的思考の原型……315
——ヤスパース『責罪論』の復刊に際して——

あとがき……329

「わたし達は何者なのか」から始めなくてはならない……大澤真幸……335

初出一覧 349

I

「日本人」の成立

はじめに――日本人、生きている死体

エドガー・アラン・ポーの『アッシャー家の崩壊』は、わたし達が日本人について考える際の、一つの問題視角を提供している。

わたし達は不断その場にいない人のことを話題にして、話に花を咲かせる。そこにその話題の主が姿を現す。するとわたし達はいちように黙る。ポーは、その沈黙の意味するところを、一つの恐怖の素として、この短編に動員している。

この短編は、語り手が数十年ぶりに旧友に会いにその館を訪れ、そこである恐ろしい経験をして、その館を後にする、というあらすじをもつ。数十年ぶりに会う旧友ロドリック・アッシャーは、眼は落ち窪み、昔の面影を失っている。旧友の妹マデリーン姫は、奇怪な病気を患っており、語り手「私」の到着後まもなく死んでしまう。彼女が地下室に仮埋葬された後、ロドリックの陰鬱な精神錯乱が深まる。ある嵐の晩、ロドリックは「私」の部屋の扉を敲く。

そこでロドリックが「私」に話してきかせるのは、その後怪奇小説や探偵小説に常套される「種明かし譚」「謎解き譚」の萌芽的表現ともいうべき「語り」である。この「語り」は、その後の探偵小説の最後に現れるあの名探偵の「種明かし譚」同様、事件が終わり、いまだから話せる、とばかりあの通時軸の鳥瞰的視点に立ってなされる、「謎解き」の話の枠組みをもっている。彼の話は、そういうわけでそれを聞く読者に物語特有のカタルシスを与える、後日譚的な種明かしからなっているが、ただ一点、この「後日譚」には、掟破りの要素が封じこめられている。この作品の恐ろしさは、そこからやってくるのだ。

ロドリックはいう。あの奇怪な不治の病にかかって葬られた妹は、実は本当に死んだのではなかった。自分達は誤って妹を「生きながら葬ってしまった」のだ。自分の過敏な神経は、あの埋葬の夜にはもう「うつろな棺の中で」妹が蘇生し、「うごきはじめた最初の音」を耳にしていた。妹はその夜以来、棺の中でもがき苦しみ続け、何とかそこから逃れ出ようと棺の蓋をかきむしり続けてきた。なぜ助けにいかなかったかと君は訊くだろうか。もっともな問いだ。しかし、自分は恐怖につかまれ、どうしてもそうすることができなかった。それだけではない、そのことを君に「いいだす」ことすらできなかったのだ、と。

ここのところで読者は、この間のこの館全体を領する不気味さが何からやってくるものだったかを知らされたように感じ、こう思う、ああ、そうだったのか、どうもおかしいと思っていたが、そういうワケがあったのだ、と。しかし、ロドリックの話は終わらない。ではなぜこれまで「いいだせ」なかった自分がここにやってきて、君にこれを話しているのか、と君は訊くだろうか。無理もない。自分がここにやってきたのは、つい先程、決定的なことがあったからだ。自分は地下室の妹の棺が裂ける音を聞いた。それから少ししたら今度は、地下室の霊安室の重い鉄の扉の開く音が聞こえた。

「ああ、僕はどこへ逃げたらいいんだ？　もうすぐ妹はここへやって来る、なぜこんな早まったことをしてくれたと、妹は僕を責めつけに急いでやって来る、いや、そうでないというのか？　階段を来るあの足音をきかなかったとでもいうのか？　あの妹の心臓の、重々しく恐ろしい鼓動がわからないとでもいうのか？　この気違いめ！」ここで彼（ロドリック――引用者）は猛烈な勢いで跳びあがって、まるで命がけの力をふりしぼるかのように、その言葉を途方もない声で叫び立てた――「この気違いめ！　そら、妹はもう扉の外に立っているというんだよ！」[1]（松村達雄訳、傍点原文）

この小説から読者の受けとる恐怖は、この不意のどんでん返しからくる。読者は、語り手「私」とともに、ロドリックの「謎とき」によって、妹マデリーン姫の生きながらの埋葬という意外な事実を知らされるが、その「語り」が館の高いところにある「私」の寝室でなされている、ちょうどその時、語られるものである妹は、その「真下にあたる、非常に深いところに設けられ」た、「せま苦しく湿っぽく、およそあかり取りと名づけられるもののいっさいない」地下室の棺の中から、棺を破り、扉をあけ、「語り」の行われている塔のてっぺんの部屋まで続く階段を、血だらけの姿でのぼっているのである。

「この気違いめ！　そら、妹はもう扉の外に立っているというんだよ！」

ところで、読者は、なぜここでいいようのない恐怖を味わうのだろうか。「語ること」は、「語られるもの」を対象化し、固定化する。それは、動くものをいったんピンで止める、という働きをもつ。「語り」を聞く者は、「語り」によって、物事の背後にあって隠されていたものが明るみに出される「真実の開示」のカタルシスを味わうが、その時、「真実」は、実をいえば観察可能なある距離に、観察に適した状況で固定されるプレパラート上の細胞片のように、「語られる」ということにより、「語り」の主体から遠隔化され、固定化される一種の凍結作用を、こうむっているのである。ポーは、「語り」のもつ、「語られるものを固定するという働き」を逆手にとり、そこから、この短編の恐怖を引きだしている。

このような「謎とき」譚の「真実の開示」のもつ「安心の構造」のひっくり返しをささえているのは、ロドリック・アッシャーの「逃げだす」代りに「喋る」という、またいおうとしても「いいだす」ことができないという、「金縛りの構造」ともいうべきものである。

ポーは、「語り」が人にたいしてもつ、「語られるもの」の対象化、固定化といういわば「知られざる作用」に着目して、「語る」ものに、「語られるもの」が、「語り」の中からよみがえって、襲いかかる、新しい恐怖を作りだした。彼はそれを、ロドリックの恐怖に摑まれての語り、という新しい語りの設定によって、可能にしているのである。

ポーのこの小説は、「語り」、広くは考察(観察)一般のもつ主体と客体の構造化が、ある盲点をもつことをわたし達に教える。ふだん、人はある「事件」が終わった後に「語り」だす。「できごと」の渦中ではそれを生きる。「語り」がはじまるのは、それが終わってから、あるいはそれが遠隔の地で生じており、語りの「いま、ここ」の場所からできごとが切断されている時のことである。だから、そこに「語られるもの」がふいに姿を現すと、わたし達は驚いて口をとざす。そこにはある深い「語り」の構造の裂け目が、顔を見せている。

ところで、ここでいまわたし達の取りあげようとする「日本人」という主題が、考察を進めるにつれて実はまだ〝死んでいない〟ことが明らかになる、ポーの『アッシャー家の崩壊』のマデリーン姫でないという保証は、あるだろうか。それがここでの問題になる。

というのも、いま「日本人」について語り、考察しようとするわたし達がまた「日本人」であることを自任しているわけだとすると、ここには、奇妙な自己言及の無限循環の回路が用意されていることになるからだ。しかし、そもそもあのポーの小説が語っているのは、この自己言及性の無限循環の崩壊の劇なのではないだろうか。自己言及性とは、語りえない関係を、語りえないと語ることによって隠蔽する、それ自体が「語り」の産物なのだ。わたし達は、マデリーン姫を、他人事のように種明かし譚の対象にすることで地下の霊安室に封じこめている。ポーは、その構造を、アッシャー家の館もろとも、崩壊させようとしているのである。

わたし達は、「日本人」について考察し、語りながら、いつこの「語られるもの」が「語り」の中からよみがえってわたし達の考察の場所に血だらけの形相でやってこようとも、文句はいえない。問題は、わたし達が「日本人」について考察するという場合、ほんらいその考察対象がわたし達にとり十分に〝死んで〟いないにもかかわらず、あたかも生物学者が花弁の細胞を観察するように、「日本人」についてもこれを客体として考察できると考えていることの倒錯性にある。この倒錯をわたしはここで、史的考察における遠近法的倒錯と呼ぶが、ポーの小説が明らかにしているのは「語り」がもってしまう、この倒錯の構造なのである。

そこでは、まだ〝死んでいない〟死体が地下から抜けだすことにより「語り」を惹起し、しかも自ら「語り」の場所を訪れることで、その倒錯の構造を明るみに出す。「語られるもの」が実はまだ十分に〝死んでいない〟場合、それはそうあるべきはずの事態だが、「日本人」考察の場合には、〝死んでいない〟考察対象を棺の中にとじこめ、死なせ、その〝死〟によって逆に考察の正しさが確認されるという転倒が、学問的な客観性を保証しているのではないか、というのがここでわたし達にくる自問なのである。

たとえばわたし達は考古学の対象として縄文期の人骨を考察することができる。しかしこれを古代日本人の問題、日本人の源流を探るという問題の一環として考察することには、考古学の場合には含まれない問題が孕まれている。なぜなら、その場合、一般にわたし達は同じ主体と対象の関係を保持しながら、この「古代日本人」から「日本人」へ、さらに「日本人」「現代日本人」の問題へとその行方を辿ることはできないからだ。縄文期の人骨から弥生期、奈良平安期の人骨、さらに鎌倉期、江戸期の人骨までは同じ観察主体と観察対象の安定した関係を保持できるとしよう。しかし、明治期の対象をわたし達は、まず「人骨」とは呼ばないだろう。つまり、観察対象が最終到達地に近づくと、わたし達の考察も〝有視界飛行〟に切り替えられる。そして観察主体と観察対象の関係は、にわかに不安定なものとなる。それは日本人の「祖先」という考古学的対象から、「先祖」という信仰の対象になり代わり、その信仰の対象は、やがて、「死者」という畏れの対象、「死体」という恐れの対象、「遺体」という悲嘆の対象というように順次、そのわたし達との関係構造を組みかえ、ついにはわたし達自身の〝死〟につながるからである。ポーの小説では、マデリーン姫、死んだはずの「語られるもの」が、この関係構造の漸次的組みかえの「階段」をつうじて、わたし達の「語り」の場所、考察の場に、血だらけの姿でやってくるのである。

わたし達が「日本人」であることの自任に立って「日本人」とは何かという問題について考える時、考察の対象であるのは、たとえそれが古代の場合でも、基本的にはあのポーの小説におけるマデリーン姫のような存在である。それはまだ十分には〝死んでいない〟。逆からいうなら、客観的な考察対象と措定される「日本人」について、これが「日本人」に関する考察だということがいわれるには、この「日本人」と、わたし達がふつうにいいかわす〝日本人〟との間に、仮構的な「一線」が引かれているということが、自覚されなければならない。戦後の歴史学は、その最も肝腎な一点を押さえていない。現今の「日本人」に関する論議と考察一般に見られる混乱の多くも、この客体化された「日本人」といわば非客体性を本質とする〝日本人〟の混同、また、生きているマデリーン姫を誤って埋葬してしまうことと、その生きた死体を埋葬したまま殺してしまい、本物の死体にしてしまうことの混同から、きていると思われるのである。

一　現状の批判

現今の「日本人」に関する論議と考察で、興味深いことは、それが学問的な考察と非学問的な論議とに大きく二分されるあり方を示していることである。前者の代表的なものに、「日本」と「日本人」を考察対象とする考古学・人類学・歴史学の専門的著作があり、後者の代表的なものに、このところジャーナリズムを賑わせてきている「邪馬台国ブーム」などに見られる「日本論」、そしておびただしい数の「日本人論」「日本文化論」がある。

この後者を中心に、前者をまきこむ形で展開されている「日本人論」ブームについて、これが余り他国に見られない特異な現象であることには、すでに多くの指摘がある。これは、それ自体として興味深い現象だが(2)、ここではなぜ日本人という問題が二種の、全く違った言説空間、考察の位相をつくりだしているかを考えておきたい。

ハルミ・ベフは、この「日本論」「日本人論」「日本文化論」(総称して「文化論」)を、それ自体興味深い人類学的な考察対象として検討している。ここにいう「文化論」にたいするベフの視点の長所は、それへの批判が、それが学問的に見ていかに誤っているか、という指摘によってはほんらい、なされえないことを指摘している点に集約される。ベフのいう「文化論」については、これまでそれがいかに事実と違うか、通俗的理解にすぎないか、という「学問的」かつ「国際的」な指摘が数多くなされてきた。しかしベフは、「文化論」の考察においては、これら非学問的な接近を学問的に裁くことには余り意味がないという。むしろこのことは、この領域において、非学問的領域と学問的領域の双方を見はるかすメタ・レベルの視点を設定する必要のあることを指示していると、彼は考えるのである[3]。

ベフの考えでは、「文化論」は、そもそも学問体系のうちに提示されているものでもなければ、そこにおいて、受容されているものでもない。それは「学問」ではないところに本質的な規定をもつ。その特質は、これらが「学問ではない」こと、「大衆にどういう欲求があるか」に反応し、「大衆の望んでいることにこたえる」、大衆消費産業における〝大衆消費財〟として、成立していることにある。その文化的なイデオロギーとしての機能に着目しない限り、これらの「日本論」「日本人論」の本質は、明らかにされないというのが、ベフの観点である[4]。

ベフの考えでは大衆消費財としての「日本論」「日本人論」の書き手は、別に学問的な正確さ、客観性をめざしているのではない。それ以上に読み手は、そのような客観的な真理を求めてそれらの著作を読んでいるのではないので、いくらそこでいわれていることが間違いだと指摘されても、そのことで彼らは何ら痛痒を感じない。

これはベフ自身の引いている例でもあるが、聖書学の専門家である東北学院大学の浅見定雄に、その著作『日本人とユダヤ人』に見られる数々の誤りを指摘された[5](イザヤ・ベンダサンこと)山本七平は、この批判にふれ、こう述べている。

「あれ(『日本人とユダヤ人』)はエッセーですからねえ。エッセーは楽しんで読んでもらうものです。(中略)学術論文として扱われると、非常に問題があるのは当然なんです。(中略)学術論文としてみれば、非常に欠陥があるだろうということぐらい私だってよく知っている」

山本はたしかにこう別に強がりでもなく、反論することができるのである。[6]ところで、このような「日本」および「日本人」をめぐる考察と議論の二分化されたあり方は、何を語っているのだろうか。ベフはここから、「文化論」(「日本論」「日本人論」)の本質としてのイデオロギー的側面が現代の日本社会においてどのように機能しているかを見ていくが、わたしは、ベフのようにいわゆる「大衆」のこの種の主題への関心を、文化的考察の対象に還元できない。わたしはベフの大衆観にほんの少しだが文化人類学に固有の浅さがあると感じる。[7]わたしを立ちどまらせるのは、この「日本」「日本人」をめぐる論議が、わたし達においてはなぜこうした分極化を示すのか、というもう一つの問題である。

「日本人」「日本」をめぐる考察と論議が日本で学問的客観性から自由な、きわめて特異な言説空間を形成しているのは、たしかに一つに、ベフのいう、日本社会におけるこの「文化論」の考察と流通の側面における特異性の表現と考えることができる。しかしそれは、同時に、「日本人」「日本」をめぐる客観的かつ学問的な考察と論議がそれ自体のうちにもつ欠陥と錯誤の、もう一つの表現でもあるだろう。言葉をかえていえば、「日本」「日本人」に関する学問的な考察に一定の歪みと錯誤があればこそ、こうした鬼子的な〝イデオロギーとしての日本文化論〟が量産されている。この分極化傾向は、二種の考察のそれぞれの盲点と錯誤を、反映しているのである。

つまりここには、たんに日本文化論が日本社会の中で大衆消費財になっているというだけでない、もう一つの事態が顔を見せている。それは、「日本人とは何か」という問いがわたし達に対してもつ二重性の問題である。「日本人とは何か」という問いには、「(われわれ)日本人とは何か」という問いと「(かれら)日本人とは何か」という問いと、二つの問いが含まれている。そしてこの二つは、それを問うのが〝日本人〟である限り、同じではない。ここには、即自・対自的に自己のアイデンティティにかかわってくる「わたし(達)とは何か」と翻訳されうる問いと、対自・対他的に、客観的・普遍的な水準で合理的に問われうる「「日本人」とは何か」という問いとが併存しているが、この両者の間にあるのは、自己の問題を内在的に考えると外在的に考えるといいうる種類の、無視することのできない問いの本質の違いだからである。いわゆる学問的な考察が、この設問に内在している二重性に気づき、これを繰り入れるということをしていないことが、あの日本論、日本文化論、日本人論の二分されたあり方の原因なのである。

この二重性を繰り入れた「日本人とは何か」という問いは、どのような形でわたし達の中に像をもちうるだろう。それは客観的に「日本人」を「かれら」と見る視点をもつが、その「かれら」がまた「われわれ」である側面をも捨象しないものでなければならない。それは他者だが自己でもありうる他者の像であり、一度は埋葬されなくてはならないが、また生き返りうる者としての死者の像である。マデリーン姫は、わたし達の「日本人」論議の場所の遥か地下深く、いまもさまよっているのである。

ふつうの人々が、「日本人とは何か」という問いに関心をもつのは、それが「(われわれ)日本人とは何か」を問うものだからだろう。しかし、学問的な水準で問われるこの問いの実質は、客観的で安定した考察の基盤に立つものであり、むしろ「(かれら)日本人とは何か」という問いに翻訳される。ここには人々のモチーフと客観的考察者の方法を「つなぐ」二重性を繰り入れた問いが、あのミッシング・リンクのようにただ一つ、欠けているのである。

たしかに、一般読者の要請にこたえる形で、ベフのいう大衆消費財としての「日本人論」のジャンルにも、「(かれら)日本人とは何か」を問うものがないわけではない。たとえば、エドウィン・ライシャワーやエズラ・ヴォーゲルによる「日本人論」「日本論」が、本国では学問的な仕事でありながら、日本では「大衆消費財」にもなるのはそのことを示している。しかし、「日本人」を外側から「かれら」として問う著作が全て〝外人〟によるものでなければ大衆消費財として流通しないという事実のうちに、逆に、この人々のモチーフと学的考察の間の溝の深さが照らしだされている。一般の読み手が、学問的な「日本」考察に関心を寄せないのは、何より、そこに彼らの現在の関心である「(われわれ)日本人とは何か」というモチーフが共有されていないことを感じているからである。しかし彼らが一方で非日本人、それも多くは西洋人(特に米国人)による「日本論」「日本人論」を〝大衆消費〟するのは、日本人自身による大量消費財的な「(われわれ)日本人とは何か」という問いへの回答の試みに、何か心もとないもの、しかとした〝客観性〟に似たものの不足を感じているからにほかならない。おそらく彼らはベフのいうように自分の欲するイメージに合致する「日本人」に関する形象化を求めているだけではない。うがったことをいうなら、ここにはあの敗戦のトラウマが影を落としている。つまり、敗戦後、ルース・ベネディクトの『菊と刀』により、完膚なきまでに「敵人たる日本人」として「分析」されつくした被験者としての精神的外傷が、これを相対化するような日本人論を、彼らに心のどこかで求めさせているのである。しかし、そのことを含め、次のようなことがいえるだろう。すなわち、彼らはそこにいわば、先に述べた二重性を繰り入れた日本人像のないことに、心もとなさをおぼえ、苛立っているのだと。

たんに客観を宗とする学問的文化論の企ては、ルース・ベネディクトの方法論の踏襲にすぎない。それは、そもそも彼らのモチーフにこたえない。そこにはこの学問的考察のある盲点が顔をだしているといってよい。つまり、日本人の学者、非学問的日本人論の書き手双方に見られるそれぞれの欠落を前提として、彼ら一般読者が、自分の欲するイメージの〝確認〟を何より非日本人に望むという事態が生じている。彼らが〝外人〟による「日本人論」

を歓迎するという現象も、そのことを基底に生じているのである。

『日本人とユダヤ人』は、そう考えると、にわかに興味深い試みとして浮かびあがってくる。この著作は、現在では、この本の初版の出版社の社主だった山本七平が架空のユダヤ人著者イザヤ・ベンダサンの筆名で出版したものであることが確認されている。山本がどのような意図からこのような著作を書こうと思いたったのかはわからない。しかし、彼の意図に、無意識にもせよ、あの『菊と刀』の呪縛からの脱出というモチーフがあったということは十分に考えられる。少なくとも、これは、そのようなものとして受けとられることで、一般読者に迎えられ、ベストセラーになっているのかも知れないのである。

しかし、逆からいえば、そのことはまた、著者山本七平が、イザヤ・ベンダサンという〝外人〟著作家を自ら仮構することなしには、このモチーフに応えられなかったということでもある。では、どうであれば、日本人自身による「われわれ日本人」の、他者にも提示可能な考察は可能か。日本の日本人論、日本文化論の二極分解がその表層のむこうでわたし達にさしだしているのは、「(われわれ)日本人とは何か」という問いに立った——恣意的で大衆消費財的ではない——学的な考察の試みがあるとすれば、それはどのようなものか、という問いなのである。

二　問いの稜線

しかし、いったんこのことに気づいて、この「日本人とは何か」という問いの来歴を鳥瞰するなら、この観点こそが、少なくとも江戸後期の国学の発生以来、わたし達をもっとも深いところで捉えてきたアポリアであることがわかる。

本居宣長に代表される国学が日本の「われわれ」の意識におけるいわば自意識の発生時点を特定しているとすれば、「日本人とは何か」という問いは、まさしくこの「日本人」が「われわれ」のことか「彼ら」のことかで意味を変えるのではないか、という一点をめぐる、自意識の問いとなっているからである。

わたしとしては、このような意味での対立点の露頭を、一八世紀後半の本居宣長と上田秋成の論争にはじまり、戦後の柳田国男と石田英一郎の対立、さらに近年の吉本隆明の小林秀雄批判へと続く、一連の稜線として考えたい誘惑にかられる。(8) ここでは、そのうちのいくつかを望見するにとどめるが、その輪郭を素描すれば、次のようである。

まず、宣長と秋成の論争。これは、上田秋成の批判にたいする反論として書かれた宣長の「呵刈葭（かかいか）」(一七八七年)によって、その大要を知ることができるが、そこで秋成は、日本の「日の神が四海万国を照らす」と述べる宣長の『古事記』解釈を批判して、オランダの世界地図を取りあげ、世界の中でこんなに小さい島国にすぎない日本が世界の中心だというのはおかしいことではないか、と宣長を批判している。宣長の説を聞けば、誰もが秋成のように感じるはずで、これは批判として、まっとう至極なものだろう。だから宣長が、なぜこのようなまっとうな秋成の批判に、高飛車な姿勢で反論を加えているのかがここで問題になる。

わたしの見るところ、宣長の反論は、秋成の合理的な批判を、その合理性を理由に否定するところに成立している。宣長によれば、秋成の議論は「不可測のことを不可測といわ」ず、「強いて推測して言おうとする」「小智をふるう漢意（からごころ）」の所産にすぎない(9)。この宣長の反論については、これまでさまざまな解釈がなされてきたが、わたしの解釈をいえば、ここで宣長は、ただ一つ、ある世界について、いわば世界内存在として世界を見るのと、これを外側から見るのとでは、違うのではないか、といっている。これを「日本人」論の文脈に重ね合わせるなら、彼は、「日本人とは何か」という問いを日本人自身が問う場合には、「われわれ日本人とは何か」という問いが、問われるべきなのだ、という立場を代弁しているのである。

その場合、宣長は、「われわれ日本人とは何か」という問いは、「彼ら日本人とは何か」という問いと違っている、といっている。確かに「彼ら日本人とは何か」という観点に立てば、オランダの地図の示す通りだろう。それは当然のことである。しかし、秋成は、「日本」の問題を日本人自身が問う場合に現れる「不可測のこと」を見落とし、単にそれを外国人が問う時のように〝外在的〟に問うている。彼は、「彼ら日本人とは何か」をもって、「われわれ日本人とは何か」という問いが解明できるとオプチミスティックに考えている。しかしこれを〝外在的〟に問うことは、たやすいばかりか、ほとんど無意味に等しい。なぜならわれわれはこれまで中国から渡来した思考法に立って日本に昔からあった思考法をいわば「野生の思考」（野蛮な思考）と見て駆逐してきた。そしてようやく、このようなあり方に異議申し立てする時点までたどり着いたところなのである。われわれはこれまで合理的とされてきた中国渡来の思考法を疑い、自分たちを動かしている思考法を発見しようとしている。自分は、どのようにこの問いを〝内在的〟に問うことができるか、また〝内在的〟に問う時、どのような未知の問題にわれわれがぶつかることになるのか、を考えているのだ。そこを見るなら、単にこれが合理的ではない、という批判では、このモチーフを見ていないことになるではないか。——宣長はほぼ、このように秋成にいいたいのである。

むろん、そうだとしても、秋成の観点からは、ではその〝内在的〟な視点は、この合理問題をどのように解くのか、と反問することが可能である。秋成がこのモチーフを了解したら、この反問がどのように変奏されたか、という興味はあるが、ここではそのことは放念しておいてよいだろう。宣長の観点のほうを追うなら、彼は、いま「日本人とは何か」という問いをわたし達が考察する場合に浮上してくる、あの「語り(考察)の構造」のもつ裂け目をさして、ここには「不可測のこと」があると、述べているのだとみなすことができる。秋成は「日本人とは何か」をいわば客観的で合理的な視点に立って考えようとする。しかしその時この問いは「(彼ら)日本人とは何か」に変質してしまっている。しかしこの問いがわれわれにとってまたとない大切さをもつのはなぜか。それが「(われわれ)日本人とは何か」という「われわれ」自身を問うものだからではないのか。宣長が語ろうとしているのは、いまの言葉に翻訳するなら、文字通り、「われわれ日本人とは何か」という問いは、どのようにすれば学として定位しうるか、というこれまでにない設問だったことが了解されるのである。

そして、この宣長・秋成の「呵刈葭」論争をこのように受けとるなら、ここにいう宣長のモチーフは、近代に入ると、柳田国男、折口信夫という二人の独自の民俗学者によってひきつがれることになる。

　敗戦後、ほどなく開かれた「民俗学から民族学へ」と題された討議で、柳田国男は、石田英一郎が日本における民俗学を「一国民族学」と捉え、これを一肢部として、より普遍的な民族学の学的体系に包摂して理解する姿勢を示したのに対して、民俗学が民俗学のままで普遍性をもつ道筋をつけることの重要性を指摘して、その構想に「異議をさしはさ」んでいる。ここに含意されているのは、日本人が日本の民俗を考察する学的方法は外国人が日本の民俗を考察する場合の学的方法とは本質的に異なる課題をもつはずだという認識にほかならない[10]。

　柳田は、たとえば『明治大正史 世相篇』(一九三一年)の冒頭で、彼の考えをこう語っていた。自分の眼で見、耳で聞いたものだけを頼りに眼前の社会の現実を観察する方法は、たしかに、観察対象が狭い範囲に限定される欠点を免れない。しかし、それは、「少なくとも各自把握した現実の区域に於ては、外部の文明批評家の論断を、鵜呑にしてしまふみじめさ」(傍点原文)から脱している。ところでこのような実験を、どのような方面に向かって進めればよいか。

　柳田は続けてこう述べている。

　それには必然的に、歴史は他人の家の事蹟を説くものだ、といふ考を止めなければならまい。人は問題によつて他人にもなれば、また仲間の一人にもなるので、しかも疑惑と

好奇心とが我々に属する限り、純然たる彼等の事件といふものは、実際は非常に少ないのである。[11]（傍点引用者）

引用箇所の少し前には、「世相の渦巻の全き姿を知るといふことは、同じ流に浮ぶ者にとつて、さう簡単なる努力では無かつた」という言葉も見つかる。[12] 客観的な学は自分をあたかも他人のように対象化することによって成立するという考えがある。しかし、こういう考えをまず捨てなければならない。考察の対象は、その方法によって他人ともなればまた自分と同質の存在ともなる。しかも自分の考察のモチーフ（疑惑と好奇心）を手離さない限り、「純然たる彼等」の問題というものは、「実際は非常に少ない」。柳田はここで、考察対象の「渦巻の全き姿」を知ることは「同じ流に浮ぶ者」にとって困難な課題だが、同時に「渦巻の全き姿」は、実はその「同じ流」に身を置く者にしか見えないのではないか、といっているのである。

石田が、「日本人とは何か」という問いを、「外部の文明批評家」の眼によって問おうとするのに対して、柳田の反論は、宣長同様、そこではその問いが「他人の家の事蹟を説く」ものに変質してしまっている、しかも問いの本質、「我々に属する」疑惑と好奇心とは、その変質の中で切断されてしまうのではないか、というのである。

では、ここにめざされている学的方法を、どういえばよいだろうか。

柳田とともにこの座談会に出席していた折口信夫は、柳田の門下でありながら独自の学統を立て、激しく柳田と対立するところもあった独自の思想家だが、その一九一五年の日記に、こう書いている。

ある友人が自分の爪の色を見て自分の健康を判断していた。自分もふだんは同じことをしているかも知れない。「自身の内部を自身の内部以外の物とせないで十分に客観」すること、「いひかへれば、びくびくはねかへる様な胃痙攣に苦しみ乍らその苦しみに順応して、正確な苦痛を測定すること」は、誰にも困難なことだからだ。だから人はより安易な「客観」に就く。他人を観察するように自己を対象化する、そのことをもって「客観態度」が確立されたと見誤るのだ。

以下、折口の日記よりの引用。

(人は——引用者)大抵お医者に苦痛の程度の判断は委ねてゐる。自身の爪を見て自身の健康を判断するのもこれとさした甲乙はない。自身の爪を他人の顔を見る態度で見てゐるのだ。そしてそれが純粋の客観態度だと誇るのだ。苦痛に波立つてゐる横隔膜の打鼓と共に波立ちつゝ客観態度を確立して居らねばならぬ。客観は楽ではない。しかし学問もその道を探ることによつて常に新しい道を進むのだ。(13)(傍点引用者)

折口にとらえられる「客観」は、「他人の顔を見る態度」で「自身の爪」を見ることではない。「苦痛に波立つてゐる横隔膜の打鼓と共に波立ちつゝ客観態度を確立」すること。これはけっしてわかり易い表現ではないが、このように自分の歩むべき「学問の道」を提示する時、折口は、彼もまた、「(われわれ)日本人とは何か」という問いを客観的に問うことの困難と、その必要について語っているのである。

現在の時点から振り返るなら、昭和期の戦前と戦後を貫いて一つの道を辿り続けた例外的な二人の民俗学者を動かしていた起因は、どうすればこの内在的な視点を「客観」として作り出せるか、という同じモチーフだった。

しかしこの内在は、どのようにして「苦痛に波立つてゐる横隔膜の打鼓と共に波立ちつゝ」「客観態度」の確立へといたることができるのか。

このモチーフをめぐる対立は、以後、さらに大きく変移する形で、小林秀雄がライフ・ワークとして『本居宣長』を上梓し、これに吉本隆明が批判を加えた時点で反復されることになる。吉本は、小林の宣長像がこの内在的な視点の救抜にあることを見たうえで、しかし、それが折口の「客観態度の確立」という困難なモチーフを空無化していると考えるのである。

吉本は、その近著「柳田国男論」の中で、柳田の方法を次のように述べるが、これを小林の宣長像への一つの反措定の試みと受けとることができる。柳田は、日本を考察するにあたって外在的な視点に立つ考察の力についてはこれを十分に知悉していたが、にもかかわらず、その外在的視点に立った記述を「じぶんに禁じ」、内在的に見ればこれはどのように見えるか、これをどのように語りうるか、という点に、自分の方法の核心を置いた。外部の視線を知った上で、これを自らに禁じることと、内部の視線として、外部の視線と対立することは、違っている。柳田は、内部の視線として外部に対立するのではなく、外部の視線を自分に禁じることで、いわば内部の視線を内部のまま、外部化することをめざすのである。ここに柳田の方法の本質はあった。

吉本は、書いている。

（柳田の文体を——引用者）もうすこし注意してみると、外視鏡の視線をまったく知らずに、固有の村里の語り草を、ただ記述しているとはとうていおもえなくなってくる。すでにあらかじめ把握されたひとつの外部からの世界像があり、それを文体に潜在させ、しかもその記述をじぶんに禁じていると感じられてくる。そしてじしんの内視鏡の視線と、表面では禁じたじぶんの外部からの世界把握とが交錯するところに、いわば既視現象みたいに、あの〈空隙〉や〈亀裂〉の像(イメージ)を浮び上らせている。(14)

ほとんど吉本の方法の自己解説といった趣きの指摘だが、彼が柳田に見ているものも、やはり、「（われわれ）日本人とは何か」という問いを学として定立させるために、どのような方法が必要とされるか、という問題意識であることがわかる。

さて、このような問いの系譜は、わたし達に、どのような課題をさしだしているというべきだろうか。

考察されなければならないのは、すでに形質人類学や政治学や歴史学、社会学で明確な定義を受けた人種としての、あるいは国民としての、また歴史主体としての、社会要因としての「日本人」といったものではない。ふつうわたし達が日常的に用いている〝日本人〟というコトバ、人種、国民、歴史主体、社会要因という属性を含むとしても、その総和とは言いきれない、そこにさらにプラス・アルファを含む不定形の存在としての「日本人」というものがある。そのような「日本人」こそが厳密な学の考察対象として、据えられなければならない。

そもそも「われわれ日本人とは何か」という問い、これはどのような問いだろうか。それは「われわれとは何か」を訊いている。しかしどこで「われわれとは何か」と違っているのか。

こう考えてみれば、ふつうわたし達が「日本人とは何か」と問う時は、客体としての「日本人」つまり「(彼らとしての)日本人」を対象とするのに対し、一集合として「われわれとは何か」と問う時には、すでに「(われわれとしての)日本人」がそこに前提されていることに気づく。この場合は「日本人」という概念が「われわれ」の輪郭線を外から境界づけている。この概念があってはじめて、わたし達は「われわれ(日本人)とは何か」という形の問いを発することができるのである。

この「日本人」という概念は、いつ、どのようにして形成されているのか。

この概念が、いつ、どのように形成され、わたし達に手渡されているため、いま、わたし達は、「われわれ日本人とは何か」とこの問いを考えているのか。

「日本人とは何か」という問いは、「われわれ」と「彼ら」に分離され、その両者の本質、モチーフと学的確実性をあわせもった設問へと鍛えあげられた。しかし、「(われわれ)日本人とは何か」という問いを、学的な位相で問うとはどのようなことか。その問いに答えようとして、その課題は、「日本人とは何か」という問いを、ひとまずいったん、「日本人」とは何か、という問いへと、〝差し戻す〟のである。

三 「日本人」とは何か

「日本人とは何か」から「日本人」とは何か、へ。

ここまで述べてきたことは、わたしが「日本人」をめぐる問題に関心をもった経緯を、いまの時点で再整理したものである。これらの問題に関しては全くの門外漢だったわたしが、ここに一つの問題のあることに気づく過程が、まったくこのようなすじみちをもっていた。私事にわたるが、この間の経緯を簡単になぞっておきたい。

わたしがこの問題に頭を突っ込んだきっかけは、ある事典への「日本人」の項目の執筆を引き受けたことからだった。当初は軽い気持で引き受けたが、いざ仕事をする段になって、はたと困った。わたしは、いったい何を書くことが、事典における「日本人」の項目に求められている必要条件を満たすのかが、自分に皆目わかっていないことに、この時はじめて、気づいたのである。

わたしは国会図書館に行って、入手可能な事典類に片っ端からあたり、各種の事典で、何が「日本人」という項目の内容の必要で十分な条件なのかを知ろうとした。そして、結局、そのようなスタンダードが「日本人」に関しては、全く存在しないことを知った。

しかしそれだけでなく、あることがわたしには明らかになった、ような気がした。

それは、次のようなことである。

奇妙なことに、世にいきわたっている「日本人」の項目に関する事典の説明は、内容こそ書き手の専門により、形質人類学から歴史学、政治学、社会学まで、千差万別だが、共通して、「日本人」という四角い透明なイレモノの中に日本人という液体が入っているとして、そのイレモノの中に入っているのは何かを、問う形になっている。問いの形は、「日本人とは何か」「日本人の特質は何か」「日本人はどこからきたか」等々、多様な展開を示すが、このそもそものイレモノである「日本人」という観念・概念がいつどのように形づくられて、いま、ここにあるかを問うものは、どこにもないのである。

しかし、このイレモノが、いまわたし達に手渡されているために、わたし達はそれを日にかざし、ためつすがめつしてそこに入っているものが何かを問うことができる。問われるべきはむしろ、この透明なガラス箱の来歴であるはずだが、歴史家も、形質人類学者も、このことは不問に付している。しかも、これは事典の記述に限らない。そもそもこの「日本人」をめぐる論議と考察が、そうなのだ。第一人者として知られる歴史家も、気鋭のジャーナリストも、等しくこのガラスのイレモノには目もくれず、「日本人とは何か」という問いから、はじめているのである。

しかし、このイレモノ自身が、奇妙な生い立ちをへて転生を繰り返したあげく、わたし達の手に届いているとしたら、それへの問いを欠いたその内容物への問いがさまざまな困難にぶつからざるをえないのは、当然だろう。ちなみにいえば、世の「日本人論」ブームが、ブームというよりはゲームといえる程に、とどまるところを知らない理由は、この「日本人とは何か」という問いが、そもそも「正答」をもたない性質の問いだからなのである。

しかし、さらにいえば、「日本人とは何か」という問いが「正答」を持たないのは、ほんらい「日本人」という概念の定義が不可能なように、そのようなものとして、わたし達に手渡されているためでもある。この「日本人」概念の不可測性は、「日本人」概念の形成過程の多重構造性ともいうべきものに由来している。多重構造性とはそこでの概念形成の各段階の節目に確とした切断がないことをさす。このような日本社会の特異性は、二〇世紀に入り、第一次、第二次と二度までの世界大戦を経過し、それに当事者として加わってなお、日本においては「王政」ともいうべきものが、立憲君主政の形で一四、五世紀間来、長期にわたり、連綿と持続していること、そしてこのような例がいまや世界に他に見られないという一事を見ても、明らかである。たとえば「米国人」や「フランス人」の定義は、そこにさまざまの問題をもつにせよ、その国家としての独立、あるいは成立の期日の明白さに応じてある明証性をもつ。一七世紀のメイフラワー号による移住以前に「アメリカ人」という観念が(米国人という意味で)存在しないことは、誰の眼にも明らかだろう。いったい誰が、生真面目に

「アメリカ人」の起源は旧石器時代にさかのぼる、などという議論を展開するだろう。しかし、「日本人」について、わたし達は、しばしばそのような議論を展開してそのことを奇妙だと感じない。わたし達は、「日本人」という自称に関し、ある種の想像力を働かせるセンスをなぜか失っているのである。そして大まじめにこう考える、たとえば、「日本人」は、縄文時代までその〝源流〟を辿ることができる、というように。

しかしこれは、近代国家の人間として、何かとてつもなく、奇妙な感覚である。

たとえば、わたしの見つけた国会図書館の参考図書室にある標準的な百科事典における「日本人」の項目には、こう書かれている。

日本人　日本国内すなわち日本列島に生活し、かつ日本人としての自覚をもっている住民populationを一般に日本人という。日本列島の固有の住民こそ日本人であり、この場合漠然とではあるが、体格・容貌・言語・習俗の共有ということを予想している。これを日本国の国籍をもっている住民と限定したとき、「日本国民」という政治的概念になり、文化を共有する住民と限定すると、「日本民族」という概念が生ずる。(15)

この記述は、わたし達がふつうに「日本人」という、その時わたし達に含意されているものをそのまま表現しようと試みたものとして貴重な試みというべきである。日本に居住する住民で、かつ日本人としての自覚をもつ、という限定は、やや同義反復のきらいはあるものの、日本に居住しながら日本人としての自覚をもたない少数民族のいることを念頭においている。具体的にいえば、それは、アイヌ人、琉球人の一部の人々であり、また在日韓国・朝鮮人を主体とする在日外国人集団である。しかし、ここで注意を要することは、日本列島の「固有の住民」で、「体格・容貌・言語・習俗の共有」を予想するところの日本人は、それでもなお右の日本人とは、そのまま重ならないということである。後者の「日本人」は、「日本民族」という文化共有集団に近い。それをそのまま、ふつうわたし達が生活の場で「日本人」という時に含意している存在、国際関係で他者との関係を築き、また歴史の中に生きている「日本人」のアクチュアリティと、ぴったり重ね合わせることは難しいのである。

このことは、わたし達がふつう「日本人」という時、その「日本人」が、ここにいう「日本住民」から「日本民族」「日本国民」までの幅でたえず浮遊する融通無碍、かつ不安定な概念記号であることを示している。そこからたとえば、次のような定義の工夫も生じてくる。

日本人　日本国は、若干の集団を除いて、全体として単一人種、単一民族から成立しているといってよい。また日本語は日本国内において完全に普及している。このため、日本人という言葉は、同時に日本国民、日本人種、日本民族、日本語民、日本住民というように多義語として用いられる。その際、それらの概念は、本来、厳重に区別されなければならない。人種的には独特の少数集団にすぎないが、アイヌは日本国民であり、また在米日本人二世は人種的には日本人であるがアメリカ合衆国国民であり、母国語と

して英語を語る。(16)

日本人とは、同時に、日本国民、日本人種、日本民族、日本語民、日本住民というように、多義語として用いられる。そのため、日本人とは何か、という問いを考える場合、「それらの概念は、本来、厳重に区別されなければならない」。しかし、これらを「厳重に区別」した場合、わたし達は、それぞれの問いの答えを得ることはできるだろうが、その時これらの概念の多重構造体としての「日本人」は、消えてしまう。しかし、わたし達に切実な意味をもつ、わたし達の心をひきつけてやまない存在は、この「多義語として用いられ」た「日本人」なのである。

「日本人」という概念は、日本人種、日本民族、日本語民、日本国民、日本住民というそれぞれに異なる概念が重ね餅のように重なった多重概念であるところに、特色をもつ、と一応のところはいっておくことができる。豊臣秀吉が列島主要部の全国制覇をなしとげて以来、生まれた政権は、天皇の存在を自分の支配統治の正統性の根拠とした。また明治維新の大変革も戦後の敗戦という未曾有の出来事も、この正統性を切断するにいたらなかった。したがって、日本人概念には近世と近世以前、近代と近代以前、また近代と現代の違いの節目が明確には存在しない。これは、二〇世紀半ばに成立した現代中国をはじめとするアジア諸国、一六世紀から一九世紀初頭前後にかけ、ネイション概念を作ったイギリス、フランスをはじめとする西欧の国民国家諸国と日本の、大きな違いの一つである。そしてそうであればこそ、先のポーの小説がわたし達に無縁でない理由も納得できる。わたし達の「日本人」という概念には、他の竹筒のように節目がない、中をのぞき込むと、それは、縄文まで続いているような錯覚に捉えられるし、また、まさか縄文までとはいわないまでも、事実、一〇〇〇年ほどの自己意識の痕跡は、辿れるのである。問いは、次のようにたてられるだろう。すなわち、この「日本人」の多義性、多重構造は、どのように形成され、この構造体は、何を契機として、あの日本列島の住民から「日本人」へと、長いひとつながりの階段を、〝這い上がってきた〟のかと。

「日本人とは何か」という問いは、こうして、「日本人」とは何か、という問いに、〝差し戻される〟のである。

このように問いをいったん差し戻したうえで、「日本人」を日本国民、日本人種、日本民族、日本語民、日本住民の多義語と解する立場に立てば、それは、まず日本列島の住民として現れ、次に、他から形質的に区別される人種的な差異を示し、その後、日本語を創出し、文化主体として自らを形成し、やがて国家に基礎を置く身分秩序への編入を自己同定の基準とする存在へと自分を形成してきたというほどの、いわば常識的な形成過程を、ここに想定することができる。この形成過程についてはつねに異論がでてきうるが、ここではその正当性は問わない。問題は、このようにして見た場合、「日本人」が〝重ね餅〟の多重構造体としてわたし達に現れ、ここでも、わたし達はある困難にぶつかるということである。

「日本人」という概念の特異さは、ここで、それがこの最終的な形成概念である「日本国民」によっては、その実体の総体をとらえきれないものとして存在している点に求められる。この形成過程にはそのそれぞれの段階における——たとえば革命による「日本民族」の全面的な構造破壊による「日本国民」の生成といった——ダイナミックな切断の契機が欠けている。ここでこれら国民、人種、民族、語民、住民という要因は、いってみれば「メルティング・ポット(坩堝)」に入れられての相互融解をへておらず、といって「サラダボウル」の中の砕片のようにグループごとに分散しているわけでもなく、それ自体としては密着融合しつつ、しかしいくつかの「重ね餅」のように重なっている。ここから、それらが「つき直されて」一個の餅になった場合の存在に比定される、あのふつうの人に了解されているままの「日本人」概念を再構成することは、難しいのである。

それでは、このような分析的な視角からではなく、「日本人」概念の生成を、いわば一個の餅として取りだすような方法とは、どのようなものだろう。

この曖昧きわまりない「日本人」という自己観念(まとまりの意識)も、いったんその生成の過程に眼を向けるなら、他の全ての「観念」と同様、それ自身の客観的な生成の歴史をもっている。たとえば戦前の日本人は、わたし達がいま「日本人」という言葉で含意する、それと同様の意味あいをこのコトバに籠めていたのだろうか。昭和期の日本人はどうか。また江戸後期の人間はどうか。こうして、一歩一歩、歴史過程を遡り、一つ一つの時代における曖昧なものとしての「日本人」観念を検討していく方法が手に入れば、わたし達は、曖昧なものの曖昧さの構造を明確に再構成できるかも知れない。いわば主観の構造の客観的な摘出ともいうべきことが、そこで可能になるかも知れない。

それは、現在の時点から、いまある「日本人」観をそのまま過去に投影するやり方のちょうど逆のやり方になるはずである。

その場合、わたし達はマデリーン姫の呼び声に引き寄せられてつい「語り」はじめるのではない、そうではなく、部屋を出て、地下室に続く階段を、一段、一段、降りていくのである。

それは具体的に、何を意味しているだろうか。

さらに別の百科事典は、こう記述している。

日本人　狭義には、日本国の国民であり、また日本文化の担い手を日本人という。人類学的には、有史以前の日本列島に住んでいた住民も、現代日本人と系統を同じくするならば日本人と呼べる。▽日本人の歴史を古くさかのぼれば、現在わかっている限りでは新石器時代、つまり縄文時代の住民までは確実に日本人であるとみなされる。しかしこれより古い時代の住民については、現在のところ系統的にまだ不明の点があり、厳密な意味で日本人に含めてよいのかどうかはわからない。(17)

ここでは、「日本人」が単一のものとして取りだされているが、それがそのまま過去に投影されているため、「日本人」についての考え方が、事実と完全に逆転している。「日本人」

とは他との関係があって成立してきた概念にほかならない。そのことを考えるなら、縄文時代の(現在の)日本列島の住民が、「日本人」であるはずのないことは、当然この事典の書き手にもわかっているはずだが、記述は、現在わたし達のもっている光源から、古代を照らす、という形になっているため、ここでは縄文期の列島住民が、「確実に日本人である」とみなされている。

この事典の書き手も、このことを指摘されれば、縄文時代にこのような意味での「日本人」が存在しなかったなんて当然だというはずなのだが、その彼が、記述としては、その逆のことを書く。現在の観点を過去にそのまま投影するというやり方の実例の一つがここにある。

先に示した方法は、この歴史考察の遠近法的倒錯を解体し、別種の遠近法をここに構築する試みということができる。この記述についていうなら、縄文期の住民までは確実に「日本人」であるとみなされるという、その「日本人」という光源装置を、いつ、どのようにわたし達は手にすることになったのかが、繰り返すなら、ここでの唯一の学的な設問の対象である。

ところで、これを問いとして提示することは、このような視線が転倒であることをはっきりさせることと不可分の作業となる。この種の転倒は、何も啓蒙的な百科事典の記述に限られるわけではなく、歴史記述の大半を覆う、これまでの歴史学に根がらみの錯誤といわなければならないからである。

一例をあげれば、代表的な歴史学者の一人井上光貞は、『日本国家の起源』を、こう書きはじめている。

> 日本人の起源は、人類学や考古学の進歩によって、次第に時代をさかのぼる傾向にある。
>
> 明治時代の学者は、われわれ日本人の祖先は弥生式時代人である、その一時代前の縄文式時代人は日本の先住民族にすぎない、と考えていた。縄文式時代人は、よそから入ってきた弥生式時代人によって、東に、あるいは北に追いつめられて、現代のアイヌになったのではないか、と考えていたのである。それには、日本人は天孫民族であり、その民族が国土を平定して日本の国を作ったのだという、いわゆる日本神話をそのまま信用していたこともあずかって力あった。
>
> その後、人類学や考古学の研究が進み、一方また、神話を神話として取り扱う学問的態度が確立してくると、縄文式文化人もわれわれ現代日本人と血のつながりのあることがわかってきた。[18]（傍点引用者）

ここで書き手は、「日本人の起源」を探究する手続きが、戦前にくらべ、より客観的なものとなるにつれ、その時代を遡る傾向を見せてきたと述べている。しかし必要なことは、光源からの光線の照射のあり方の改善である以上に、その光源と照射されているものとの関係の構造自体を客観化することである。ここに不問に付されている光学の構造は、いわばアミダ籤を逆に遡る論理に似ているのである。

わたし達は、研究の進捗にしたがって「現代日本人」との「血のつながり」をどこまでも辿ることができるが、そこでそのことは、日本人の起源を探るというよりも、日本人のさまざまな起源の一つを探る、ということを意味しているにすぎない。その手続きはたとえば、あるテレビ番組がやっていた、〝揚子江の源流を探る〟という企画に似ている。テレビの番組取材班は、最も遠い「源」を探して、〝揚子江〟を遡り、とうとう西域のある小さな湖沼地帯にたどりつき、興奮して、ここが揚子江の源です、わたしは揚子江の源流に立っています、というのだが、彼らは、自分たちがそこにたどり着くまでに、実は、他のさまざまな、そこに注ぎこむ流れを切り捨て、切り捨てしてきていることに気づいていない。そこには一つの視点の転倒が含まれているというべきだろう。なぜなら、その「源流」を含む、他のいくつもの「流れ」(つまり「源流」)が合流して、しだいに川幅を広げ、地を削って自らを作り出してきているもの、それが〝揚子江〟だからである。彼らは、たしかに河口の上海付近では〝揚子江〟にいたわけだが、遡及するにつれ、実は〝揚子江〟を離れていたのであり、その形成過程自体を遡行していたのである。形成されていまここにある揚子江には、ただ一つの源流というものは存在しない。それは源流という考えを否定している。さらに、これらのさまざまな源流の単なる総和が、そのまま揚子江をなすというのでもない。つまり、これらの流れを漸次加え、そこに生成してくる「つきたての餅」のようなものが、揚子江なのである。

そもそも「日本人の起源」という問題機制がわたし達の意識に上ってくるのが、そう過去のことではない。その嚆矢は、日本人の手になるものとしては、新井白石が一七一六年(正徳六年)に著した『古史通』『古史通或問』である。そこで白石は、「我国の先は馬韓に出し事」の可能性を吟味し、日本人の起源を問いとして立てている。しかし、広く、わたし達が「日本人の起源」を考えるようになるのは、モースら明治新政府が招いた「お雇い外国人」が、これを論じるようになってから、つまり明治以降のことである。

考えてみるなら、これは何ら不思議なことではないので、「日本人の起源」を論じるためには、「日本人」という概念が成立していなければならない。その「日本人」の概念が成立したのは——あの「揚子江」の〝成立〟と同様——河口から逆に辿られた源流までの「歴史」の、その起点においてではなく、いわば下流に近い〝中間〟のある地点においてである。当然のことながら日本人は、「日本人」という概念を得て後——「日本人」になった後——ようやく「日本人の起源」について考えはじめるのである。

では、この「日本人」という概念(光源)の形成を歴史的にたどるとは、どうすることだろうか。

一つたしかなことは、かつて日本人は存在しなかったということである。つまり、それが歴史的にどのくらいの時代に比定されるかはわからないながら、とにかく、日本列島に居住する集団が、ある「まとまりの意識」を持たなかった、〝自然状態〟というものを、想定することができる。わたし達は、この架空のゼロ地点から、ほぼ二〇〇〇年(?)後の現在に向けて、いったいどのような動因が、彼らに「まとまりの意識」を生じさせ、それがまた現在の「われわれ」としての「日本人」に辿りつくかを、少なくとも歴史的な考察とは別個に、理念モデルとして、考えることができるはずである。

また、もう一つたしかなことは、かつて「日本人」という言葉は、存在しなかった、ということである。このことは、少なくともこの列島居住集団の「まとまりの意識」の所在を示す言葉の広い意味での用法を手がかりにして、いわば現在の曖昧模糊とした「日本人」の用法の現時点から、やはりいま行われている歴史考察の文脈とは別個に、逆に上のゼロ地点に向けて、もう一つの考察を行うことが可能であることを示している。

この考察方法についていえば、「日本人」という言葉の初出については、後に見るとして、「日本人」という語の成立のプロセスの理念型ともいうべきものと、列島居住集団の「まとまり」を指示する語として、「日本人」のほかに「倭人」と「和人」とがあることとを、わたし達は知っている。「日本人」という語には、「日本」という語が先行している。また、「日本人」という呼称には、「倭人」という呼称が先行している。「日本」という国号は、これまでのところ諸説あるが、たとえば『日本の国号』の著者岩橋小弥太は、その成立を七世紀半ば、大化(六四五―六五〇年)の頃としている。[19] また、「倭人」は、少なくともこの列島居住集団が「まとまり」としてはじめて文献に現れる三世紀の『魏志倭人伝』以来、同じ集団が国名を「倭」から「日本」へと改める七世紀半ばまで、当時の古代中国およびその文化圏に属し、しかも列島居住集団と現実上の交渉のあった朝鮮半島居住集団によって、列島居住の一集団を示す呼称として用いられた。当時の中国の史書に、列島の小国家の王の使いの朝貢が記され、しかも「倭」「倭人」「倭国」以外の呼称が見えない以上、列島居住集団自身も、必要な折りには(外部交渉においては)、この「倭人」という他称を自称としていたと考えられる。

しかし、これに加え、意味深いのは、この時期、列島内部で、「和人」という呼称も用いられていたと考えられることである。この呼称は、このままのコトバとしてではないが、「倭人」とも「日本人」とも異なる概念として、列島内異種族集団、つまり蝦夷や熊襲・隼人らに、やはりこの列島居住集団を指すものとして用いられた。これをここで「和人」と記すのは、現在のアイヌ語における「シサム」(和人)、また琉球語における「ヤマトンチュー」(大和人)が、それぞれ、「倭人」とも「日本人」とも異なる「和人」に対応しているという理解に基づいている。ちなみにいえば、そのそれぞれの語における、対位語としての彼らの自称は「アイヌ」「ウチナンチュー」である。「和人」とは、古代東アジア世界に登場したメンバーとしての列島居住民集団を東アジア世界のレベルで外から呼称する名が「倭人」であるのに対し、同じものを列島内の非メンバー集団が列島内の外から呼ぶ場合の呼称なのである。

「日本人」という呼称は、この外部的他者からの他称である「倭人」とたぶん内部的他者への自称である「和人」の統一態という場所に位置している。しかし現実にこの二つを統一したものとして「日本人」という概念を考えるなら、その成立の時点はそこにアイヌ人も対外的に含む概念として「日本人」が現れた明治期ということになる。しかしそこまでの射程で考えるなら、その成立には近代的な世界像の中での日本人の他称であるJapaneseの日本への還帰という要件も考慮しなければならず、さらにここに、第四の呼称として"Japanese"も加わることになる。この語は、「日本」の中国での訓みであるジッポンが西洋に伝わり、生まれた語である。

これらのことは、ここに可能な考察が、「まとまりの意識」の生成の動態を理念的に考える第一の方法と、「日本人」という言葉の用法を考える第二の方法を駆使し、あの遠近法的倒錯に抗して、「日本人」という観念の形成を跡づける試みとなることを教えるのである。

四　倭人・和人・日本人——同心円の二重性

この第一の方法によって考えてみるなら、「日本人」の形成の目安は、どこに求められるだろうか。

わたし達は、この「まとまりの意識」の起点を、どこに何を手がかりに見ればよいのか。まずこのまとまりの意識は、集団内部の支配被支配関係と、支配集団の他の地域の支配集団との支配服属関係とで生じてくると考えられる。

前者の軸に現れてくるのが、たとえば石母田正の「良人(りょうじん)共同体」ないし「良人＝王民共同体」という観点であり、後者の軸に現れてくるのが、「日本人」の成立という観点にほかならない[20]。したがって、「日本人」の成立という問題機制にふれてくるのは、古代における支配集団である。ここで列島居住集団と呼ぶのは、日本列島の一地域、北九州から畿内に及ぶ地域に小国家を建設し、やがてそれを「日本」と自称していくおよそ七、八世紀までの支配集団をさす。これはむろん、被支配集団、また列島内化外集団が、重要ではないということではない。いまに続く「われわれ」の意識の形成過程を見ようとすれば、支配集団に焦点をあてなくてはならないということである。このような問題への接近を行う場合、被支配階級の問題がどうしても脱落してゆく。わたし達はそのことを忘れず、以下の考察を行うことにしよう。

さて、彼らの「まとまりの意識」の形成において、一つの目安となるのは、いつ、この広い意味での「まとまりの意識」が、対外的に見て、列島の範囲と重なるようになるか、ということである。それはまた、先の支配被支配関係における支配階級の自己意識の確立とも連動しているはずである。この「まとまりの意識」の形成を、どう考えればよいだろうか。

現在わたし達は、中国大陸、朝鮮半島、台湾、琉球諸島、そして北海道を含む日本列島の地図を念頭に置いて、この東アジアの世界像を想定するのに慣れてしまっている。しかし、当時の人間にとって、古代東アジア世界は、それとは全く異なるものとして了解されている。彼らの眼に、世界は海を隔てた遠方にある古代中国を中心とし、その中間に朝鮮の国々を控えたものとして見えている。倭は、朝鮮半島の隣国と狭い海で隔てられ、一方、北方と南方の陸続きに未知の異集団の存在を予想していたはずである。むろんそこが列島という半島と大陸から隔てられた場所だという了解は、彼らにはなかった。そこでの他者との優劣関係は、世界の中心である古代中国王朝との社会的・文化的、また政治的な距離の遠近によって、測られている。わたし達はその当時、朝鮮半島からの渡来者と列島居住民とがどのような言語を駆使し、意思を疎通させたかと考えるが、そこにも歴史の遠近法的倒錯が働いていると考えたほうがよいので、当然、理念上の〝自然状態〟においては意思は疎通している。むしろその跛行的な意思疎通の運動を通じて、異種の言語がそれぞれに形成されていくのである。弥生人が列島への渡来集団であり、やがて列島の支配的集団を形成していくことを考えるなら、三世紀くらいの時点で、対馬海峡を隔てた半島の居住民と北九州の居住民との間に、言語的に、それほど違いはなかっただろう。六、七世紀までの列島居住集団と半島居住集団の密接な交渉、その間の数次の大量の集団渡来の事実は、少なくとも両者間の言語上の障壁が、江戸期の朝鮮通信使と日本知識人の間の、筆談による意思疎通というような状態と同日の談ではなかったことを語っているのである(21)。

また、古代の史書は、次のような事実を記している。三九一年に倭が百済・新羅を攻撃(高句麗好太王碑文)。五一二年、倭、百済に任那の一部を割譲。五六二年、新羅、任那を併合し、任那府滅亡。六六三年、白村江の戦いで倭・百済連合軍、唐・新羅連合軍に大敗、百済滅亡。

このような史書の記述を一瞥するだけでも、四世紀から七世紀にわたる倭・百済・新羅・

高句麗(高麗)四国の関係が、けっしていま思われるような「日本」と「朝鮮三国」の関係というようなものでなかったことが明らかである。時期的に特定はできないけれども、おそらくこれに先立つか、これに重なる時期、倭は、百済・新羅・高句麗と、四国対抗の形で、あるいはこれに加羅を加えた半島の四国と五国対抗の形で、この東アジア世界の一地域の覇を争っていた。そしてこの時期、この四国ないし五国の相互の距離は、かなり等間隔に近かったはずである。ちなみに、『宋書』倭国伝は、倭王珍が五世紀前半に、宋の太祖文帝に朝貢し、倭・百済・新羅・任那・秦韓・慕韓六国を統べる軍政官の称号の下賜を願い出、許されず、ただ「安東将軍・倭国王」の称号だけを与えられたという事実を記している。[22] また、『旧唐書』倭国日本伝は、「倭国」を「新羅東南の大海の中にあり」と記し、聖徳太子の制定になる冠位十二階の制に「官を設くる十二等あり」とのみ言及した後、「衣服の制は、すこぶる新羅に類す」と倭国、新羅を同列におく形で記述している。[23] この時期、古代中国王朝の眼に、新羅は明らかに倭よりは上位に位置している。新羅が、たとえば倭王珍のように、倭をも統べる「安東大将軍」の称号を欲したりしていないのは、むろん彼らが倭国と違い、しっかり中国王朝の冊封体制に組み込まれ、位置づけられているからだが、また、そうする必要をもたず、そのことに余り意味を認めていないせいだともいえるのである。

　ましてや、新羅・百済・高句麗といった国々に、倭にたいする劣等意識があったと考える理由をわたし達はもっていない。これらの国々は、古代中国との文化的・社会的距離の近さ、また文化的水準の優位からいっても、むしろ遠隔国の倭にたいして優越意識をもっていたと見るのが自然だろう。むろん『日本書紀』をはじめ、現在残っている古史料には日本優位の記述が多く見られる。しかし、そうしたすべてが国家文書として建前を述べる法的、ないし行政的な史料であり、また、大陸にも、半島にも、国内史料が述べるほどに確固とした優勢を裏づける史料がない以上、わたし達は、こうした記述を前にしては、むしろその記述の「語り」の次元ともいうべきものを、考察対象にしなくてはならないのである。[24]

しかし、このような状況の中で、この倭は、列島内異種族集団にたいしては、明らかにこれを自分に属する存在とみなしていたふしがある。『古事記』『日本書紀』に見られる正統の王朝のまつろわない敵を服属させつつ自己を成立させていく物語の構成が、そのことを示している。つまり、これを「倭人」の「まとまり」の意識から見るなら、彼らは、倭人としての「まとまり」の意識の外側に、より大きな第二の同心円として、列島内異種族集団を含む「まとまり」の観念をもう一つ、もったと考えてみることができる。

『宋書』倭国伝は、四七八年、倭王武から宋の順帝に送った書状の中身を伝えているが、そこには「東は毛人(えみし)を征すること五十五国、西は衆夷を服すること六十六国」とある。[25]また『旧唐書』倭国日本伝は、「山外は即ち毛人の国なりと」という伝聞を記している。[26]ここにいう「毛人」とは、蝦夷をさしていると考えられるが、倭人にとって「毛人」が、自分達に服属すべき存在として、列島外の集団とは別個の範疇を構成して、抱懐されていることが、少なくともこれらの記述から明らかだからである。

もちろんこの当時の倭人に、先に述べたように、列島という世界像はなく、列島が自分の縄張りだというような観念もあったとは思われない。純粋に地理感覚からいえば、彼らにとって毛人は百済人・新羅人よりも遠い存在だったことだろう。にもかかわらず、倭人が蝦夷(毛人)を自分の「まとまり」の意識の第二の同心円の内部に位置づけ、その外部に位置する他者としての百済人・新羅人と明瞭に区別しているとすれば、その理由は、どのようなものか。

一つ考えられるのは、古代中国を中心とした古代東アジア世界の世界性ともいうべきものからくる問題である。倭はこの古代世界へのいわば新入りのメンバーだった。百済・新羅・高句麗は、この古代世界のメンバーシップをすでに手にしていた。それを保証するのが漢であり唐である世界の中心との冊封・朝貢関係にほかならない。倭人は、その世界像の中に自分を位置づけることで、徐々に、他者をメンバー集団とメンバー外集団の二つに分節していく。そしてそのうちの後者を化外集団として析出し、自分に服属すべき存在とみなしはじめるのである。

また、こうも考えられる。倭王は、異民族支配が古代世界における(古代中国をモデルとする)先進国の要件であると考えればこそ、ここで征圧対象である「毛人」の異集団性を、強調しているのだと。

おそらく、このように倭人ないし倭国が他者を二種類に分割することになる理由は、そのいずれかだろう。しかし、ここで重要なのは、その理由である以上に、この事実である。なぜなら、このような過程を経過することで、「倭人」ははじめて、自分ではない存在(毛人)

を自分に含む、いわば同心円状の二重の意識になるからである。それまでの〝一重丸〟の自己意識が、ここで〝二重丸〟の「まとまりの意識」になっている。ところで、このような動態としての〝細胞分裂〟なしに、「倭人」が「日本人」になることはない。この自己意識の二重化が、理念的に考えられた場合、「倭人」からより進化した「まとまりの意識」である「日本人」への、第一歩となるのである。

そもそも、なぜこれまで「倭人」という他称で満足していた、あるいはそれに甘んじていた列島居住集団が、別の呼称を必要とするようになるのだろうか。

「倭人」から「日本人」への移行は、一つには、この同心円の形状の変化として特定することができる。「倭人」は、「まとまり」の意識として、本来〝一重丸〟の集合存在であったのが、自己の版図拡大を開始すると、必ず、その自己意識を二重化させる。一つは、先にあげたメンバー意識から、もう一つは、自己の拡張の意識から、それは自分の上位と下位に異なる範疇の他者のカテゴリーを析出するのである。具体的には、倭人集団は、武力において劣る隣接異集団としての蝦夷(毛人)を征服、服属化し、その一重丸の周辺に〝濡れ縁〟状に、もう一つの同心円をめぐらすようになる。この同心円は図示するなら、内側だけが太線で印刷された二重丸である。しかし、やがて家屋の外に〝濡れ縁〟を拡張したこの構造物は、濡れ縁の外側に雨戸を建て、この濡れ縁を取り込む。濡れ縁は〝縁側〟になる。これを先と同様の要領で図示すれば、先の、内側が太線の二重丸は、今度は外側だけが太線の二重丸に変容するのである(図1)。

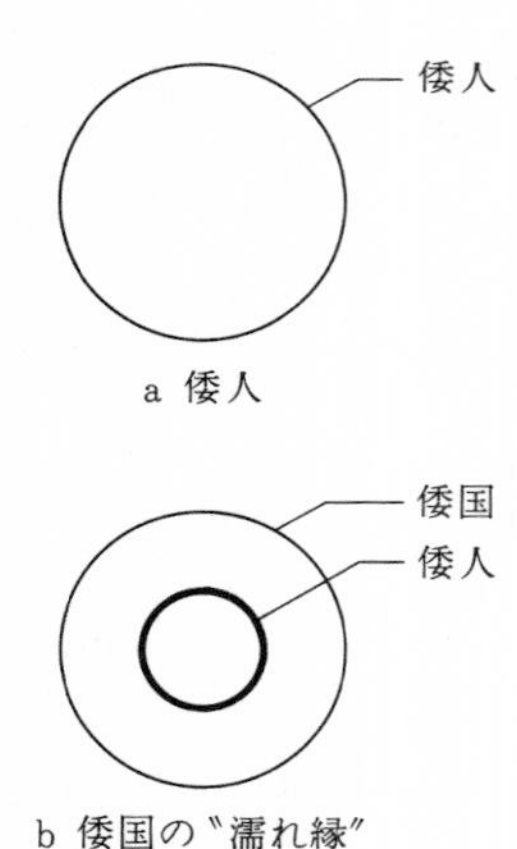

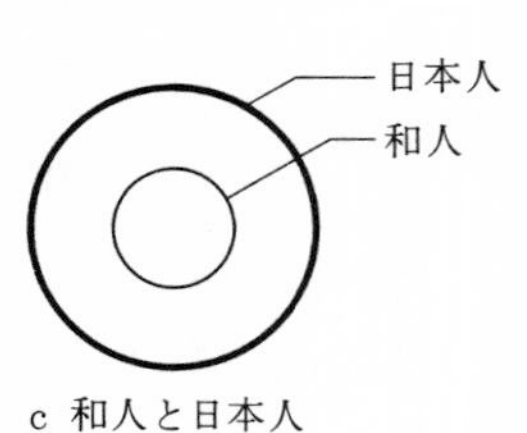

図1 倭人から日本人への“濡れ縁”構造

古代の中国の史書を見れば、列島居住民に関して最初に現れるのは「倭人」であり、「倭国」はそれの後に出てくる。「人」そして「国」というのがそこでの順序である。図でいえば、当初の一重丸が、古代中国からそう呼ばれていた当初の「倭人」であり(図1a)、〝濡れ縁〟を伸ばした状態の、外側の細い線の二つ目の丸が、その「倭人」の構成する「倭国」である(図1b)。そして、〝濡れ縁〟を〝縁側〟にかえる形で、この「倭国」が蝦夷その他の異集団を完全に内属化してしまうと、その状態を示す外側の太線の二つ目の丸が、ここで「日本人」という概念をさしている。ちなみに、その時細い形で内側に一重の丸が残る。それが列島内異集団から見られた「和人」にほかならない(図1c)。

「倭人」は当初、北九州付近の数十国からなる集団として存在しただろう。それは、比喩としていえば、「単一民族国家」集団である。しかしそれは、やがて、古代中国を中心とする「世界」に自分を参入させ、隣接集団と交渉を生じ、武力的に劣位の集団を服属させながら、拡大しはじめる。そして、自分ではない存在を内包するにしたがい、「自分ではない存在を内包する自己観念」、つまり二重化された「まとまりの意識」を必要とするようになっていくのである。

さて、この自己観念の高度化は、他者への意識を前提としている。したがって、自己ではないものを含む、この〝濡れ縁〟状の二重丸の自己意識は、内部的な「かれら」(毛人)を、外部的には「われわれ」ないし「われわれ」に属するものとして提示しようというあり方をとることになる。そしてそれは、対外的には、「われわれ」の仮構ということを意味するはずである。列島居住集団は、こうして、かつては自分たちだけを指して「倭人」と称していればよかったのに、新しく、「毛人」をも含む形で「われわれ」を提示し、そう外部に対し、自分たちを称さなければならなくなるのである。

しかし、この「われわれ」の仮構は、やがてその提示対象たる外部者との関係をも変えざるをえなくなる。

かつて倭人は、新羅人・百済人・高句麗人と、同じレベルの自己観念だった。事実、倭は、ある時は百済・新羅を攻め、またある時は百済に与して、新羅・唐と敵対している。ところで、この倭人のいわば自己意識の高度化は、この倭人・新羅人・百済人・高句麗人と、横一列の、それぞれが四分の一を占めるともいいうる関係を、壊すことになるはずである。それまでの四者の関係が、素朴な四分の一の同等関係だったとすれば、それが、ある時以降、倭人が二分の一、新羅人・百済人・高句麗人が三者合わせて二分の一、とでもいいうる具合に、その布置を変えることになる。つまり、新しい「われわれ」の意識は、いったん「倭人」をとらえると、自分を、新羅人・百済人・高句麗人を合わせたところの「かれら」と、一対一で対峙する存在へと促し、ここに「われわれ」と「かれら」の二項対立の関係を布置するようになるのである。

この時この「われわれ」は、かつての「倭人」としてのいわば素朴な「われわれ」から、自己観念として、〝離陸〟しているといってよいだろう。この時この「われわれ」は、一歩、現在この言葉で含意されているところの「日本人」に、近づくのである。

そしてそうだとすれば、この「われわれ」の離陸は、「かれら」との対項関係によって生じるから、もし、この新しい「われわれ」の概念が言葉として現れていなくとも、逆に「かれら」を指す概念に明瞭な手がかりが生じていれば、それを手がかりに、この離陸を特定することができるはずである。

この考え方は、ある形成過程の〝離陸〟の特定をわたし達にもたらすだろうか。

この考え方でいくと、わたし達は、このような意味での「日本人」の成立を、九世紀初頭に特定できそうである。というのも、この時期、わたし達は、たしかに、「日本人」という語こそもたないけれども、それに対応する、ここにいう新羅人・百済人・高句麗人を一まとめにする新しい「かれら」の概念が生まれているのを見るからである。九世紀初頭に撰進された『新撰姓氏録（しんせんしょうじろく）』に現れる「諸蕃」というカテゴリーがそれである。

しかし、ここで何が起こっているのか。
わたし達は、『新撰姓氏録』の考察に先立って、なおいくつかのことを考えなくてはならない。

五　日本人の「成立」

「日本人」という呼称が文献上に現れるのは、わたしの個人的な見聞の限りで言えば、中国史書においては、明代の宋濂(一三一〇―一三八一年)の手になる『元史』日本伝、日本の文献においては、公的なものとして、天正一五年(一五八七年)六月一八日の豊臣秀吉による「キリスト教制限令」、非公式なものとして、『宇治拾遺物語』巻一二の一九(一五五話)「宗行郎等射虎事」(一三世紀半ばか)がその初出例である。[27] 前者において、「日本人」は、日元交渉および元寇に触れて、「去歳九月、日本国人弥四郎等と与に太宰府の西守護所に至る」[28](一二七二年)、「七日、日本人来り戦い、尽く死し、余の二、三万は、そのために虜去せらる」(一二八一年)というように現れ、[29] 後者において、それは、その奴隷としての売買禁止条項として、「大唐、南蛮、高麗江日本仁を売遣候事曲事、付、日本ニおゐて人之売買停止之事」というように現れている。[30] 共に、戦闘、奴隷と一般の日本人が国際的な次元に露出してくる場面に、この表現が用いられていることが興味深い。

『宇治拾遺物語』(以下、『宇治拾遺』)に「日本人」という語の初出が見られるという指摘は、

『日本国語大辞典』の「日本人」の項にある。[31] これは大槻文彦の『大言海』の指摘を受けたものだろう。[32]『宇治拾遺』巻一二の一九「宗行ノ郎等虎ヲ射ル事」は、現在の長崎県壱岐郡にあたる壱岐国の守宗行の家来の一人が、新羅に渡り、その「きんかい(金海)」の地で、人に恐れられていた虎を射殺し、日本の強者の面目を施すという話である。「日本人」の語は、この新羅に亡命した日本人が、新羅人は武術に拙い、自分なら虎を射殺するか、そうでなくとも、射し違えるのに、と述べた言葉を、新羅人の一人が「国の守」に伝えた言葉として、「かうかうの事をこそ、この日本人申せ」というように現れる。

さて、ここでの主題から見てこの『宇治拾遺』における記述が興味深いのは、この鎌倉前期、一三世紀に成立したと推定される説話集の記述が、「日本人」という語の生成期の様態を、色濃くとどめていることである。

この挿話中に、日本人を指示する語は、七回出てくる。その内訳は、「日本の人」が最も多く、四回、ほかに「日の本の人」が一回、「此国の人」が一回、そして「日本人」が一回である。これに対して、新羅人を特定する話は、五回出てくるが、その内訳は、「此国の人」が三回、「新羅の人々」が一回、「新羅の人」が一回である。

ところで、最も古い形をとどめていると思われる『宇治拾遺』の「無刊記古活字印本」と、後年、万治二年(一六五九年)製板の最も流布した「万治二年製板本」との間には、この「日本人」指示語に関して二カ所の異同がある(前出の「日本人」については変わっていない)。前者で「日本の人」とあった箇所が、後者では「日本人」に変わり、また同じく前者で「日の本の人」とあった箇所が、後者で「日本の人」と変わって、ともに、「の」が脱落している点が、この異同の動態である。[33]

『宇治拾遺』は、もともと祖型を失った説話集と考えられており、現在最も古い形を伝えるとされる「無刊記古活字印本」も、言ってみれば写本の一つである。そこで「われわれ」を特定する語が、用法にさしたる違いはないにもかかわらず、七回のうち六回まで、「日本の人」「日の本の人」「此国の人」と記され、ただ一回「日本人」というように現れるのは、その後の異同の移行のあり方と考え合わせて、まず「日本人」指示語として、「日の本の人」「日本の人」が先行し、漸次ここから「の」が脱落して、「日本人」の語が生成してきたことを窺わせる。

当時、列島中心部の居住民は、七世紀以降徐々に定着してきた「日本」の語を自明のものとして受け取った時点で、自分達を、「日本の人」「日の本の人」と呼称し、やがてこの呼称を、「日本人」というもう一つの語に、移行させていったと考えられる。『宇治拾遺』における「日本人」「日本の人」「日の本の人」という三種の語の併用は、第一に、一二世紀末から一三世紀前半にいたる時期の京畿地方の一般住民が、すでに「日本」の語を自明のものとして受容していたこと、第二に、「日本人」の語も使用しはじめていたこと、第三に、しかし、「日本人」の語はまだ十分に自明の存在になっていなかったという三つのことを示しているのである。

ところで、「日本人」観念の定着の下限が、このように鎌倉前期、一二世紀末から一三世紀前半に、ひとまず特定できるとして、その場合、その上限の特定のために踏まれるべき手続きとは、どのようなものだろうか。

先に触れたように、こうした「まとまりの意識」は、何より他者との関係のうちに生まれる。列島居住民に彼ら自身の、現在の「日本人」につながる「まとまりの意識」が形成されてくる時期は、当時の彼らにとっての世界である「東アジア世界」でいえば、ほぼ唐(六一八―九〇七年)の盛んだった時期にあたっている。古代東アジア世界研究の泰斗である西嶋定生によれば、「日本人」の形成は、そのまま東アジア世界の周辺国である朝鮮半島、ヴェトナムの住民に「朝鮮人」「越南(ヴェトナム)人」意識の形成されてくるのと共時的な現象なのである(『中国古代国家と東アジア世界』一九八三年)。

こうした問題視角に立つなら、「日本人」概念形成の問題は、「日本」という当時の列島古代王権の自己意識の表現である国家意識と密接な関係をもっていることがわかる。ここで、「日本人」は、いわば国家という仮構成立のための、それ自体が仮構にほかならない必要条件、人為的観念としての意味を帯びてくるはずである。つまり、「日本人」観念の形成過程の問題は、この「日本人」なる観念が本来フィクションであることを明らかにするのだが、ただ、それがフィクションであることの意味は、いまわたし達が考えるのとはそうとう違っているのである。その意味は、国家がフィクションとして作り上げられるための必要条件たることにある。わたし達は、いまの時点での問題意識を過去に投影して、「日本人」観念をいわば国家権力による〝仮構〟の問題として考えやすいのだが、その順序は逆であって、古代において日本人観念の仮構がもつ意味は、それがむしろ「国家」というものの仮構に先立つその必要条件だということなのである。

わたし達は、なんだ、「日本人」などフィクションじゃないか、というのだが、しかし、その時、そのわたし達に「日本国」は逆に、フィクションではないかに思われている。日本国の権力が、わたし達に日本人というフィクションを信じさせたがっているかに思われているのだ。しかし、そもそもここにフィクションでないものは存在しない。すべてがフィクションであり、しかもフィクションとして、現実的な存在なのである。

しかしまず、日本人という概念が、そのフィクションとしての〝捏造〟以前には存在しなかったことを、確認しておこう。

金達寿は、その『日本古代史と朝鮮』で、次のような和辻哲郎の『古寺巡礼』の一節を取りあげている。

（フェノロサは法隆寺の救世観音を「朝鮮作の最上の傑作」と評価しているが、これは──引用者）早計をまぬがれない。もとより当時の芸術家のなかには朝鮮人もいたであろう。しかし朝鮮にのみ著しい独創を認めて日本に認めないのは何によるのであろうか。遺品から言えば朝鮮には日本ほど残っていないのである。従って詳しい比較はなし得られない。その朝鮮へ日本で不明なものを押しつけるのは、問題を回避するに過ぎないのではなかろうか。（中略）面長な顔のつくり方や高い鼻の格好も、シナにその模範があったかもしれない。しかしそれはこの観音が日本作でないという証拠にはならない。朝鮮人が日本に来てそこばくの変化を経験しなかったはずはなかろうし、朝鮮人に学んだ日本人がさらに変化を加えるということもないとは言えない(34)。

和辻は、当時の日本人と朝鮮人の相互交流の事実を考慮すれば、フェノロサの評価は「早計」と断ぜざるをえないのではないか、というのだが、金は、この和辻の観点にもっとも至極な疑問をなげかける。金がいうのは、そもそも、救世観音が作られた六世紀後半ないし七世紀初頭という時期に、和辻のいう「日本人」「朝鮮人」などというものがいたのか、ということである。金は、この時期、「日本人」「朝鮮人」という〝分節化〟がそもそも列島居住民に生じていたか、という問いを、和辻の観点に、対置するのである。

金は述べている。

しかし、私がいおうとしている問題は(中略)和辻氏のこれに(中略)錯誤があらわになっているということです。だいたい、「もとより当時の芸術家のなかには朝鮮人もいたであろう」とか、「朝鮮人が日本に来てそこばくの変化を経験しなかった筈はなかろうし、朝鮮人に学んだ日本人が……」とは、いったいどういうことなのでしょうか。

ここにいう「当時」とはいつか。七世紀はじめの飛鳥時代のことですが、古代の当時にはまだ、そのようなネーション(国民)、民族としての「朝鮮人」や「日本人」などというものはどこにもなかったのです。[35]

金の指摘するように「ネーション(国民)、民族というものはその風土における長い歴史の積み重ねによって形成されるものであって、原初から「朝鮮人」「日本人」としてあったものではいえない」。[36] 金はここで、慎重な物言いに終始しているが、やはり同じ箇所で彼の言及している坂口安吾は、六、七世紀の日本における政争を当時の国際社会における朝鮮半島での三韓の勢力争いの一環としてとらえる観点に立って、六、七世紀以降の日本列島居住の政争当事者達の系統が、「藤原京のこのころから地下にくぐ」り、「やがて地下から身を起して再び歴史の表面へ現れたとき、毛虫が蝶になったように」、まるで違う存在になっていた、という大胆な「日本人」形成説を示している。坂口は、日本人は以前は、日本人ではなかったという。坂口によれば、「彼らが蝶になったとは日本人になった」ということなのである。[37]

ここで問題になっているのは、いわゆる「帰化人」、朝鮮半島から日本列島への渡来者のことである。和辻は、六、七世紀の日本列島の居住者に、すでに「日本人」という観念が存在していたという前提に立って、フェノロサに反論を行う。それに対して、金は、この当時「かりに「日本人」はおくとしても」「朝鮮半島から日本列島へ渡来していたものたちを、われわれは「朝鮮人」とよぶことができる」かと考えている。[38] そして坂口は、「日本人」も「朝鮮人」も、その当時存在していなかった、いたのは——強いていえば——列島に居住する倭人集団と半島からの渡来人集団からなる雑居集団だというのである。

細部については、歴史家の今後の検討に俟つとしても、その考え方の大筋として、金達寿、坂口安吾の優位は動かないだろう。「日本人」の形成の当事者が、七世紀以前の列島居住者であることは明白であり、彼らがそれ以前、「日本人」でなかったことも明白だからである。また、「日本人」が和辻の考えるような先験的観念でありえないことも明白である。わたし達はまず、このことを確認しておかなければならない。つまり、かつて日本列島に「日本人」は存在しなかった。列島居住者が、その対外的な自己意識の伸長を主な動因として、自己意識を育て、対外的に権力形態を「国家」として〝登録〟し、やがてある段階がきた時、「日本人になっ」ている。

わたし達は、「日本人はどこからきたか」と問うべきではなく、「わたし達はいつ日本人になったのか」と自問すべきなのである。

六 「倭人」から「日本人」へ——自国観念の自己調達

この形成過程の端緒において、この自己観念が「国家」観念との関係で一つのフィクション(仮構物)として現れてくるだろうという予想についてはすでに述べておいた。

残る問題は、この「日本人」の仮構がどのように生じるか、そしてそれは、どのような意味として受けとられるべきか、ということである。

あらかじめいっておけば、ここに現れる問題を次のように表すことができる。

五、六世紀の時代状況を復元するのに、和辻哲郎が行なったように、日本人という概念をそこに素朴に投影するやり方は正しくない。金達寿のいうように、当時、日本人という概念、朝鮮人という概念は存在しなかったからである。日本人という概念は、その頃から現在までの間に、徐々に形成されてきた。つまり和辻の考え方は、日本人という文化集団、民族集団を先験的に古代に投影する遠近法的倒錯に陥っている。和辻は、近代における日本人と朝鮮人の対位と、自分の両者にまつわる判断――日本人のほうが朝鮮人より優位であるという――を、そのまま古代に投影しているのである。

しかし、同じ遠近法的倒錯は、和辻と逆の立場からも生じうる。つまり、日本人の近代における朝鮮人差別はよくないという立場から、その判断を、古代にそのまま投影し、いわば近代の朝鮮人差別の淵源を、古代に見るというあり方である。その場合にも、近代の日本人と朝鮮人という二つの民族、二つのネーション(国民)間の差別関係が、そのまま、日本人も朝鮮人も存在しなかった古代の差別関係に投影されている。二つの意味の違いが、消されてしまうのである。

では、古代の日本人も朝鮮人も存在しなかった時期の差別とは、近代の差別とどこが違っているのか。

「帰化人」という呼称について、『帰化人』の著者上田正昭は、こう述べている。

「帰化人」の「帰化」という用語は『日本書紀』以来数多くの古文献に現れている。『日本書紀』でいえば、「臣、己が国の人夫百二十の県を領(ひき)いて帰化(かい)」(応神天皇一四年の条)、「高麗の僧恵慈帰化」(推古天皇三年の条)、「百済の人味摩之帰化」(同二〇年の条)などの用例がそれである(傍点上田)。この語について、『書紀』の古訓は「マウク」「マヰオモムク」などとふられている。また同義の用語例には「化帰」「来帰」「投化」などがある。この用語の当時の意味を理解する手がかりとなるものに、七〇一年にできた大宝令、七一八年にできた養老令、その注釈書である『令義解』、また古代法令に関する注釈および法家の見解を集めた『令集解』などがあるが、これらによれば、「帰化」とは「欽化内帰」することを意味する。つまり「王化をしたって渡来した人々」が、そこで「帰化人」とみなされている。

上田はいう。

> したがってわが国土にきた外国人がすべて「帰化人」ではなく、国家の秩序に従い、その範囲に入った人(つまり「化内の人」)あるいは化内の人たるべき人を、古代法の精神では「帰化人」と理解しているのである。王化すなわち「帰化」と認識していた。つまり「帰化」の概念の前提には、こうした王化の思想が(中略)存在していたのである。(39)

このように古代の「帰化」について論じる上田の立場ははっきりしている。『帰化人』と題されたこの著作は、その末尾に述べられているように、「明治以降の朝鮮侵略政策のなかで」「ますます露骨とな」っていった「朝鮮蔑視観」を批判し、ただす目的をも含む形で、著されている。彼は、この当時（六―八世紀）、「帰化人」に対して列島の在来居住者が事実上、差別的待遇で対したことを示す例は余り見つからない、と指摘する。「帰化人」とはこの時代にあって知識人・技術者・貴族であり、ある意味では明治期の御雇外国人、「帰朝」者に似ていた。彼らは、むしろ文明先進国からの知識・技術の伝達者だった。上田は、七八一年に即位した桓武天皇の生母高野新笠が百済人出身だったと述べ、こう書いている。「「帰化人」にたいする差別があったと考える人は、日本古代の王室や貴族の血脈に、中国や朝鮮の人々がまじわりをもつ事実をいったいどのように解釈するのであろうか」[40]。

事実、最近の研究は、当時の「帰化人」がこれまで思われていた以上に、想像を越える形で、列島居住民の社会に深く浸透していたことを教える。たとえば、門脇禎二によれば、飛鳥時代の実権を握った豪族蘇我氏は、百済人出身である[41]。また、中西進によれば、『万葉集』の歌人山上憶良は、渡来人二世だった可能性がそうとうに高い[42]。

上田は書いている。

「帰化人」の問題、それはたんなる外国人の問題ではない。東アジアにおける古代国家の形成を再検討するためにも、そしてまた現代に生きる日本人自身の歩みを正しく認識するためにも、そこには重要ないくつもの課題が数多く内包されている[43]。

しかし、上田の姿勢がそのようなものであればあるほど、そこから導かれる上田の指摘は、ある矛盾ないし転倒を感じさせるものとならざるをえない。というのも、彼は、「帰化人」はいま考えられているように「差別」されてはいなかったと強調するが、それを、「帰化人」を「わが国土にきた外国人」の一部と見たうえで、その「帰化人」は差別されていなかった、というように語るからである。彼は、古代に起こったことをほぼ近代以降の「外国人」たる朝鮮人に起こったと同じ範疇の事態と見ている。古代の「帰化」は何か近代の植民地下の朝鮮人のさまざまな背景で生じた列島への流入とカテゴリー的に同範疇のもの――「外国人」の「わが国土」への到来――とみなされている。上田は、その上で、しかし、この「日本人」化した「外国人」は近代におけるように差別の対象ではなかった、むしろ文化的優位者ですらあったというのだが、それは、立場こそ違え、和辻の場合と同様、遠近法的倒錯なのである。

実際にこの当時に起こっていたことは、ここに上田が述べているのとは違うことだったはずである。というのも「帰化」者は、そもそも「わが国土にきた外国人」ではなかったからである。そこにはまだ「わが国土」という概念も、したがって「外国人」という概念も、存在していない。この時、彼らは、せいぜいのところ、後に見るように、いわば古代東アジア世界の中心である唐の視線で自らを見ているのであり、そこにあるのは「倭人」「百済人」「新羅人」「高句麗人」の間の古代東アジア世界の辺境の地における相互往来という事態にほかならないのである。それと「わが国土」への「外国人」の到来とは、厳密に区別されなければならない。

しかし、そうだとしたら、ここで上田の指摘している事実を、どう考えればよいのだろうか。『日本書紀』は、「帰化」の語を載せ、それは上田のいうように、「王化の思想」の表現である。それは、ここに「わが国土」と「外国人」が概念として成立していたことの何よりの証拠なのではないだろうか。

しかし、この見方は転倒している。

この問題を考えるにあたって、一つの手がかりを提供しているのは、上田自身の述べていることでもあるが、『日本書紀』に八年先立ってできた『古事記』に、この「帰化」という語が用いられていないことである。たとえば、「応神天皇の条には新羅人のきたことがみえている」が、「そこには、ただ「渡来」と記されており」「マヰワタリキツ」とよまれているという。『古事記』の訓でも「帰」の字については「シタガフ」「オモムク」「マツロフ」と詠みがつけられており、用字の意味は『日本書紀』と変わらない。にもかかわらずその「化内化」の事実は、「帰化」ではなく、「渡来」と表現されているのである。[44]

このことに関連して、さらに、そもそもなぜ『古事記』が七一二年に書かれた後に、たった八年をへて、ふたたび七二〇年に『日本書紀』が作られなければならなかったのか、という問題がある。長い歴史の幅で見れば、この八年という隔たりはほぼ同時ということである。日本の歴史の二大古史書があたかも旧約の聖書と新約の聖書といったありようで、八年のズレで現れている。このことをどう説明するのか。わたしの見る限り、この事実に疑問を抱いている例は、物理学者の湯川秀樹など、歴史の門外漢にこそあれ、専門家には見あたらない。

ある座談会で湯川に、なぜ『古事記』のあとすぐにまた『日本書紀』が「こしらえ」られているのか、と問われ、上田は、二つの史書の性格の違いをあげているが、湯川の疑問を深く受けとめているという形跡は見られない。この本でも、彼は、この二書とも「それぞれ時の政府の政治的な意図をもって完成した」書物ながら、『古事記』が「より素朴な表現」をとり、『日本書紀』[45]が「より律令的な精神」を反映していることを物語っていると極めて淡泊に片づけている。

しかしここには今後解明されるべき大事な問題がひそんでいる。二つの史書における先の「帰化」の語の有無の違いは、「日本」という国号の有無の違いとともに、この二書の関係とそれぞれの性格を確定するうえで、中核的な要素をなしているのである。

わたしは、「帰化」の語の有無について、こう考える。

ここで、注意を要するのは、『日本書紀』『古事記』に現れている語が、「帰化」「渡来」ではあっても、「帰化人」「渡来人」ではないという事実である。「日本人」についてこれまで考えてきた経験は、わたし達に、「日本」という語の成立から「日本人」という語の出現までの間に、「日本」という語に関して、ある社会への定着度の達成がなければならなかったことを教えている。簡単にいえば、わたし達はどんな言葉も発明することができる。しかし、その語が、社会に一定程度根づき、いわば中性化してからでなければ、その語を語幹とした派生語は一般には生じないのである。「日本」についていえば、「日本人」は明らかにこの語を語幹として生まれた派生語だが、この語の出現までに、「日本」の語が一定程度国内外の社会に定着していることが必要だった。だから、「日本人」という語の出現は、逆からいえば、「日本」という語の、ということは「日本」という概念の定着の時点を特定する。ほんらい「帰化」という概念について考える上に、「帰化人」という用語についての研究が不可欠なのは、わたしの考えでは、そのためである。

しかし、『帰化人』という書名にもかかわらず、上田のこの本には、「帰化」と「帰化人」の違いへの着目は示されていない。というより、いったいいつ「帰化人」という言葉が現れるか——つまり『日本書紀』で用いられた「帰化」という言葉が、いつ本当に社会に定着するのか——ということを研究した考察も、わたしの知るかぎり、まだ日本の歴史研究には存在していない。

ここに顔を見せているのは、次のような問題である。

「帰化」というコトバが、『古事記』では用いられず、八年後の『日本書紀』で採用された時、それが、その時はじめて作られた言葉であったかもしれない可能性を否定できない。そうでなくとも、この語が、「かくありたい」作り手の側の願望の表現だった可能性が大いにある。つまり言葉とは、それが現れているからといって、その指示する事実の現存を証しだてるものではないのである。それは、現にある状態を適切に示す必要から採用される場合もあれば、その逆に、理念的に、そうあるべきものとして用いられる場合もある。これは、一九四五年の戦後憲法の前文を、一〇〇〇年後の歴史学者が古文書として読む場合のことを考えれば、納得できることだろう。言葉は、用いられ方がそのいずれであるかに応じて、その意味を一八〇度変えるのである。わたし達の考察の経験からいうと、「帰化」という言葉が「帰化人」という用法を許容するには——先の『宇治拾遺』の例からも推測されるように——その語幹がいわば社会に公認され、ニュートラルなもの、中性的なものになっている必要がある。「帰化」という語が当時の人々に自明のものとして受けとめられ、いわば、「かくあるべきもの」(当為的＝ゾルレン的)でなくて、「そうであるもの」(存在的＝ザイン的)になっていなくてはならないのである。

もし、『日本書紀』撰進当時、「帰化」者が文字通り、日本列島の王権の「王化をしたって渡来して」きていたのであれば、「帰化」という用語は、適切に現実を指示する語であり、その用法はザイン的であり、この語の存在は、「王化の思想」の現存を証しだてている。しかし、先に見たように、その半世紀以前の強大な実権者蘇我氏が「帰化」者につながる家柄であり、さらに撰進後約半世紀の時点に即位している桓武天皇の生母が渡来人出身であることを考えれば、この想定は難しい。当時の現実との関係では、むしろ『古事記』の「渡来」の用法のほうが、現実指示的でザイン的であり、『日本書紀』における「帰化」の用法は、そうあるべき姿を〝仮構〟するゾルレン的なものだったと受けとるのが、妥当だろうと考えられるのである。

先に見たように『日本書紀』は、「日本」を冠した初めての国家的史書であり、当時の国際的文法と制度に準拠した対外的自己意識の表現だった。なぜ『古事記』作成の直後に、また類似した作業を必要としたかは、前者が天皇家の内部文書と位置づけられたことからも想像されるように、この『日本書紀』の対外的な位置づけを示唆している。ここでわたし達は、明治期に、国際社会に認められるために法治主義に立つ憲法と議会制度の確立が急務とされたことを思い出してもよい。言語の当為的使用という点で、事態は、似たようなものだったろう。たとえばそこでは憲法名を「大日本帝国憲法」とするか、そこから「大」の字をとり、「日本帝国憲法」とするかで激論がたたかわされている。そのあげく、日本語の正文には「大日本帝国憲法」とありながら諸外国に示すため作られた英文では、「大」の字をとり、「日本帝国憲法」となっている。(46) 対外的緊張は、ここでも国家的な最高文書に、国内向けと国外向けという二つのヴァージョンを生んでいるのである。古代王権の場合、『古事記』と『日本書紀』の関係は前者が宮廷の内部文書で、後者が対外的な政治文書という関係だった。『日本書紀』が対外的な意識の産物だったことは動かない。その撰進をささえる思想は当時の「世界」の体現者である古代中国に倣った「王化の思想」だった。わたし達は、『日本書紀』が「かくあろうとする」古代王権の当為の産物である可能性を、忘れるべきではないのである。

このような想定に基づき、わたしはここのところを、次のように考える。『日本書紀』はなぜ古代王権に必要とされたか。そこにはまだ「わが国土」の観念も、また現在了解されている形での「外国人」という観念もなかった。その逆に、これらの観念を創出し、つまり「国家」観念を〝仮構〟することが当時の王権にとっての急務だった。『日本書紀』はむしろ「わが国土」と「外国人」という観念を作り出す――仮構する――ため、国家事業として遂行されているのである。

「帰化」したと名ざされた人間は、事実としては、さまざまの事情こそあれ、朝鮮半島の文明圏から、「日出づる」国――目下「自国」の顕揚に努める後進国――に、技術と知識をもって渡来してきていたと考えるのが妥当だろう。その彼らを、その辺土の王権が「王化をしたって渡来してきた者」と規定するにしても、それらはそのように規定される者を苦笑させるような事態だったかも知れない。いや、という以上に、そもそも彼らの教示と手助けなしには、このような方法を古代王権が手にすること自体が不可能だったとすら考えられる。戦後生まれの古代史家李成市は、聖徳太子の隋の煬帝への「国書」の実際の書き手を、太子の師でありブレーンでもあった高句麗からの渡来僧慧慈だったと推定している(47)。また、司馬遼太郎は、ある場所で、『万葉集』の時代、渡来してきた「連中」には「そもそも渡来して来たという感覚がない」のではないかと述べている(48)。このような推測、あるいは発言の示唆するものが、むしろ当時の実相だったと考えられるのである。

すると、この段階での差別とはどのように理解されるのがよいのだろう。

当時、渡来者は、自分をそもそも現在了解されている形で、「外国人」とは自覚していなかった。列島居住民も、自国観念を創出していない段階で、彼らを「外国人」とは考えられなかった。渡来者は、新羅人であり、百済人であり、漢人でありしたろうが、それは列島居住者の古株が「倭人」であるのと、どれ程違うことだったかを、この時点で、わたし達は余り特定することはできないのである。

上田は、当時の「帰化人」には現代におけるような「差別」はなかったというが、「差別」という語を、現在用いられているように、本来等位であるべき存在を不当に共同的におとしめる行為と解するなら、列島居住者は、渡来者を「差別しなかった」のではない。「差別できなかった」のである。

「差別」は、「差別」主体あるいは「差別」客体の存在を前提としている。差別主体とは何か、ということがここで問題になる。差別主体とは、差別を可能にする主体であり、ここにおける意味では、自分の住む場所を「わが国土」とみなし、その外部から渡来する者を「外国人」とみなす主体ということである。そうした差別主体が、この当時まだ形成されていなかった。上田の論理から窺われるのは、彼が、この差別主体の存在を、六―八世紀の列島において、疑っていないということである。そのため、彼のモチーフは、この差別主体が現代とは違い、外国人をけっして差別していないことを指摘するところにおかれる。その結果、彼の論理は、この差別主体たる「わが国土」の住人が、しかし――近代の同類のようには――当時「外国人」を、差別していなかった、という遠近法的倒錯に陥ったものとならざるをえない。しかし事実は、そうではなく、むしろ、この当時、このような差別主体は「存在しなかった」のである。

議論はどのように築かれるべきだろうか。

上田は明治以降の日本人の安直な朝鮮人蔑視に対して七世紀前後の日本人の「外国人」との非差別的な対応を対置するが、それは、前者の歴史観が、和辻哲郎に例を見るように、現在の差別観を過去に投影し、日本人の朝鮮人に対する優位は古代以来のものだと見ていることへの批判であり、それへの反対という意味をもっている。この自国中心の客観性に乏しい歴史観を誤りだとする指摘は重要でもあれば、貴重でもある。このような不当なあり方への怒りは、これなしに、歴史考察は不可能といえる程、歴史考察にとって基本的な要因ですらある。しかし、その批判自身が、歴史観としては、差別主義と同じ遠近法的倒錯に陥っているところに問題がある。

古代には差別はなかった。しかしそれは差別する主体がなかったから、のことである。では、差別する主体のないことがよいことであり、現在の差別する主体のある近代国家体制は、その古代のあり方に戻るのがよいのだろうか。そうではないだろう。古代が近代に向けて社会体制を変えてきたのはそれなりの下部構造的な根拠があってのことである。このような過程を踏んでわたし達は人間の権利という考えを自明なものとして手にするにいたっているのである。この原初の状態を、たとえばルソーが社会契約論にいう〝自然状態〟というように考えてみるなら、ここでわたし達にさしだされている課題は、「不平等の起源」となる社会の成立を悪と見ることではなく、社会の成立を前提に、社会を成立させてなお不平等ができるだけ生じないあり方をどのように構想できるか、また、さらに進んで、各種の不当な差別・不平等をできるだけなくすために、新しい社会をどのように構想できるか、というものであることがわかるはずである。つまり、ある自然状態を構想するなら、それは必ず共同性の意識を醸成させ、その共同意識は、やがて集団の意識、ある「まとまりの意識」へと強化されていく。その「まとまりの意識」を公共性に作り上げたたとえば古代ギリシャ人たちは、また他方で自分たちとそれ以外をヘラス、バルバロイと称し、強烈に「差別」したが、その差別を、近代的な意味での差別と同一視することは、史的考察として誤っているばかりでなく、何より人間理解として、正当でないのである。

なぜなら、人間が他者と協同でなにごとかを行うことは、人間の活動の自由という価値の大きな部分をなしている。その結果として作られる共同体を、それが共同体であるからという理由で、否定するのは、理に叶っていない。それがマイナスの作用をもつなら、わたし達は、そのマイナスを生まないあり方をこそ考えなくてはならない。もしそれを理由に人間の他者との共同性を否定するなら、それは人間の活動の原動力の否定を意味するからである。

ある集合の観念が生まれるとは、差別主体が作られると同義なのだが、そのことは、差別ということ——自他の区別ということ——が、一概に否定されるべきではないこと、いわば差別を悪とする近代的な差別観にも、遠近法的倒錯ともいうべきものがありうることを、わたし達に教えるのである。

さて、そう考えた上で、この自国観念の創出の場面を見てみよう。そのことにはこの「日本人」概念の形成過程における、どんな意味があるだろうか。

ここにあるのは「倭人」から「日本人」への移行なのだといってよい。『日本書紀』の記述を見ても、やってきたのは「新羅人」であり、「百済人」であり、「高句麗人」であって、そこに「日本人」に対応する「外国人」という観念、「朝鮮人」という観念は現れていない。

つまり、日本列島にその当時居住していたのは「日本人」ではなく、「倭人」だった。「倭人」は当時の古代東アジア世界秩序の中で「新羅人」「百済人」と同じ位相に位置する存在だが、その意味は、「倭人」という自国観念を、倭人が東アジア世界秩序から調達していることを示している。「倭人」を「新羅人」「百済人」と同位の存在に仕上げているのは、七世紀の段階でいうなら唐からの視線なのである。

「倭人」から「日本人」への移行は、列島居住民がその自国観念を自分で調達しようとする過程と位置づけられる。そうしてはじめて、「倭人」に、「新羅人」「百済人」「高句麗人」「漢人」をひとしなみに範疇化する視線の源泉が生まれる。「倭人」が「日本人」になることに呼称以上の意味があるとすれば、この自国観念の自己調達化をおいてほかにない。それは、はじめて範疇化の起点を自分で作ることを意味し、この自前の秩序に従い、「かれら」という範疇を作り出すのである。

わたし達は先に、「日本人」観念の成立の下限を、この「日本人」という用語の文献に現れる時期に特定した。この下限は、専門家が「日本人」という呼称を探索するなら、今後遡及されるはずである。しかしこれと別に、もう一つ、ではこの観念の成立の上限を、どのように特定できるか、という問いがある。自国観念の自己調達への動きが、その上限を特定している。『日本書紀』が作られた時、むろん「日本」という呼称はまだ列島居住民に定着していない。それを作らせているのが、「倭人」の、上記の意味での自国観念の自己調達の動きにほかならない。そしてそれは、別にいえば、差別主体の形成にそのまま、重なる。『日本書紀』を作っているのは、「日本人」になろうとする「倭人」たちなのである。

七　差別主体の形成

自国観念の創出が具体的には差別主体の形成を意味すること、そのため現代の差別観をそのまま古代に適用するのでは、古代に生じた「まとまりの意識」の形成の意味を正当に評価できないこと、また、差別についての基本的な考察がこのような概念形成の考察に不可避であるゆえんを、見てきた。ここでは回り道になるが、「差別」という概念についてもう少し考えておきたい。ここで問題となっているのは、「差別」一般ではない。自国観念に基づく差別である。しかし、まず差別一般について見ていくことが必要である。差別一般と、この自国観念に発するいわば「外国人」差別との関係は、どんなものだろうか。

自国観念とは、「われわれ」の根拠を国家、民族という共同性の観念に見いだすていの「まとまりの意識」の観念的実体である。しかしその「まとまりの意識」は、見てきたようにいわば社会形成の縦軸(支配‐被支配の関係)において生じ、ついで横軸において生じることになる。自国民と他国民との関係は、その前提に共通の秩序の存在を必要とする。それは基本的にメンバーシップの世界であることから、基礎単位集団のメンバー化、支配集団の自己形成を先駆的に必要とするからである。

列島居住民の、こうした意味での「まとまりの意識」の淵源をたどれば、『古事記』に現れるヤマトタケルのクマソ「征伐」に類した数々の挿話の示す、「倭人」形成に先立つ異集団との交渉をその前期的形成過程に同定することができる。このような戦闘を含む交渉の結果、古代の東アジア世界にメンバーとして名乗りをあげる集団単位としての「倭人」は形成されてきた。しかし、そのさらに始原にあたる段階に、このような交渉へと乗り出す主体の形成の要因としての宗教行為(ケガレ)など共同性の発生、さらに階層分化などのできごとを想定しなくてはならない。

倭国の形成が奴隷的存在の析出を伴っていたことは、「倭の国王帥升等、生口百六十人を献じ」とある『後漢書』倭伝の記事から明らかである。[49] これは、この記述を信じるなら、二世紀初頭のことになる。また、五世紀後半になると、さらに「毛人」といういわば「化外の民」が現れる(『宋書』倭国伝)。第一に、「まとまりの意識」の前提ともなるべきその縦軸、社会階層上の他者が析出され、次に、その横軸、メンバーシップの世界(この場合「古代東アジア世界」)への参入を通じて、この当初の他者をいわば「化外の民」として回収するていのひとまわり大きな「まとまりの意識」が醸成されてくる。そして、やがてこの自国観念を列島居住民が自分で調達しようと企てると、はじめて自己に固有の「外国人」概念ともいうべきものが浮上することになる。その「外国人」は、「化外の民」の延長上に、それとはまた別種の他者としてやってくるはずである。

では、この「生口」から「毛人」をへて「外国人」ともいいうる存在まで、他者を析出し、また他者との関係から析出されてくるこの「まとまりの意識」は、現在の用法にいう「差別」と、どのような関係にあるだろうか。差別という言葉は現在非常に曖昧に用いられている。そのため、この曖昧な用法がしばしば、基底となる概念規定のないまま、歴史考察にもちこまれる例が少なくない。確認しておきたいことは、奇妙な言い方になるが、差別には不当な差別と、いわばニュートラルな差別があるということである。後者を、正当な差別といわないのは、それを正当ではないが不当でもない、その範疇を脱した「区別」に近い「差別」として、考えたいからである。差別をそのまま不当なものと考えると、差別の基本的な考察、その他の範疇と接合可能な概念規定は不可能になる。

その場合、差別の対立概念は、一方で、平等であり、他方で、差異である。

たとえば、わたしは、ある人間に、「わたしはあなたとは違う」と言明する。この場合、大切なことは、この言明が、時と場合によって、相手に対するわたしの「差別」の表現ともなれば、そうではないものともなる、ということである。二者を区別するのは、この違いの表明が、ある共同性の観念に立脚してなされているか否か、ということである。

この表明が、何らかの意味での共同性の観念、つまり、「われわれ(we)」に立脚するものであれば、この言明は「われわれはあなたがたとは違う」というように翻訳されうる。「われわれ」が「日本人」であり、「あなたがた」が「アメリカ人」あるいは「朝鮮人」である場合には、この言明は、「われわれ日本人は、あなたがたアメリカ人(朝鮮人)とは違う」という表明となる。そしてこの言明が、しばしば不当な意味をもつのは、それが共同性による個人の評価ないし承認を導くからである。わたし達は、ほんらい個人に対してなされるべき判断が、その個人の属する共同体を理由に行われると、そこにスリカエを看取し、これを不当と感じるのである。

むろん人間は共同的な存在なので、ここにあるのは単なる個人と共同体の対位ではない。個人の尊厳を保証しているのは彼の人間としての権利であり、それは彼が人類の一員であること、彼がいわば類的な存在であることに立脚している。この人間の類的存在性ともいうべきものは、彼に人類の一員としての共同性(公共性)を与えている。だからここにあるのは、いわば中途半端な共同性としての自国観念と人間としての(本来的な)共同性としての類的観念の対位でもある。中途半端な共同性である自国観念が、ほんらい、類的観念と結びついた個人の尊厳に抵触することから、やはり中途半端な共同性に立脚する差別観念の不当性という問題を生んでいるのである。

差別が共同性を条件とする違いの把握であるのに対し、個人同士の違いの把握を、差異と呼ぶことができる。差異の表明は、それ自体として道徳的に非難されるべきではない。もし一般にしばしば誤って考えられているように、差別が媒介なしに不当であり、その反対概念が平等ということであるなら、わたしは、「わたしはあなたとは違う」というべきではないことになる。しかしそれでは人間の生きることの意味の否定になる。差異は人間の生きる理由の根源をなす契機だからである。しかし、といって「われわれはあなたがたとは違う」という共同性の言明が、そうであることで無条件に否定されるべきだというのでもない。そこにも人間の活動の肯定的意味合いがある。否定されるべきは、どのような場合も、個人がこれらの「われわれ」の観念によって凌駕され、否定されることとなのである。差別には、ほんらい「われわれ」であるべき存在が不当に「われわれ」から分離される、という意味内容が含まれている。しかしその、ほんらい「われわれ」であるべき存在の単位は、厳密にはつねに最終的に一人の個人である。社会構成の原理は同質性＝平等性ということだが、それによって個人間の差異の発現が最大限に可能になることが、それがそうであることの正当性の根拠なのである。

さて、このように考えてくれば、この自国観念をテコとした「われわれ」の意識の形成は、人間の共同性の現実態であると同時に、他国の人間に対しては、共同性からの排除の現実態であることがわかる。人間の共同性としてこれを評価すれば、ここには肯定すべき点と否定すべき点と二つが、表裏をなしているのである。

わたしの考えをいえば、わたし達は、先に述べたように、この差別主体の形成を否定すべきではない。人間の共同性の発現は、これ以外の道を辿ることはできない。否定的側面のあることを理由にこれを否定してしまえば、わたし達は人間の共同性それ自体を否定しなくてはならなくなるからである。残された道は、理念的に考える限り、この共同性の中途半端なあり方を克服して、それを一方で個人の尊厳、他方で類的な存在性ともいうべきものへと進展させていくことである。これを単純な、いい古された進歩主義の紋切り型の言明と聞く人がいるかもしれないが、このことをわたしは、差別主体の形成を否定すべきでないことの代案としていう。これをわたしはいわゆる進歩主義言説に対する最も強い批判として語っているのである。

わたし達には、この差別主体の形成を、歴史の一過程として否定しえない前提とみなす、思想的な強度こそが、求められているのである。

八　外国人という範疇

本題に戻る。

「帰化」という言葉が七二〇年の『日本書紀』に現れたが、それをそのまま「王化の思想」の存在の指標と見るべきでないこと、そのようなあり方、思想の定着は、むしろこの語の中性化を示す、この語の語幹化によって判定できること、したがって「帰化人」という語の出現がこのようなあり方の一定程度の定着を示すことになるだろうことを、述べてきた。

「帰化人」という言葉は、いつ現れているだろうか。

わたしはそれについての学識をもたない。しかし、もし外国人というカテゴリーの出現を特定できたら、それはこの語の出現に相当する意味をもつはずである。「帰化人」とは、「新羅人」「百済人」「漢人」といったさまざまな出自をもつ渡来者を一括するカテゴリーだが、ということは、「外国人」というカテゴリーの派生形態にほかならないからである。

そして、これを「外国人」というカテゴリーに関する問いに変換してみれば、わたし達はこれに一つの事例で答えることができる。先に述べた、八一五年に上表された『新撰姓氏録』なる史料に、この外国人カテゴリーがたぶん最初の例として出ているからである。

『新撰姓氏録』(以下『姓氏録』)とは、八世紀末に時の桓武天皇が命じ、九世紀初頭に編纂を完了した、平安京を中心とする畿内在住の氏族の系譜集成の名称である。序文によれば、この系譜集成は、次のような契機と事情を背景に、八一五年、撰進されている。(50) 六四五年の大化の改新の際に、蘇我蝦夷が「国記」を焼いた。それ以来、「幼弱は其の根源に迷ひ、狡強は其の偽説を倍にす」といういわゆる「氏族の紛乱」が甚だしくなった。その後、氏族の数が増え、渡来者に対する賜姓が無制限に行われ、氏姓の出自は不明瞭を極めるようになった。系譜の詐称が続出して、ついには氏相互の争いをひき起こすにいたる。「万方の庶民が高貴の枝葉に陳(つらな)り、三韓の蕃賓が日本の神胤と称」し、時とともにその異同を知る者が少なくなり、事態は深刻の度合を深めた。歴代の天皇は、この混乱を匡すため「氏族志」編纂を命じたが、その企ては挫折を余儀なくされた。この氏族集成は、このような前史を受け、七五七年に挫折した先の企てをひきつぐ形で、七九九年、桓武天皇の命によって開始され、一六年後、一応の完成を見て上表されているのである。

『姓氏録』は、当時の畿内在住一一八二氏族を、皇別・神別・諸蕃の三つのカテゴリーに分けている。そのうち、「皇別」は、天皇家を祖先とする氏族を、「神別」は、国つ神・天つ神を祖先とする氏族を、さしている。この「神別」は、古来から列島に住む倭人氏族に該当している。ところで、この系譜集成はこれに続けて、第三の「諸蕃」というカテゴリーを設ける。このカテゴリーは、渡来人出自の氏族を漢人を含め、一まとめにする。これは、列島居住の倭人氏族以外、つまり元外国人というカテゴリーである。実質的に帰化人というカテゴリーを意味する。このようなカテゴリーはこれまでになかった。七二〇年、『日本書紀』に「帰化」という用語が現れてから、ほぼ一世紀後、八一五年に、「帰化人」という用語に見合う観念が出現しているのを、わたし達は見るのである。

「帰化人」という言葉こそないものの、ここにいう「諸蕃」は、渡来者を「非・われわれ(we)」、つまり「彼ら(they)」と見る自国観念の制度化を意味している。列島居住民は、ここにいたってようやく自国外からの渡来者をひとしなみに「彼ら」として〝差別〟する「われわれ」、いわば自国観念に基づく差別主体を手にしているのである。

しかし、ここに行われている〝差別〟は、あの近代における差別と同じものではない。差別には、いわば差別主体を形成するためのそれと、差別主体があるためのそれと二種類の差別がある。人間の活動は他の人間との協同作業を基本の一つとするが、そこに成立する協同性にはいわば個が他に開かれる肯定的側面と、そこに生まれる集合性が他を不合理に排除するという否定的側面が含まれている。この二種類の差別は、この人間の活動の協同性の二つの側面に対応している。近代的な差別が後者にあたるとすれば、『姓氏録』が語っているのは、この前者の差別主体の形成なのである。

ところで、このようなことをだいぶ強調してきたのは、この『姓氏録』が語る事態を正当に評価するうえに、そのことの確認が必須と思われるからである。江戸期から現在にいたる『姓氏録』の評価の歴史が、そう感じさせるのでもある。なぜ多くの歴史家がこの『姓氏録』

を前にしながら、それが語っていることを正当に受けとめそこねてきたか。その理由は、いわば差別観の遠近法的倒錯にある。

　浩瀚な『新撰姓氏録の研究』の著者佐伯有清によれば、『姓氏録』の研究は、江戸期にはじまっている。中でもこの史書を特に重視したのは皇国的な国学を作り上げた平田篤胤である。平田は、ここに皇統重視の日本の神国精神が「明確にあらわれている」と見る[51]。彼は、こう述べている[52](『古史徴』「新撰姓氏録の論」一八一九年)。『姓氏録』に「皇別」「神別」「諸蕃」という区分があるのは、元来氏族に貴賤の「差別(けじめ)」があったことを示す。各氏族が、その貴賤に応じて朝廷に仕え、また功によって賜った職を代々伝えるのが古来の日本のあり方、「神(かむ)ながらなる御政(みまつりごと)の式(のり)」である。後世「氏の貴賤の差別(けじめ)なき、賤しき漢国人(からくにびと)」の俗が日本に伝わるようになって、この政治形態は変化した。しかしこの基本精神はいまもすたれていない。この基本精神に則り、各氏族が「貴賤の差別(けじめ)」に従って「天の下に上なく貴き天皇の御心のまにまに」と仕えるのが、「道てふ道の大道」なのであると。

　平田は、『姓氏録』に示されている、天皇、それ以外、帰化人という分類を、「賤しき」非日本人への蔑視と天皇(皇室)尊重の制度的表現と見、これを高く評価するのである。

　この平田の『姓氏録』評価は、これが江戸後期での言明であることを考えれば、外国からやってきて官学となった儒教に対する民間からのナショナリズム的表現である「国学」の立場と、当時形骸化していた天皇家の権威を強調する「反体制」の立場との混淆した主張と見ることができる。こうした平田の主張は晩年、当然、幕府の忌避するところとなり、譴責の対象となっている。いまから見れば、完全な皇国史観の先駆形とも見えるが、むろんここにあるのは、あの『日本書紀』における記述と同様の、「かくあるべき」当為としての主張にほかならない。

さて、同じ佐伯によると、平田に次いで明治期以降の『姓氏録』観に決定的な影響を及ぼすのは、姓氏録研究の「かがやかしい金字塔」とされる『新撰姓氏録考證』(一八九四年)を書いた栗田寛である。栗田の姿勢は、この研究書に寄せられた内藤耻叟の序文によく現れている。それによれば、栗田は、明治の新時代の「氏姓の崇卑をかえりみない弊」が倫理を乱し、国体を損じることを危惧してこの書を著した。栗田は、『姓氏録』に差別構造の日本における最初の確立を見た。内藤によれば、『姓氏録』は、中国・朝鮮渡来の非日本人を下位に置き、天皇を上位に置く、けじめある国家秩序と世界像の最初の日本における現れなのである。

しかしこの大著が日清戦争の勃発の年に世に現れていることは、ここでも、そこに語られていることのある程度の当為性を予想させる。その後完全に消えるのは、その当為性である。以後の時代におけるこの種の表現は、二度の対外戦争の勝利によっていわばゾルレンとしての意味を失い、単純に自己肯定的な膨張主義的イデオロギーへとなり変わる。栗田の『姓氏録』評価は、あの遠近法的倒錯を媒介に、平田篤胤へ、さらに本居宣長へと遡及され、戦前の国家主義時代において国家の政策をささえるイデオロギー的なバックボーンとなっていくのである。[53]『姓氏録』は、こうして、戦時下には「国体明徴化の「神典」」に編入されるにいたっている。

さて、戦前のこのようなあり方に対し、戦後の歴史学者は、この『姓氏録』の抱える〝差別〟という「微妙な問題」に実証史学の方法で向き合うことで、いわばこれを相対化する道を選ぶ。この差別の事実に対する平田・栗田の受け取り方を、戦後に回復されたはずの歴史感覚に立って、正面から批判するという道は、回避されるのである。

佐伯によれば、戦後になると、『姓氏録』研究は、これまでのあり方から一変し、その撰別理由を「その序文にのみ頼って」考えてきた従来の考察への批判として、撰述者が実際に何をしたか、あるいは本文から何が読みとられるか、という本文重視の方向に転じる。たとえば、戦後の研究において有力な説を提出した関晃は、当時の諸氏族の、皇室よりも「神胤を貴とする観念」に対抗して、王権が皇統を上位に置くヒエラルヒーを確立しようとした所産がこの『姓氏録』だという。撰述の根本事情は、関においては、こうした王権の企ての背後に想定され、「律令体制下における旧勢力の後退、皇室権の伸張、官僚世界の形成」に求められるのである。[54]

こうした戦後の研究動向を総合して膨大な研究成果を世に問うているのが佐伯の『新撰姓氏録の研究』だが、佐伯も、この点では例外ではない。彼は、『姓氏録』の力点が出自の確定以上に「改賜氏姓」の基準確立の方にあったことを重視し、その撰述理由を「当時の律令体制動揺防止の一対策」に求める。[55] こうした実証的な検証のうちに、しかし、平田・栗田が取りあげた『姓氏録』にはじめて差別化の観点が現れたことの意味は、批判されるのではなく、批判しないでもすむものに、変えられてしまうのである。

ところで、こうして戦後の『姓氏録』研究は、その序文に明言されている「差別」秩序の(再)確立の趣旨を、過小評価しようとすることでその戦後性ともいうべきものを確保しようとするが、わたしの考えをいえば、それは、戦前の研究がこれを過大評価したことの、裏返しにすぎない。佐伯の伝えるところによれば、『姓氏録』は、その「神典」化以降、しばらくの間研究者に敬遠されるようになった[56]。戦後の研究者は戦前のイデオロギーから自分を引き離すためにいっそう実証的な学風に近づくことになる。しかし、このような態度は、「羹にこりて膾をふく」のにも似ている。『姓氏録』における〝差別〟の問題は、先送りされてきたにすぎない。そしてそのことの結果として、戦後の歴史学は、いまなお、この課題に十分には答えていないのである。

戦後生まれの歴史学者石上英一が一九八七年に書いた「古代東アジア地域と日本」は、このような戦後の『姓氏録』研究の流れの中にあって、真正面からこの問題に答えようとした注目すべき論考だといってよい。石上の観点の新しさは、ここでたぶんはじめて、彼が『姓氏録』に関し、その〝差別主体〟の定立が実体をともなわない〝仮構〟にほかならないことを明らかにしている点にある。戦後の『姓氏録』研究は、ようやくここで、差別の問題に向き合い、これを実体と乖離した仮構、当為とみなす姿勢と視点を手にしているのである。しかし、あらかじめいっておけば、石上が歴史家として提示している答えは、そのような共通認識に立ってなお、わたしの答えと対立する。石上の述べているのは、概略、以下のようなことである[57]。

日本古代における五世紀以降の列島外からの中国・朝鮮系の渡来集団は、「形質上明確に倭人＝日本人ではなく、祖国を持ち(中略)その文化・技術により日本列島内における民族集団としての地歩を確立した」。しかし、「朝鮮系のように民族集団を持続させた場合でも、習俗・言語をどの程度、またいつ頃まで保持し得ていたのか」は古代日本語研究がこの方面で進捗していないためわからない。しかし、彼らは、共通する東アジア文化圏に属していたため「極めて容易に導入的・端緒的コミュニケーションを倭人＝日本人との間で行ない得たこと」等の理由から、「来住・定着後に民族語を急速に喪失し、独自文化の示差性を弱めていった」と考えられる。

石上は、六—八世紀という時点で、多くの民族集団が民族言語・習俗等の示差的特徴を弱め、あるいは喪失していたという。そこにあったのは、おそらく、倭人・新羅人・百済人の雑居状態というものだった。『姓氏録』は八一五年にできているが、ここで「諸蕃」に分類されている氏族は一一八二氏中三二六氏(内一一氏は八世紀来住)であり、その序の述べるように『姓氏録』撰進以前に、渡来氏族で出自に関し「其の偽説を倍にし」「日本の神胤と称」した例が数多かったことを考慮に加えるなら、六—八世紀の畿内在住氏族のうち三分の一から二分の一は、渡来者だったと考えられるからである。このようにカオス状態をまだ色濃くとどめた状況において、もし、倭人・新羅人・百済人等々という差異性の中に、倭人と非倭人(新羅人・百済人等々)という区別を立てる「諸蕃」というようなカテゴリーが新たにもちこまれるとしたら、そこにはある種の人為性は不可欠である。では、この人為性をどう考えるべきか。石上は、これを、民族集団に対する「「諸蕃」という政治的分類」の「強制」であったとみなす。そしてその「強制」には、古代王権の側からの「仮構」の努力が認められるという。その理由として、彼のあげる要因は、日本の古代王権の「帝国」としての自己仮構の必要である。

彼によれば、この当時、渡来民族集団は実質的には列島居住民と同様の存在になっていた。しかし、にもかかわらず、古代王権は政治的強制によって彼らを非列島居住民として同定するように仕向けることになる。なぜこのようなことが起こるのか。「多民族支配」を必然とし、仮構的措置を導入してでも何とかその形態を維持しようとしていた、古代王権の「帝国」としての自己構築の意欲が、ここに顔を見せている。石上は、その理由を、いわば帝国としての構造と対外的資格を整えるために列島古代王権に求められた「多民族支配」の仮構の必要だったと見るのである。

石上の考えでは、八世紀後半という『姓氏録』作成の段階では、各種民族集団の国家にとっての存在意義は、もうその文化・技術上の有用性という段階を離れている。その意義はむしろ、「多民族支配とその化内民化の実践の証拠」としての異民族性にこそある。これらの民族集団は、国家によって「民族集団としての政治的・文化的主体性を保持すること」を励起認容されることもなく、異民族としての実質を喪失し、単に「「諸蕃」の出自アイデンティティを負わせられ保持することにより」、国家に有意義とみなされる「疑似民族集団」と化していた。この「疑似民族集団」の国家による認定こそ、『姓氏録』における「諸蕃」カテゴリーの国家にとってもつ意味だったと、彼は考えるのである。彼は、書いている。

ここには、非倭人＝日本系民族集団を不可欠の構成要素としながらもそれらの独自性・自律性を許容せずに(あるいは各民族集団にも独自性・自律性を持続させる主体的条件が欠けていたことも想定される)内国の臣民として一元的に編成する日本古代国家の王化の論理の貫徹とともに、東アジア世界の東の海上の辺縁に位置するための民族流動の影響の少なさによる帝国の規模の矮小性が現われている。[58]

つまり、石上の考えは、この「諸蕃」カテゴリーの定立による〝差別〟の制度化を、正面から考察の対象とし、これを実体をともなわない当為であり、仮構の企てだと見ている点で、それまでの戦後的『姓氏録』研究の一線を踏み出ている。また、わたしの観点と一致している。しかし、その先、その仮構の企てが何をめざすものかと考える地点で、わたしの考えとは大きく違うのである。石上は、わたしと同じく、『姓氏録』撰進に先立つ数世紀間の時点の列島居住民のありようが、倭人・新羅人・百済人等々の雑居状態を原型とすると考える。しかしその「外国人」カテゴリー仮構の理由を、わたしが「日本人」としての自己の定立(仮構)に見るところ、むしろ、「帝国」としての自己の定立(仮構)に見るからである。

石上によれば、当時の列島居住異民族集団と倭人集団の間に実体的な差異はない。にもかかわらずここに一線を引く必要があったのは、日本古代国家が、異民族を支配する帝国の構造を整えるため、擬制としてでも、自己内部に自己でないものがあることを必要としたからである。石上はそこに、「天皇と「諸蕃」」を書いた石母田正と同様、「日本古代国家の王化の論理の貫徹」とその「帝国の規模の矮小性」を見る。たぶんこの石上の論考は、『姓氏録』論としては、『姓氏録』の本質を実体として差異のない集団の差別化の表現と見ている点で、問題への直面を避け続けてきた戦後の日本の歴史考察の旧套を抜けでた、一つの達成というべきものである。しかし、それは、やはりあの「日本人」をめぐる遠近法的倒錯から免れていないため、同時に、日本古代に現れた「渡来人」差別に関する、戦後史学の解釈の悪しき典型ともなっているのである。

この石上の古代日本考察が、何かアメリカ中心の世界像の中での「矮小な帝国」たる現代日本の「単一民族国家」的あり方をめぐる批判的考察に、そのまま地続きしうるものと見えるのは、なぜだろうか。それは、何もここで彼がアイデンティティとか少数民族の「独自性・自律性」といった現代的概念を多用しているからではない。彼はここで、この時期に、半島からの渡来人に「祖国」と「民族語」と「独自文化」があり、またこれを迎える列島内住民に「日本人」としての観念があったかに考えている。彼が歴史家としてこう考えるのは、推測するのに「倭人」をそのまま「日本人」であるかに考えてしまっているからである。彼はこの論考でも無造作に「倭人＝日本人」と二者を等号に結んでいる。そうすることで、「倭人」たる「日本人」、つまり「倭人＝日本人」は、少なくとも「倭人」の語が中国史書に現れる二、三世紀まで無媒介に、また先験的に存在する概念とされてしまう。彼は、あの和辻・上田と同様、遠近法的倒錯により、基本認識としては現代の国家と国民のあり方を、無意識のうちに、古代に投影する過ちを犯してしまっているのである。

しかし、これまで述べてきたように、これは歴史考察として逆倒している。古代の日本の歴史的考察において最も重要な要因は、その考察対象たる集団が、まだ「日本人」ではない、ということだからである。石上の論考は、「日本人」を先験的に設定した場合、なぜ古代の歴史考察がその意味を取り違えなくてはならなくなるかを、ある意味で、典型的に示している。彼は、『姓氏録』に実体のない〝差別〟の仮構を見る。それには理由がなければならない。しかし彼はまた当時、列島居住民にすでに「倭人＝日本人」意識があり、また半島からの渡来民に「文化的」自己意識と「祖国」があると見る。するとそこでの差別は、現代における差別と同じ排外的な行為を意味する。それは何かを仮構するための操作である。では古代王権は何を仮構しようとしているのか。彼はそう考え、すでに「日本人」がそこに実体化されていればこそ、仮構対象の位相を〝一ランク〟あげ、古代東アジア世界のメンバーとしての「帝国」の構造を(外見的・資格的にだろう)整えるといった、苦しい理由をあげざるをえなくなっているのである。

一言でいえば、石上はここで、原理的には近代国家を考察するように古代の列島王権を考察している。古代の列島居住民の〝差別〟の問題が現代の〝差別〟の問題と構造的に同じものと見られているため、全てが逆倒した像を結んでいるのである。

終わりに――『新撰姓氏録』の問題

では、ここに起こっているのはどのようなことだろうか。当時の状況を考えてみよう。『姓氏録』序文に、「三韓の蕃賓」が「日本の神胤」を詐称したとあるように、八世紀後半、『日本書紀』の撰進から半世紀をへて、渡来人出自の氏族は、一方で、自分の出自を不都合と感じるほどではないにせよ、列島出身の氏族になったほうが有利となるような状況のなかにはいたかも知れない。しかし、他方で、『姓氏録』の撰進を命じている桓武天皇が、自分の母親の渡来人出自を何ら隠していないことに窺われるように、〝差別〟は、実体として一部ありつつ、なおその仮構化を必要としている、という段階にあったと考えられる。ここで確認すべきことは、繰り返しになるが、この〝差別〟が、実体を前提として、その追認として行われているのではないことである。ここに取りだされているのは、擬制としての〝差別〟化が実体化していく過程であって、八世紀初頭(七二〇年)の『日本書紀』における「帰化」の語の出現から九世紀初頭(八一五年)の『姓氏録』における「諸蕃」すなわち「帰化人」カテゴリーの出現までの一世紀は、実体としての「倭人」が「日本人」を仮構していく過程として受けとられるのが適切なのである。

そう考えるなら、ここに生じているのは、次のことである。

まず当初の理念的な自然状態、倭人・百済人・新羅人・高句麗人・任那人・漢人といった各集団（ここでこれらは異民族集団とも認識されていない）が雑居している状態を想定してみる。これは、たとえていうなら、大きな箱に六本のヨウカンが詰まったヨウカンの詰め合わせセットである。倭人はそこで全体の六分の一であり、かつ他の六本のヨウカンと同じ大きさをしている。倭人という概念が自己意識を東アジア世界の中心から調達したものであることが、この六分の一性に示されている。この段階では、倭人も百済人も新羅人も高句麗人も、等しくその自己意識をいわば世界の中心である隋・唐からえている（図2a）。

しかしやがて、その各集団が自己意識の源泉を自己調達しようとする。自己意識の源泉を自己調達した自己準拠型の集団意識の成立、これが、概念としての倭人からの日本人への移行がもっている意味である。この移行は、「日本人」に対応する「外国人」というカテゴリーの出現によって特定される。たとえば『日本書紀』には「三韓」という語が使われており、「からくに」というよみが与えられている。しかしこれが東アジア世界の中心である唐から調達された外国意識であるという意味は、その範疇の源泉が、唐にあるということであり、その「三韓」が唐に見られたそれであるということである。「倭人」はそれを〝借用〟しているにすぎない。したがってそれは原理的に、唐をも含む形に拡大するていの外国カテゴリーではないのである。これに対し、倭人に自己調達された外国人カテゴリーである「諸蕃」は、その下位分類を漢・百済・高句麗（高麗）・新羅・任那（加羅）とする。それは、朝鮮半島のほかに、中国も含んでいる。その範疇化の主体は、世界の中心から見られる自己ではなく、これを見返し、中心をも範疇化する自己となっているのである。

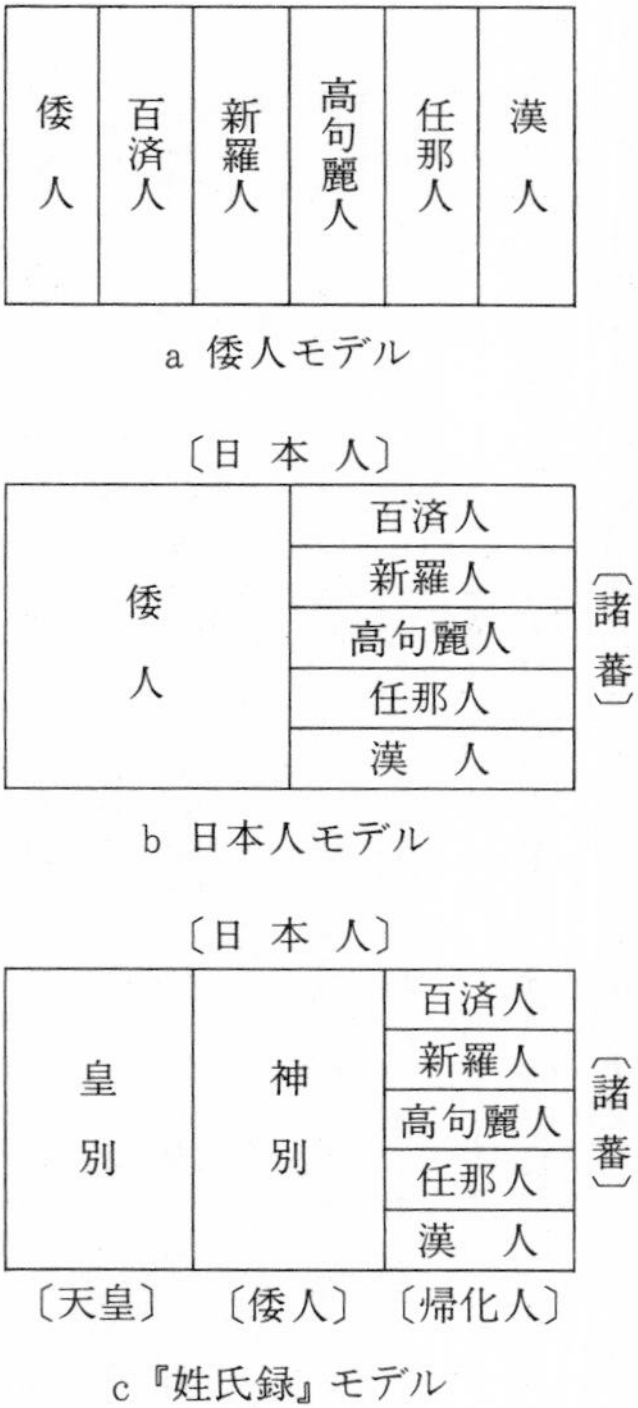

倭人	百済人	新羅人	高句麗人	任那人	漢人

a 倭人モデル

〔日本人〕

倭人	
	百済人
	新羅人
	高句麗人
	任那人
	漢　人

〔諸蕃〕

b 日本人モデル

〔日本人〕

皇別	神別	
		百済人
		新羅人
		高句麗人
		任那人
		漢　人
〔天皇〕	〔倭人〕	〔帰化人〕

〔諸蕃〕

c『姓氏録』モデル

図2 倭人から日本人への“ヨウカン”詰め合わせ構造

これを先のタトエでいうなら、これは、六本入りのヨウカンの箱に、二分の一の大きさのヨウカンが一個と、十分の一のヨウカン五個を入れた全体で二分の一の中箱が一個、詰め合わされたセットである。倭人はそこで、自分一人で、その他のカテゴリー、漢・百済・高句麗・新羅・任那が等分に詰まるセットと、等分に対峙している。外国人のカテゴリー化は、範疇化主体の形成を前提にするのである(図2b)。

しかし、こう考えてはじめてわたし達は『姓氏録』の問題にぶつかるように思われる。「自国観念」の形成とは、論理的に考えれば、ここにのべたようなあり方を理念モデルとしている。わたしも当初は、「日本人」の形成をこういう形をとるものと想定していた。しかし、『姓氏録』が教えることは、それと違っている。それがわたし達に告げるのは、この原初的な「日本人」カテゴリーが「倭人」と「皇別」、それに「諸蕃」のセットとなっているということである。『姓氏録』は、日本人という概念の形成に、少なくともその当初から、天皇というカテゴリーが関与しているらしいことを、わたし達に示唆するのである。

『姓氏録』の範疇化が、「神別」と「諸蕃」の二分割ではなく、「皇別」「神別」「諸蕃」の三分割で起こっていること、つまり「諸蕃」カテゴリーの析出が、同時に、範疇化主体を「皇別」と「神別」の二分化をともなう形で起こっていることの意味は、このようなことにほかならない。その結果、列島居住民が手にする最初の「日本人」概念は、これをヨウカンの箱でいうと、次のような形をとることになった。つまり、そこには、まず「天皇」という項を示す「皇別」のヨウカンが三分の一の大きさで納められ、ついで、列島出自の氏族を示す「神別」のヨウカンが同じ三分の一の大きさで続き、最後に、各十五分の一の大きさの五つの集団のヨウカンを詰め合わせた全体で三分の一の大きさの「諸蕃」のヨウカンの中箱が、そこで残りの三分の一を占めているのである(図2c)。

なぜこのようになるのだろうか。

最も単純に考えれば、この範疇化の主体が、古代王権だからだという答えが思い浮かぶ。古代王権が自分を自己として析出する位相には、これまで述べてきたように、縦軸と横軸の対他関係があった。その場合、古代王権は、国内の支配 - 被支配関係における縦軸で、自分を「神別」との関係で「皇別」とみなし、国際的なメンバーシップの世界では、自己観念を

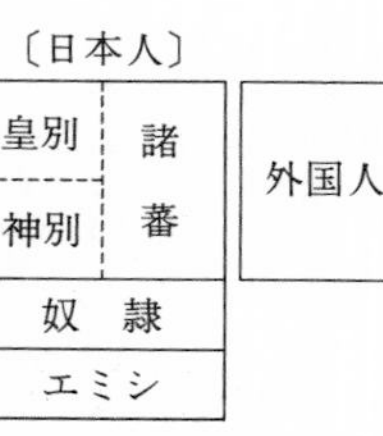

a　古代日本の自己析出

古代王権　諸蕃
神別

b　古代王権の自己析出

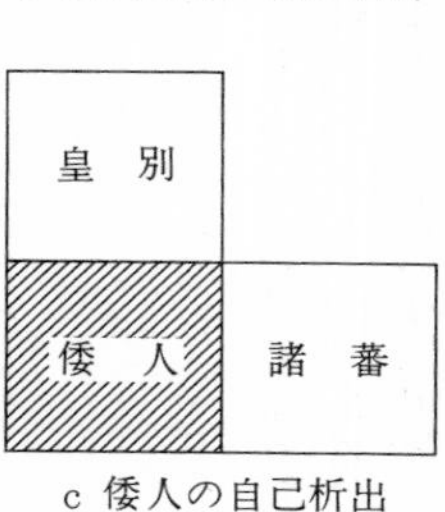

c　倭人の自己析出

図3　日本人の自己析出モデル

自分で調達し、世界の中心を見返す形で、漢をもひとしなみに含む「諸蕃」カテゴリーを析出しているのである(図3a)。

これを理念的に見れば、古代王権が、自己の析出のために、神別・諸蕃を差別化する図を得ることができる(図3b)。

しかし、こう考えた場合、問題はこれ以後、「日本人」概念のこの皇別・神別の一対の形を明確に破棄し、切断する新たな同種概念の創出が、見られなかったことにある。もしこれを廃棄する新しい「日本人」概念の創出が、たとえば革命などをへて生じているなら、わたし達はこの「日本人」概念の析出を、単にわたし達の「日本人」概念の古代形として受けとっておくことができる。つまりわたし達はそれをネアンデルタール人の人骨として見るが、これは、クロマニヨン人以降の「わたし達」とは、明確に切断された存在なのである。しかし、古代から現在にいたるわたし達の「日本人」概念の形成過程には、こうした切断の扉、踊り場はない。階段はいまわたし達のいる部屋からそのまままっすぐ、あのマデリーン姫の眠る地下の遺体安置室へと、続いているのである。

するとこのことをわたし達は、どう理解するのがよいのだろうか。

「日本人」(われわれ)というカテゴリーの成立が、何より「外国人」(かれら)というカテゴリーの成立によって特定されると考える限り、「日本人」という概念が、この時、このように生まれているという事実は動かない。この考えに立つなら、「日本人」という概念は、やはり「天皇」と「その他の列島出自者」の一対として、成立しているのである。しかし、これを範疇としては「その他の列島出自者」に区分されるはずのわたし達が、自分の問題として考えるなら、この事実は、次のことを語っているものと受けとることが可能である。

つまり、当時の列島居住民の「まとまりの意識」は、その自己意識を自分で調達するのに、「天皇」の存在を必要としたのだと。

それが、「倭人」が「日本人」になるに際し、「日本人」とともに「天皇」を別個の項として析出している理由なのだと(図3c)。

そしてこう考えてみるなら、この構造が、以後、平安から鎌倉へと武士階級の興隆によっても、戦国時代の渾沌をへての豊臣秀吉から徳川家康へと続く武家の幕藩体制によっても、明治維新の近代的国際社会への参入によっても、戦後の敗戦と占領による未曾有の社会変革によっても、この一点で、それだけ、変革をこうむらず、連綿と引き継がれていることがわかる。

わたし達は、何がいま、わたし達に残されている課題であるかを、この事実によって示唆されるのである。

以上、「日本人」の形成を、その起点の問題点を指摘するところまで追ってきた。ここまで辿ってきたことの骨子を整理しておこう。

第一に、「日本人」という概念は天与のものでもなければ、自然に生成されてきたものでもない。人為的な意図に立つ、制作物であり、それ自身としての形成過程を辿ることのできる概念である。

第二に、これがそのような形成物であることは、過去に対する史的考察が遠近法的倒錯に陥らないことを必要条件とすることをわたし達に教える。なお、この倒錯は、歴史家の専門的な学識とは独立に存在し、いまなお戦後の歴史家の間にあまねく観察される。

第三に、「日本人」概念の成立は、差別主体の形成と同義である。そのため、この概念の形成の考察は、差別に関する根本的な理解を必須とする。

さらに、右の最後に現れている課題は、この第三の観点と結びついて、次のようなことを考えさせる。

ここまで見てきたことは、「日本人」が「天皇」と思いのほかに深く結びついていることをわたし達に教える。しかし、わたし達は、それがどのようなものであれ、とにかくこのように生じ、現在にいたっている「日本人」の形成過程を、「否定」すべきではない。

事実のもつ意味を、わたし達は、「否定」できない。「否定」すればそれは抑圧されるだけだ。それをわたし達は、「克服」できるだけなのである。

さて、ここで大切なことは、「日本人」とか「天皇」といった観念・概念が、人為的なことであって、フィクションだということを指摘することではない。というのも、この指摘は、これらがフィクションであるがゆえに虚偽の存在だという主張を含意するが、かつてこれらの概念、存在が天与のものだと信じられていた時代にはこうした観念批判も有効だったにせよ、いまではそれは、それだけではもう、批判的意義を失っているからである。いまわたし達の前にあるのは、あらゆるものが人為的で、フィクションで、仮構されたもので、しかも、現実の存在だという事態である。大切なのは、フィクションだという指摘の、その先の作業だ。フィクションという概念を、再定義しなくてはならない。このような出自をもち、形成されてきた「日本人」概念が、これまでそうだったように、これからも、人の力で〝変えることのできる〟存在だということ、そこにこの概念がフィクションであることの最も深い意味がある。あることがほんらいフィクションだということの意味は、だからそれは嘘だ、ということではなく、だからそれは可変だ、ということである。そのことを知り、それを、少しでも自分の理性の命じる方向に〝変える〟ことが、わたし達に引きつがれたいまも新鮮な課題なのである。

それはこういわれる。

では、どのように、「日本人」を、「天皇」から切り離し、さらに、より開かれた範疇に、変えていくことができるか。

「日本人」をより開かれた範疇に変えていくために、いまわたし達に手渡されている「やり残しの宿題」とは、どのようなものか。

（1）エドガー・A・ポー「アッシャー家の崩壊」松村達雄訳（『世界文学大系』第三三巻、筑摩書房、一九五九年）、二六一二七頁。

（2）もちろんこのことは「日本人」論ブームが日本に固有の現象だということを意味しているのではない。フランスや中国に、このような現象は見られないが、米合衆国、ソ連邦（ロシア）、ドイツなどには、それぞれアメリカニズム・フロンティア理論、スラブ主義、ゲルマン至上主義のような形で、自国文化のナショナリズムの色濃い優越性の主張の見られた時期がある。これは、日本を含む後発発展国、ないし文化的辺境に位置する文化社会に特有の現象の一つというべきだろう。

（3）ハルミ・ベフ『イデオロギーとしての日本文化論』思想の科学社、一九八七年、三三頁。

（4）同右、五五頁。

（5）浅見定雄『にせユダヤ人と日本人』朝日新聞社（朝日文庫）、一九八六年。

（6）ベフ、前掲、六六頁より再引用した。『朝日ジャーナル』一九八四年六月二二日号、七頁。

（7）文化人類学には、研究する主体と観察対象の間に、知的なあるいは文化的社会的な権力関係が入りやすい。ベフは、ここで日本の社会を文化人類学的・社会人類学的対象と見た上で、「文化論」の考察を行なっている。対象との距離の確保は学問にとって不可欠だが、また、学問は対象を深く捉えるべきものである。ベフは通俗的な「日本文化論」を通俗的に求める日本の一般大衆の欲求を通俗的なものと見ている。しかし、通俗的な論を通俗的に求める日本の一般大衆の欲求の中には、通俗的ではないものがある。これは学問以前の人間観の問題だが、文化人類学の問題でもある。深い文化人類学は、その学に固有の浅さを脱すべきものだろう。

(8) 自分の問題を考える場合の「内在」的アプローチをめぐる系譜として、本居宣長の「呵刈葭」での主張、柳田国男、折口信夫の観点、さらに吉本隆明の『柳田国男論』での考え方を取りだすことができるというのがここでの論点である。本文にふれていないが、これに明治期の福沢諭吉の「瘠我慢の説」における勝海舟批判(一八九一年)、吉本隆明の小林秀雄『本居宣長』批判(一九七七年)をあわせ、考えてみることができる。「瘠我慢の説」については、「「瘠我慢の説」考」(本書所収)を参照。吉本の観点については、ここでは吉本の柳田論を取りあげている。吉本の小林批判については後日を期したい。

(9) 本居宣長「呵刈葭」後篇第二条(『日本の名著第二一巻 本居宣長』中央公論社、一九八四年)、二二八頁。

(10) 座談会「民俗学から民族学へ——日本民俗学の足跡を顧みて」一九五〇年二月、出席者・柳田国男、折口信夫、石田英一郎(『民俗学について 第二柳田国男対談集』筑摩書房、一九六五年)、五一頁。この座談会は、石田が司会した「日本民族=文化の源流と日本国家の形成」(『民族学研究』一三巻三号)という討議における江上波夫の「騎馬民族説」などを踏まえて、柳田が道を拓いた日本の「民俗学」と、より客観的で普遍的な学的体系に立った「民族学(エスノロジー)」あるいは「人類学(アンソロポロジー)」の〝擦り合わせ〟をめざして開催された。石田は、民俗学と民族学の違いは、後者に、「民族、エートノスという対象に加えて、もう一つ人類、アントロポスという問題」がつけ加わる点、後者がただちに人間(アントロポス)という普遍的な基礎を学的体系として必要とする点にあるのではないか、と述べるのだが、これに柳田はこう反論している。

「学問の基底にアントロポスをおかなければならないということは、ひとり民族学だけでなく、今後文化系統のすべての学問総体の問題で、それをエスノロジーだけでその問題は解決するから自分に任せろ、といわれてもちょっと承知するわけにはいかない。日本の歴史を考えるときに、アントロポスを考えなかったということこそ最近いろいろな不幸な情勢を生んだもとだ。郷土の狭い区域における民族生活を研究する場合にも、やはりエートノスを、アントロポスの立場まで、拡げて考えていかなければならない。それをエスノロジーばかりの特徴とすることには異議をさしはさみます」。

控えめな言い方ながら、ここには、「(われわれ)日本人とは何か」という問いを「(彼ら)日本人」にまつわる問いに変換して普遍性にいたる道ではなく、「(われわれ)日本人」にまつわる問いのまま、普遍性にいたる道が確立されなければ、「最近」の「不幸な情勢を生んだもと」は除去されないという考えが、示されている。

なお、ここでは触れないが、石田の『日本文化論』(一九六九年)は、「日本人」および「日本文化」を対象化する歴史感覚に裏打ちされた貴重な考察で、いわゆる「日本文化論」の中で例外的な〝歴史感覚〟を示している。彼は、『日本古典文学大系』(岩波書店)「日本書紀 上」の月報に寄せた「歴史感覚ということ——神功紀の解釈のために」という短文の中で、「特定の資料を解釈する専門の史学者の歴史感覚」への疑問を、こう記している。

朝鮮民主主義人民共和国(北朝鮮)の金錫亭は、一九六三年の「三韓・三国時代の日本列島内の分国について」の中で、こう書いている。日本の学者は、四世紀頃にも日本列島内に「強大な統一国家」があったように考えているが、問題は、この時期にこの地方に「ある国家的な勢力が存在したかどうか」ということである。彼らはその勢力の存在すら証明できない。「われわれの記録にあらわれる〝倭〟が、日本列島とそこに住む住民たちを指し、〝倭国〟がそのところの国家を意味するものだとしても、それは決して日本のある統一国家を意味するものでなく、いわんやヤマト国家を指しているとみる何らの根拠もない」。石田は、この金の重要な指摘に応える論がなかなか日本の歴史学者に現れないのは、この種の「素朴な素人の疑問」に通じる〝歴史感覚〟が、専門史学者に欠けているためではないかと述べ、「「日本文化の特質や日本人の民族性を文化圏的あるいは生態史観的にとらえることは、反動に奉仕するおそれがある。ゆえにそれは発展段階的に、上部構造として説明されなければならぬ」などという議論に、戦後わが多くの史学者は、やすやすと引っかかってきた」と、苦言を呈している。後に触れるように、この種の「歴史感覚」の欠如、あるいはある種のナイーブな〝政治的良心〟と歴史感覚の混淆は、現在も日本における歴史考察を近視眼的なものにしている。

(11)　柳田国男『明治大正史 世相篇』平凡社(東洋文庫)、一九六七年、五頁。
(12)　同右、三頁。
(13)　折口信夫『折口信夫全集』第三一巻、中央公論社、一九六八年、九四―九五頁。一九一五年六月一二日朝の日記。
(14)　吉本隆明「柳田国男論」(『吉本隆明全集撰』第四巻、大和書房、一九八七年)、二〇―二一頁。
(15)　水野祐「日本人」(『大日本百科事典(ジャポニカ)』第一四巻、小学館、一九七〇年)、九六頁。
(16)　香原志勢「日本人」(『国民百科事典』第一〇巻、平凡社、一九七八年)、四一七頁。
(17)　埴原和郎「日本人」(『グランド現代百科事典』第一五巻、学習研究社、一九七三年)、三六七頁。
(18)　井上光貞『日本国家の起源』岩波新書、一九六〇年、三頁。

(19) 岩橋小弥太『日本の国号』吉川弘文館、一九七〇年、一七八頁。なお、この論執筆の後に出た「「日本」という国号」(一九八九年、『日本論の視座――列島の社会と国家』小学館、一九九〇年、所収)九頁で網野善彦は、「現在の古代史家の主流的見解」として、古代王権の「日本」国号使用は、「大宝元年(七〇一)に派遣された遣唐使が唐に対して用いた事実を重視する点で、ほぼ共通している」と述べている。

(20) 石母田正「古代の身分秩序」(『日本古代国家論 第一部』岩波書店、一九七三年)、二五八―二五九頁、および二九一―二九二頁。石母田によれば、「大化改新にはじまり、令制によって確立される良賤の区別は、基本的には氏姓の秩序に組織された良人の身分集団を確立すること、同じことではあるが氏姓をもたない賤民の身分集団をそこから排除する過程」だった。そこにあるのは、「王権の支配下にはいるすべての良人は渡来人をふくめて一般的に氏姓の秩序に組織さるべきだという思想」だという。そこに生まれる「良人という身分集団」を石母田は古代西欧的観念である「自由民」との質的区別を念頭に、「良人共同体」と呼んでいる。これに対し、この王権の横軸との関係で生まれる概念を、石母田は、「王民」と呼んでいる。「賤民制が良人身分共同体の内部的な限定だとすれば、第二に問題となるのは、この身分共同体の外部的な限定」だからである。この横軸で展開される「まとまりの意識」としてここでわたしは「日本人」の問題を考えているが、石母田は、この横軸の概念発生を王権の「エミシ」との征服・服属関係の中から生まれた「王民」という考え方として考えている。その「良人＝王民共同体」という概念は、この縦軸・横軸での規定に立つ「まとまりの意識」の概念モデルである。しかしここで、この石母田のモデルを採用しないのは、石母田のモデルが古代日本を小帝国とみなし、朝鮮半島の諸住民との関係をもこの王権－化外民＝夷狄の関係の延長上に、王権－蕃国の関係と見るものとなっているからである。石母田の考察は戦後の歴史家の中にあってその鋭さで群を抜いているが、しかしマルクス主義史観の固定観念に縛られている分、硬直した側面をもつ。古代の日本と朝鮮の関係を近現代のそれと基本的に同型とみなすその史観に、やはり遠近法的倒錯を見ざるをえない。

(21) 江戸時代の朝鮮使まで時代をくだらないでも、たとえば八世紀前半の奈良期、長屋王の時代の渤海使などを招いての酒宴の席での詩歌のやりとりを例にあげることができる。その折の漢詩のやりとりは、『懐風藻』に収録されている。七二〇年前後、すでに彼らの間に意志の疎通は難しくなっている。しかし、その意志の疎通の困難度と、一〇〇〇年後の江戸時代の日本の武士と朝鮮の官吏の意志の疎通の困難度にだいぶ差があることを、むしろわたし達は考えてみるべきである。この比較から、その逆の始原の点に、列島居住民と半島からの渡来者の意志疎通がほとんど問題にならないゼロ地点を、想定することができる。

(22) 石原道博編訳『新訂 魏志倭人伝 他三篇――中国正史日本伝(1)』岩波文庫、一九八五年、六〇―六二頁。

(23) 石原道博編訳『新訂 旧唐書倭国日本伝 他二篇――中国正史日本伝(2)』岩波文庫、一九八六年、三四頁。

(24) ここには二つの問題がある。一つは、ここに述べた記述の、記述対象との関係の問題であり、もう一つは、後に生まれた概念を過去に投影できるかという問題である。前者については、後に『日本書紀』の記述について触れるが、そこに書かれたものが、「かくあろうとする」書き手の意志の表現であるのか、「かくある」事実の提示であるのかによって、その史料が語る内容は、まったく違うものになる。そのいずれかを、見極める態度と方法が、わたし達に求められている。後者の問題は、大きくいえば、概念使用の遠近法的倒錯の問題である。たとえば石母田正は、「天皇と

「諸蕃」――大宝令制定の意義に関連して」(前掲『日本古代国家論 第一部』)で、古代における対外意識を問題にしながら、かなり無造作に八一五年の『新撰姓氏録』ではじめてカテゴリーとして現れる「諸蕃」の語を、八世紀初頭に制定された大宝令が定める古代王権の律令制度の説明に用いている。彼は、列島の古代王権の「日本」という国号、また「天皇」という称号がこの当時の東アジア世界の中心である中国王朝に認められるようになるのは、この大宝令の制定と、この成果を示そうと三〇年ぶりに遣唐使を派遣するこの時期の古代王権の対外努力の成果だと述べる。そして、当時の古代王権の外国への意識(王化の外の民への意識)を、次の二点で特徴づける。すなわち、第一は、「唐国と朝鮮諸国との区別」であり、その例には、『令集解』賦役令に見られる「唐国」と、朝鮮半島の諸国をさす「外蕃」の区別があげられる。第二は、「諸蕃(蕃国・外蕃)と「夷狄」」の区別であり、その例には賦役令の「毛人・隼人」は「蕃と称するに足らず」という条項が、引かれている。しかし、この時期の史料にあるのは、外蕃・蕃国という語ではあっても「諸蕃」という概念ではない。どこかでこの語が使われているのかもしれないが、このようなカテゴリーとしての用法は、この時期まだ現れていないはずである。石母田は、また同じ無造作さで、「帰化人」「日本」といった言葉を使用する。ここで評価の対象となっている大宝律令は、七〇一年に定められた国の法令だが、刑法にあたる律六巻、行政法、民法にあたる令一一巻からなり、ともにいまに伝わっていない。そのようすがをわたし達が知るのは、七一八年にこれと余り変わらない形で成立施行された養老律令の令一〇巻によるが、それもそのほぼ全容を注釈書の形で伝える『令義解』を経由してのことである。しかし『令義解』が令解釈の統一のためとして政府の手でまとめられるのは、一世紀後、八三三年のことである。後に触れるように、わたしの考えでは、「倭人」から「日本人」への離陸は、この七二〇年から八一五年のほぼ一世紀の間に生じている。「諸蕃」「帰化人」という語がいつこれらの古史料に現れるかは、ここで大きな意味をもつ問題となる。これに関連し、本文の趣旨にそって、二つのことを述べておく。一つ。「諸蕃」という語について。わたしは「外蕃」でも「蕃国」でもない後出の『新撰姓氏録』のカテゴリーとしての「諸蕃」の初出の時期については、この語がいつはじめて古史料に現れるのか、正確な知識をもたない。ことによれば、この語が、どこかに現れているかも知れない。石母田はそのことを受けてこのような使い方をしているのかも知れないが、しかし、語としての出現と範疇を示す概念としての出現は同じではない。それが一つの概念として、範疇をなす形で制度化されるのは、やはり『新撰姓氏録』以後のことではないだろうか。二つ。「諸蕃」という概念について。わたしの注目する『新撰姓氏録』の「諸蕃」概念は、ここに石母田のいう「外蕃」「蕃国」と同一視できない。後者は列島古代王権にとって、唐と明確に区別される外国概念だが、前者、『新撰姓氏録』の「諸蕃」は、朝鮮半島の三韓と唐を一括りする、唐を相対化するていの、自前の「外国人」概念だからである。詳しくは本文を参照のこと。

(25)　石原、前掲『新訂 魏志倭人伝』六三頁。

(26)　石原、前掲『新訂 旧唐書倭国日本伝』三七頁。

(27)　とはいえ、わたしは日本歴史の専門家ではないので、資料渉猟は初歩的なものにとどまっている。専門家が本格的にこの方面を研究対象にすればこの初出時点はもっと遡るはずである。事実、前掲「「日本」という国号」の中で、網野善彦は、『小右記』寛仁三年(一〇一九)八月三日条の記述に、「高麗側からも列島の人びと」が「「日本人」と呼ばれて」いることを示す用例があると指摘している(前掲『日本論の視座』、一一三―一一四頁)。わたし自身は確認していないが、この網野の指摘だけでも、「日本人」の使用の初出例は、この一〇一九年の用例まで遡ることになる。

(28)　石原、前掲『新訂 旧唐書倭国日本伝』八一頁。

(29) 同右、八六頁。

(30) 大久保利謙他編『史料による日本の歩み 近世編』吉川弘文館、一九五五年、五一頁。

(31) 日本大辞典刊行会編『日本国語大辞典』第一五巻、小学館、一九七五年。ここには他に、ロドリゲス日本大文典から、「ヨロヅガ サゾ アレニ シッツラウト ミナ Nifon jinno(ニホンジンノ)ヲドロクワ コレデ ゴザル(教化の物語)」、また雑俳・軽口頓作から「小きみよい日本人でもをなごの乳」が引かれている。

(32) 大槻文彦編『大言海』第三巻、冨山房、一九三四年、七一六頁。編者は、万治二年製板本を底本とした『宇治拾遺物語』に引照したらしく、その巻一二ノ一九(第一五五話)から、「日本人」の引例を二つ引いている(注33および本文参照)。

(33) 『宇治拾遺物語』は現在のところ、「一一九〇年代以降、一二四二年頃まで」に成立したという説が強いという(岩波書店版『日本古典文学大系』第二七巻、校訂者渡辺綱也、西尾光一)。その第一五五話(巻一二ノ一九)における日本人指示語、新羅人指示語の用例を以下に示す。

〈日本人指示語〉

(1) 人聞きて、国守に、「かう〳〵のことをこそ、此日本人申せ」といひければ、

(2) (宗行の郎等がいう)「日本の人は、いかにもわが身をばなきになして、まかりあへば、よき事も候(さぶらふ)めり」

(3) (新羅人がいう)「日本の人は、はかなし。虎にくはれなん」

(4) (同)寔(まこと)に百千の虎おこりてかゝるとも、日本の人、十人ばかり、馬にて押しむかひて射ば、虎なにわざをかせん。

(5) (同)日本の人は、我命死なんをも露惜しまず、大なる矢にて射れば、その庭に射ころしつ。

(6)（同）なほ兵の道は、日の本の人にはあたるべくもあらず。

(7)（語り手の地の文）筑紫にも、此国の人の兵は、いみじきものにぞしけるとか。

〈新羅人指示語〉

(8)（日本人がいう）「此国の人は、兵の道わろきにこそはあめれ」

(9)（同）「此国の人は、我身をば全くして、敵をば害せんと思たれば、おぼろけにて」

(10)（地の文にいう）新羅の人々「日本の人は、はかなし。虎にくはれなん」

(11)（新羅人自身がいう）「此国の人は、一尺ばかりの矢に、きりのやうなるやじりをすげて、それに毒をぬりて射れば……」

(12)（地の文にいう）おほくの商人ども、新羅の人のいふを聞きてかたりければ

万治二年製板本（一六五九年）では、傍点を付した(5)の「日本の人」が「日本人」となり、(6)の「日の本の人」が「日本の人」となる。

あえて用法の違いを指摘すれば、(1)「此日本人」、(3)の「日本の人」は、特定の個人、「宗行ノ郎等」を指しており、(2)(4)(5)の「日本の人」、(6)(7)は共に、抽象観念の日本人という「まとまり」を指している。(1)の「日本人」も、「此の」という指示語を除けば、それ自体として、抽象観念として用いられている。一方、新羅人のほうは、(10)の「新羅の人々」、(12)の「新羅の人」共に、特定の対象を指す語として用いられており、(8)(9)(11)の「此国の人」は抽象観念として用いられている。つまり、日本の文献として「新羅の人」「新羅の人々」を、特定の対象をもたない抽象語としては用いていない。なお、ここでの「無刊記古活字印本」の記述は岩波書店版『日本古典文学大系』第二七巻（一九六〇年）、「万治二年製板本」の記述は朝日新聞社版『日本古典全書』第一一〇巻（一九四九年、校訂者野村八良）からのものである。

(34) 和辻哲郎『古寺巡礼』岩波文庫、一九七九年、二六〇頁(初版、一九一九年)。なお、和辻のこのような「日本人」理解は、戦後憲法における天皇の「国民統合の象徴」規定の解釈に再び顔を出している。彼は天皇概念の立脚点を、国家ではなく、「文化共同体」としての国民(日本人)の先験性に求める解釈を示す。一九四七年一月の「国体変更論について佐々木(惣一)博士の教えを乞う」の中で彼は述べている。「ところでわたくしが前に天皇の本質的意義としてあげたのは「日本国民統合の象徴」という点であって、必ずしも国家とはかかわらないのである。もし「国民」という概念がすでに国家を予想しているといわれるならば、人民とか民衆とかの語に代えてもよい。とにかく日本のピープルの統一の象徴なのである。それは日本の国家が分裂解体していたときにも厳然として存したのであるから、国家とは次序の異なるものと見られなくてはならない。従ってその統一は政治的な統一ではなくして文化的な統一なのである。日本のピープルは言語や歴史や風習やその他一切の文化活動において一つの文化共同体を形成してきた。このような文化共同体としての国民あるいは民衆の統一、それを天皇が象徴するのである」。

和辻は「天皇が日本国民の統一の象徴」であるのは「日本の歴史を貫いて存する事実」であるとも、「天皇は原始集団の生ける全体性の表現者」であるとも述べている。「日本」の存在が危機に瀕した時に、文化的に理解された「日本人」がそれに代わる先験的観念として現れる良い例といえる。三島由紀夫は、一九六八年七月の「文化防衛論」の中に、「文化概念としての天皇」という考えを提起するのにこの和辻説を援用している。

(35) 金達寿『日本古代史と朝鮮』講談社学術文庫、一九八五年、三〇四頁。

(36) 同右、三〇五頁。

(37) 坂口安吾「高麗神社の祭の笛」(『坂口安吾選集』第一二巻、講談社、一九八三年)一五四―一五五頁。
(38) 金、前掲『日本古代史と朝鮮』三〇四頁。
(39) 上田正昭『帰化人』中公新書、一九六五年、三〇頁。
(40) 同右、一五頁。
(41) 門脇禎二「蘇我氏の出自について」(金、前掲『日本古代史と朝鮮』八〇頁の指摘による)。
(42) 中西進「相剋と迷妄――山上憶良をめぐって」(『文学』第三三巻一〇号、岩波書店、一九六五年一〇月)ほか。
(43) 上田、前掲『帰化人』一八三―一八四頁。
(44) 同右、三二頁。
(45) なお、湯川の質問のあった座談会「仏教文化の伝来」で上田は、もう少し丁寧に答えている(司馬・上田・金編『日本の朝鮮文化』中公文庫、一九八二年、二三二頁)。両者のやりとりは以下の通り。「**湯川**　そこで、上田さんに伺いたいと思うんですが、『古事記』をこしらえて、何でまたすぐに『日本書紀』をこしらえたんですか。／**上田**　それがひとつの謎なんですけど、私見を申しますと、『古事記』というのは、簡単にいうと天皇の読む本だったという感じなんです。民衆に読ます本じゃないですね、あれは。『日本書紀』というのは官僚の学習書で、だから『日本書紀』の出来上がった翌年から学習会をやっています。(中略)『古事記』というのは、ぼくは宮中の限られた人々の間で読まれたものであって、これは民衆を教化するとか、そんなイデオロギーではない。『日本書紀』の方には非常に対外的意識がもられている。だから編纂の意図そのものが非常に違うんじゃないかと思うのです」。
(46) 清水伸『帝国憲法制定会議』岩波書店、一九四〇年、一四五頁。大日本帝国憲法の英文名称は、

Constitution of the Empire of Japan. その第1条の英訳は、"The Empire of Japan shall be reigned over and governed by a line of Emperors unbroken for ages eternal." である。ともに日本語の「大日本」に対応する英文には「大 great」の語が欠けている。

(47) 李成市「高句麗と日隋外交——いわゆる国書問題に関する一試論」(『古代東アジアの民族と国家』岩波書店、一九九八年、所収。初出、一九九〇年)。李は、この注目すべき論考で、聖徳太子の遣隋使にもたせた「日出処」から「日没処」へという語を含む「国書」の実際の執筆者を、太子の学問上の師で外交顧問でもあった高句麗からの渡来僧慧慈(後に帰国)と考え、高句麗の位置から日本(日の出ずる国)と隋(日の沈む国)を見ると、長年問題とされてきたこの言葉の不整合性の謎が解けることを指摘している。もしこの李の推定があたっているなら、日本の「帰化」政策自体が「帰化人」主導で行われたというこの時期の国家の当為(ゾルレン)性がはっきりする。

(48) 座談会「山上憶良と『万葉集』」での司馬遼太郎の発言(司馬・上田・金編『日本の渡来文化』中公文庫、一九八二年)、二〇四頁。

(49) 石原、前掲『新訂 魏志倭人伝』五七頁。

(50) 「新撰姓氏録序」(『群書類従』所収。児玉幸多他編『史料による日本の歩み 古代編』吉川弘文館、一九六〇年、二二九—二三〇頁より引用)。

(51) 佐伯有清『新撰姓氏録の研究 研究篇』吉川弘文館、一九六三年、一〇四—一〇五頁。

(52) 平田篤胤「新撰姓氏録の論」『平田篤胤全集』第五巻、内外書籍、一九三九年、『古史徴』一の巻夏、一〇六—一〇七頁。

(53) 佐伯、前掲『新撰姓氏録の研究 研究篇』一〇五頁。

(54) 関晃「新撰姓氏録の撰修目的について」(『史学雑誌』第六〇篇三号)一八頁。佐伯、前掲書による。
(55) 佐伯、前掲『新撰姓氏録の研究 研究篇』一三五―一三六頁。
(56) 同右、一一六頁。
(57) 石上英一「古代東アジア地域と日本」(『日本の社会史』第一巻、岩波書店、一九八七年)、六四―六五頁。
(58) 同右、六五頁。

本稿の執筆に際して、東京大学法学部の渡辺浩、大沼保昭両氏より多大なご教示を受けた。両氏に感謝する。

II

失言と癋見（べしみ）

——「タテマエとホンネ」と戦後日本——

はじめに

　ここでは、戦後の政治家の失言の問題を入口に、いわゆるタテマエとホンネという「日本人独自の思考様式」について、考えてみたい。

　まずわたしの考えを述べておく。

　失言は、この「思考様式」をささえるわたし達のあり方と深く関わっている。また、この「思考様式」は、「日本人独自の」というより、「戦後の日本人に独自の」思考装置である。ここには、「日本人独自の」という言い方で日本の戦後の特殊性を隠蔽しようとしてきたわたし達戦後日本人の無意識の狡知と、同じく、この言い方でほんらい政治的・社会的な問題であるはずのものを「文化」の問題とみなし、ことの本質を見まいとしてきたわたし達やはり戦後の日本人の、無意識の自己欺瞞が隠されている。

　タテマエとホンネといえば、誰もが日本人独自の考え方であると勘違いしている。日本文化論には表と裏、内と外といった概念とともに、ほとんど必ずといってよいほどこの考え方が出てくる。でも、ここには、たとえば小熊英二が最近、日本人の単一民族説について指摘したのと似た事情が、介在している。小熊は、日本人の単一民族説が実は思われているほど古くから日本で語られているのではなく、戦前は植民地支配のもと、蔭にひそんでおり、日本が植民地と植民地人口を失った戦後になって、一挙に前面に現れた、戦後日本に特有のイデオロギーにすぎないと述べた(1)。タテマエとホンネについても、同じことがいえるのではないかというのがわたしの考えである。つまり戦前には、このような「思考様式」は、存在していなかったとわたしは考えている。

簡単にわたしの想定をいうと、こうなる。そのようなあり方が生まれるのは、戦後であり、それが戦後日本人の書くものに現れてくるのは、たかだか一九五〇年代に入ってからである。いま手元の材料で調べられる限りでいえば、タテマエとホンネという考え方は、一九五〇年代後半以降、個人著者の著作に出ており、一九六〇年代も末になると、メディアの前面に現れてくるが、一九八〇年代に入ってからでないと、国語辞典の類いには語釈として出てこない(2)。

ところで、この考え方がメディアの前面に登場しはじめると同時に、わたし達の政治風土にあの失言というものが浮上してくる。政治家の問題発言が、いわばいうとまずい「ホンネ」をついもらしてしまったという意味で、「失言」と呼ばれるようになるのが、右にいう一九六〇年代末のことである。この時期にはまた、中根千枝の『タテ社会の人間関係――単一社会の理論』(一九六七年)、イザヤ・ベンダサンの『日本人とユダヤ人』(一九七〇年)、土居健郎の『「甘え」の構造』(一九七一年)と、たて続けのベストセラー現象を契機に、いわゆる日本文化論ブームもはじまっている。この時期的な一致は、かんぐれば、この時期以来、わたし達に信じられることになるあの日本特殊論のかなりの部分が、実は、戦後日本の特殊論にほかならなかったのではないか、という可能性に思いいたらせる。たとえば最近、日本独自の社会慣行・商習慣と思われてきたものの多くが、一九四一年前後を起点にする戦時体制の産物だったという指摘が現れているが[3]、そのような指摘が今後も続けば、ここでわたしがかんぐっていることにも、一抹の根拠のあることが、明らかになるかもしれない。

ここでのタテマエとホンネへの一瞥は、そのような問題への関心をも、頭の片隅において いる。考えようとするのは、この「氷山の一角」のむこうにどのようなわたし達の戦後の経験、また古代からの経験が眠っているのか、ということである。それを失言の問題から見ていくのは、それが、この問題を考えるうえに、好個の「入口」を提供しているからにほかならない。

一　失言とは何か

失言は人の心に響く。失言を繰り返す政治家は、なぜか人の心に残る、といわれる。その理由は、失言というこの奇妙な発語の性格からきている。

いま、手元の辞典を見ると、この言葉には「言ってはいけないことを、不注意で言ってしまうこと」(『広辞苑』第四版)、また、「不都合なこと、まちがったことなどをうっかり言ってしまうこと」(『大辞林』初版)といった語釈が記されている。ここでのポイントは、たぶん「不注意で」というところ、また、「ついうっかり」というところである。失言には、放言とも暴言とも違う、ある独特の語感があるのである。

そもそも、「不注意で」「ついうっかり」いってしまうからには、発言者はそう考えていたわけだ。しかもその考えを、いってはいけないと思っていたのである。ここには発語の意志とその発語へのいわば抑圧の気持とがある。そして、この抑圧が個人的であるか、また彼のいる社会で共同的であるかによって、この発言は、その意味を変える。つまりそれは、受け取られ方の違いに応じて、失言と呼ばれ、放言と呼ばれ、暴言と呼ばれることになるのである。

例をあげてみよう。

数カ月前(一九九五年一月一八日)、阪神大震災に際し、被災地の隣の大阪府の中川和雄知事が被災者も自分でコメを炊けばいい、と発言して、メディアに「大阪府知事の放言」と報道された。(4) これを「失言」と名づけた報道機関は、わたしの知るかぎり、一つもない。これは、一見すると、「失言」でもよさそうだが、やはり「大阪府知事の失言」と報道された時のことを考えると、どこか違う。わたしたちの心の中に、大阪府知事の思いが共有されていず、共感がない時、「失言」という言葉は、わたしたちの頭に浮かんでこないのである。

これに対し、わたし達自身が、コイツはとんでもないことをいう、と感じるような時、わたし達には、「暴言」という言葉が浮かんでいる。つまり、これらの言葉が浮かぶ時、わたし達に働いているのはそれぞれの程度に異なる発言への共感、またそこに働く共同的な抑圧作用なのである。だから、わたし達に「失言」という言葉が浮かぶ時、そこには何か、わたし達のその発言に対する、共感的にしろ反感的にしろ、「了解」が存在している。その主張に賛成であれ、反対であれ、そのことに関わりなく、わたし達は、いわば社会的なコード了解において、すでにその発言と奇妙な共犯関係ともいえるものにおかれているのである。

「失言」の要件の一つは、笑いにおけるのと同様の、この共同性だといってよい。「失言」の周りには、これを失言と見る共感の円があり、またその外に、やはりこれを失言と見る反感の円があり、さらにその外に、これを暴言と見る、他者の反対の円がある。日本での「失言」が韓国で「妄言」と呼ばれるのは、この「暴言」にあたっている。ところで、この第二の円の反感と第三の円の反対とは違う。わたし達が失言に反対するという時、それは、この第二の円からの反対である。わたし達は失言に対しては、失言者とある共同性をもち、しかもそれゆえに、というように、その共同性に立ち、これに反対する。ここに、「失言」という問題のわたし達にとっての特異な位置がある。

さて、失言と暴言、放言の違いはこれだけではない。

たとえば、一年前(一九九四年五月三日)、細川内閣を引き継いだ羽田新内閣の永野茂門法相は毎日新聞の記者に「南京大虐殺はでっちあげだと思う」と述べ、この発言が中国政府・韓国政府の強い抗議を呼ぶと、一転して、しどろもどろの前言撤回を行なった。そしてこれを日本のメディアは永野失言問題と呼んだ。ところで、一九八六年には時の藤尾正行文相が、やはり日韓問題について問題発言を行い、韓国政府から激しい抗議が寄せられているが、この時、藤尾は前言撤回を拒み、罷免を要求して、罷免されている。そしてそれは、藤尾放言問題と呼ばれた。(5)

発言した時は、思った通りの発言で、少なくとも主観的にはどこにも間違いはなくても、いったん非難され、あわてて前言撤回すれば、失言になる。この場合の前言撤回とは、一度は逸脱した先の共同的な抑圧あるいは禁止事項への反省を示しての復帰を意味している。その抑圧機構が後に発動し、それが発言者によって受け入れられれば、たとえ先に「暴言」であっても、「失言」と変わるし、逆に、その作用の発動にもかかわらず意思を変えず、それへの復帰を拒否すれば、先に「失言」と報道されたものも、以後は、「放言」「暴言」となる。この前言撤回が、失言が失言であるための第二の要件である。

ところで、ここにいうタイプ、了解の共同性と前言撤回の二条件を合わせもつていの政治的「失言」は、戦後になり、はじめて日本社会に現れている。戦前も、放言・暴言の例には事欠かないが、ただ一つ、このタイプの失言はない。斎藤隆夫が一九四〇年に行なった名高い反軍演説は、当時の社会了解の共同性(軍部にたてつくのはまずいという)に抗しての発言で、かつ前言撤回しなかったケースであり、ここでの定義でいえば失言ではなく、その反対物である。

今日、このタイプの政治的失言が起こりうる社会として、わたし達には、日本のほか、ドイツ、イタリアといった第二次世界大戦の敗戦国くらいしか思い浮かばないが、このことも、こう考えてくれば、納得がいく。

韓国などでは、この種の失言が、どんなケースで生じるものか、少なくともわたしには想像できない。

また、アメリカ合衆国で人種差別主義者、性差別主義者が差別的発言をするケースを考えても、少なくともそこにあるのは確信的な発言であり、社会了解的な共同性(いってはいけないのだが、だいたい誰もが思っているはずだ、という)は、前提されていない。それは、「失言」ではなく、「暴言」であり、「放言」である。

これにたいし、先の永野発言と前言撤回に見る失言の例は、ドイツ、イタリアにならい、しばしば見られる。いま多くの例が手元にないが、たとえばコール・ドイツ首相の旧ナチス構成員への寛容発言、イタリア国民同盟代表のムッソリーニ賞賛発言の場合、発言者は、その発言が国際的にも国内的にも非難を呼ぶと、何らかの意味で釈明を余儀なくされ、現に釈明している。この意味で、失言とは、ある発語の理由とそれを発語することへの抑止が、ある理由から、いわば国民単位に共有されることになった社会に特有の現象だといえるのである。

しかし、ここまできて明らかになることがある。日本の戦後には独自の色合いがある。日本とドイツ、イタリアは、ここまでは同じだが、しかし次の一点で、違うのである。

前言撤回は、発言者の意志の力の弱さを現しているため、ふつう、どこの世界でもだらしのないこととされる。しかし、どうも日本では、この前言撤回に対する軽侮の感情がそれほどに、強くない。通常、他人の発言は、それが自分の共感を呼んだ場合でも、いったんよそからの反対にあい、前言撤回されれば、「なあーんだ」とばかり、もはや共感の対象であることをやめるものだが、日本では、このタイプの政治的失言は、しばしば、前言撤回にもかかわらず、それを含んで、「よくぞいってくれた」とばかり、ある一定の内部空間で、深い共感をかちとり続けるからである。ところで、これはあくまで新聞報道などを通じての印象に基づく判断だが、こういうことは、ドイツ、イタリアでは、まったく見られないか、見られても、その程度が、よほど根底的に違っているのではないだろうか。日本の戦後社会は、この点で、第二次世界大戦の敗戦国を含み、他のどの社会とも違っているというように見える。なぜこのようなことになるのか。わたしの考えをいうなら、こういうところに、タテマエとホンネという考え方が、顔をのぞかせている。

二　了解と前言撤回

しかし、その前にもう少し失言について見ておこう。

そもそも、この種の失言は戦後、いつ頃から、姿を見せはじめているのだろうか。

戦後政治におけるいわゆる「失言」をその現れた順に見ていくと、まず、このタイプの政治的失言が一九六〇年代後半以降の産物であることがわかる。[6]

それ以前と以後の間に、前言撤回とまた先の社会的了解の共同性ともいうべきものに関して、明らかな線が引かれている。

戦後の失言を二分する要因の第一は、前言撤回がいわば信念をまげての行為として現れなくなることであり、また、その第二は、そこに明らかになぜ失言者がそういう失言を行なったかということへの了解が生まれるようになること、逆にいえば、失言がそのような共通性格をもった問題発言となることである。それまでの問題発言と陳謝に対し、そこにこれらの性格が加わると、それが戦後失言史を二つに区切る節目なのである。

このうち、前者を代表するのは、たとえば一九五〇年、吉田内閣の池田勇人蔵相兼通産相が行なった「貧乏人は麦を食え」という問題発言である。この時は、国会で蔵相不信任案が上程され、否決されているが、池田は、「あんな談話が新聞に出て世間を騒がせたのは遺憾」と後に釈明している。その前言撤回に、わたし達の注意する新しい性格はない。また、そこにどうしても彼がそう発言せずにはいられなかった理由ともいうべきものも、想定できない。

そもそも政治的な意味での失言・放言・暴言の一つの源泉をなしているのは、どの社会でも、貧富の差、性差別、年齢差別、人種差別といった社会的な差別で、池田の発言は、ここでは貧困者への差別観が口をついて出た失言ないし放言と受けとめられている。このタイプの失言には、前期と後期の区別はない。たとえば一九七一年の根本自治相臨時代理の沖縄差別発言、[7]一九七二年の原労相の老齢者差別発言、[8]一九八六年の中曽根首相のアメリカ非白人差別発言(9)、一九八九年の堀之内農相の女性差別発言(10)などは、このいわば前期タイプの失言であり、それは先に見た定義からいえば、放言と呼ばれてもよい種類の失言といっておくことができる。

これらの失言の特徴は、貧富、老若、男女、他国の人種問題など、社会的要素にかかわる失言であるため、これを失言たらしめている共感ないし反感の共同性が、国内(国民)を二分するていのものだということである。

これに対し、高度成長期以降、失言を作り出す社会了解の共同性は、その単位が、国民とほぼ重なる形に大きく変化しはじめる。国内の社会的要素が均質化し、先の国民を二分する要因が弱まると、失言の前提となるあの社会的了解の共同性に変化が現れ、以後、政治的失言は、国民を二分させるものから、国民を他国民に対し、ひとまとめにするものへと性格を変えるのである。

この観点に立つなら、日本の戦後の政治的失言は、ほぼ一九六〇年代の後半から一九八〇年代の半ばまでの間に、どこの国にも見られるタイプの失言から、日本の戦後にしかない失言へと変化している。先の二つの要件の出現には時期のズレがあるが、この日本独自のタイプの失言の嚆矢は、一九六八年二月六日になされた当時の倉石忠雄農相による不戦憲法批判発言である。

この時、倉石は、おりしも日本海の北朝鮮沖で起きた北朝鮮とアメリカの船舶の衝突事件に関連した日本漁船の安全操業にふれ、憲法について、こう述べた。

「わが国の憲法は他国の信義に信頼して、わが国の安全と平和を維持すると決めているが、これは親鸞の他力本願だ。軍艦や大砲を持って、自分の国は自分で守る自主防衛が大切だ。こんなバカバカしい憲法を持っている日本はメカケみたいだ。佐藤首相も平和憲法と言っているが、腹の中ではくすぐったいだろう」

この発言は、憲法軽視発言として当時の護憲勢力である社会党、公明党その他の野党の猛反発を買い、十数日の国会審議の中断をもたらす。事態打開のため、自民党の役員は何とか倉石を説得して辞任させようとするが、倉石はこれに応じようとしない。最終的に、倉石は、前言を撤回し、辞任するが、ただこの前言撤回は、それまでと違い、いわば自粛的な色合いをもたない形で、昂然と、なされるのである。

その新しい性格は、「佐藤首相も平和憲法と言っているが、腹の中ではくすぐったいだろう」という倉石の発言に表れている。彼は、自分のつもりでは、首相が口にこそ出さないものの心の中で考えていることを代弁している。また、彼によれば、「自民党の立党の精神は憲法改正を主張している」。彼はほんらい誰かがいわなければならないことをいっているので、彼にいわせるなら、自分には一点のやましいところもない、むしろ彼に前言撤回を迫る自民党の役員のほうが、信念をもたないオポチュニストなのである。

倉石は、辞任の会見でも自分の「主張は間違っていない」と述べる。「ではなぜやめたのか」と問われ、「理想は理想として、国民のための予算成立を急がねばと思ったから」と答えている(一九六八年二月二四日)[11]。罷免ではなく、辞任を受け入れたとは、自分の非を認めたということ、自分の主張を撤回したということなのだが、にもかかわらず彼は、その前言撤回を、そのようなものとは見なさないのである。

　ところで、この倉石発言は、政権党の衣の下にほの見える改憲の意図を示したものとして、護憲勢力を刺激し、国論を二分する。しかし以後、このタイプの失言が国内に保守対革新という構図の二分を引き起こすことはなくなる。一九八六年に先にふれた藤尾発言が韓国政府を硬化させてからは、一九八八年の奥野国土庁長官の靖国参拝への批判をめぐる中国・韓国反批判発言[12]、一九九三年の中西防衛庁長官の憲法批判発言[13]、そして一九九四年の永野法相の南京大虐殺でっち上げ発言と、政治的失言が主に戦争責任をめぐるものとなるにつれ、それは他国政府の非難によって問題化する国民単位の共同性を前提としたていの失言へと変わり、そこでの前言撤回も倉石発言におけると同様の、奇妙な非譴責性をともなうものに変わるのである。

　しかし、そうなると、わたし達にはこんなことが気になる。

　これらの政治的失言と前言撤回の主はだいたいが古いタイプの保守政治家であって、日本の古来の価値をよしとする人々である。そしてたとえば「武士に二言はない」というように、彼らの信奉する旧套の価値観では例外なくいわゆる「前言撤回」は非とされ、恥ずべきこととされるのである。では、その彼らの「前言撤回」と倫理観との関係は、どうなっているのだろうか。なぜ彼らは、他国政府、内外のメディアに批判され、しどろもどろに前言撤回をした後も、政治家として「世間で通用する」ばかりか、本人としても、それを余り「てんとして恥じる様子がない」のか。恥じずにいられるのか。

このわたしの問いには、いまどきの日本の政治家にそのような信義観を求めても仕方ないのではないか、といった疑問が寄せられるかもしれない。そこにあるのはどの社会にもある政治家の堕落といった現象なのではないか、という反論も、あるかもしれない。しかしわたしはそうではないと思う。それはもっと広範に生じているある戦後的現象の、氷山の一角なのである。

わたしがそう考える理由は次のようなものである。

まず、現在の政治家にここにあげたていの信義観が失われているとみなす理由はわたし達にない。これについては、二つ反証をあげることができる。一つは、戦後日本の政治家の失言による出処進退の中で唯一「罷免」を要求し、罷免された、前出の一九八六年の藤尾正行(当時文相)の「放言」のケースである。そしてもう一つは、一九八八年に行なった天皇には戦争責任があるという発言の撤回要求を拒み、右翼に襲撃された、やはり当時自由民主党の政治家、本島等(当時長崎市長)の「天皇戦争責任発言」のケースである。

藤尾の場合についていえば、彼は、一九八六年九月、『文藝春秋』一〇月号のインタビュー記事「〝放言大臣〟大いに吠える」で、日韓併合をはじめとする過去の日本の侵略行為に関し、「形式的にも事実の上でも、両国の合意の上に成立している」「韓国側にもやはり幾らかの責任なり、考えるべき点はある」と、これを正当化、擁護する趣旨の発言を行い、韓国からの激しい抗議を背景に、首相中曽根に辞任を求められている。彼は、これを拒否し、罷免されるが、その時の理由として、こう述べる。「歴史観を曲げて辞任することは、私が死ぬことになる。このまま罷免してほしい。それが韓国の望むことだし、それによって私も生き、あなたも生きることになる」[14]。藤尾は、「前言撤回」は自分の信念の否定に通じると考え、これを拒否して、罷免されるほうを選ぶのである。

また、本島は、一九八八年一二月七日、重篤の昭和天皇について、市議会で質問に答え、「天皇には戦争責任があると思う」と発言する。そして、この発言をめぐり、各方面からの反響が殺到する中、自ら顧問をつとめる自民党長崎県連から発言撤回の要請を受けるが、結局、これを拒み、一年後、右翼に銃撃を受け、重傷を負う。ところで、自民党県連からの発言撤回要請を拒否し、顧問を辞任した時の言葉は、新聞によれば、「発言撤回は死に通じる」である[15]。奇しくも両者は、政治的立場の違いにもかかわらず、一度自分の信念に立って行なった発言を、外からの圧力で撤回するのは、政治家として死ぬことだと考える点で、一致した姿勢を示すのである。

このことは、この種の、洋の東西を問わず、世に本来あるべき政治家像とされるものが、必ずしも失言政治家によっても共有されていないわけではないだろうことをわたし達に示唆する。つまり、彼らは、このありうべき政治家像をもう頭からバカバカしい、私腹をこやせばそれでいいのだ、といった古典的な形で政治的に堕落しているのではなく、この政治家像をまったく裏切っているにもかかわらず、このありうべき政治家像を彼もまた信じているばかりか、自分がこれを裏切る頽廃した政治家だなどとはゆめにも思っていない、という形で、頽廃しているのである。問題は、彼らにあって、この信念ある政治家像と、あの自分たちの前言撤回とが、なぜか対立していないということにある。なぜ彼らの中でこの水と油のようなものが、対立せずにすんでいるのかというのが、ここでの問題なのである。

藤尾罷免に際して示された中曽根の論理は、次のように語られている。

曰く、「個人的な歴史観として発言は理解できるが、大臣としては被害にあった国民に配慮すべきであり、発言は妥当ではない。辞任して欲しい」。

つまり、中曽根は、自分の信念に照らして藤尾の発言は認めがたい、といっているのではない。自分の信念に照らせば、藤尾の発言は理解できるが、いま自分は信念を云々できる立場になく、藤尾も同様のはずである、というのが彼の考えなのである。ここには「個人」と「大臣」の分割がある。しかしそのような「私」と「公」の分割は、そう語る中曽根自身に分有されずには語られようがない。そこで、中曽根は、個人としてなら、かつて青嵐会という自由民主党内の右寄りの組織で盟友だった藤尾の政治家としての発言を「理解」できるし、またこれを一個人の発言としてなら、首相としても、「理解」できなくもないが、しかし、それが大臣としての公的な発言である場合、これを自分が首相として受け入れることはできない、したがって自分は公人として公人としての藤尾に辞任を要求する、と述べているのである。

これが、社会的な個人に関し、このような分割をいっさい認めない西欧の考え方と真っ向から対立する考え方であることは、すぐにわかるだろう。西欧の考え方に立てば、政治家がたとえば自分の朝食のメニューといった私的なことがらについて、私的な発言をするのは、彼がそこでは私人だからである。これに対し、一般的に市民社会を構成している一個人も、公的な問題にかかわる時には、それにかかわることで、公的な存在(シトワイヤン)となる。そこでは、そもそもある人間が、たとえば国の戦争責任といった公的なことがらについて、私的に発言するということが、原理的にありえないのである。

では、中曽根の駆使している論理、考え方とは、これを西欧近代的なそれとの違いを明るみにだす形に取りだすなら、どのようなものだということになるだろうか。

その特徴は、彼の論理が、必ずしも前言撤回は政治家としての「死」に通じる、という藤尾の論理と、中曽根の中で、対立していないことである。

藤尾の考え方は、基本的に西欧の考え方にも通じるそれであって、藤尾からすれば彼の発言は政治家としての発言であり、前言撤回は彼の政治家としての信念の放棄を意味する。だから彼は辞任を拒み、罷免を要求しているのだが、中曽根にあって前言撤回は必ずしも藤尾の政治家としての信念の放棄を、意味していないのである。

なぜそのように考えることが可能なのか。彼にそう考えることを可能にさせている思考の様式を、一言で、タテマエとホンネの論理ということができる。中曽根は、藤尾の考え方はホンネとしては理解できるが、タテマエとしてそれを表明するのは妥当ではない、したがって、(責任をとって)辞任して欲しい、と考える。藤尾の発言はそこでタテマエの問題を意味している。当然、前言撤回も彼にあってはタテマエの問題なので、そこでホンネは無傷のままにとりおかれている。ホンネを信念とみなせば、そこで前言撤回と政治家としての信念確保とは、対立せず、両立し続けるのである。

しかし、ここまで考えを進めてきても、あの失言者の自恃の気持の全てが理解できるようになったわけではない。そこで前言撤回と信念確保が両立することはわかったが、では、その信念が何によって保証されているかは、これだけではわからないからである。それというのも「信念」とは他者との関係を前提とする。それは人と人の関係にあって生じるものであり、それが生きるのにいわば公共的な空間を必要としている。その公共性は彼らの前言撤回で破棄されている。では彼らの「信念」は、たとえ擬制的にであれ、何によって支えられるのか。

失言事件の場合、失言者への働きかけは、この中曽根と藤尾のケースにおけるように、通常彼の属する政治組織を束ねる立場の人間から、前言撤回を含み、彼に対し、辞任の要求の形で行われる。そしてそこで、要求は、ふつう、必ずといっていいほど、失言者に受け入れられる。それがどのくらい強力な定式であるかは、藤尾の罷免が、いまなお自由民主党結党以来唯一の例外的ケースであり続けていることからわかるだろう。失言者は前言撤回し、そのことによって自分の発言を「失言」にする。そこから出てくるのが、あの前言撤回の弁だが、それはふつう、次のように語られる。

曰く、自分は自分の発言を、政治家としての意見信条に照らし、間違っているとは考えない。しかし、自分の発言のためにたとえば国会審議が中断し、他国政府の非難に政府が立ち往生しているのは見るにしのびない。このような形で、いつまでも国会・所属政党・所属派閥に多大な迷惑をかけるわけにはいかないであろう。したがって、政治家としての謝罪という意味ではないが、国会と自分の仲間にこれ以上迷惑をかけるわけにいかないため、前言を撤回する、あるいは迷惑をかけた(世間を騒がせた)責任をとって、辞任する。

彼らはいう。

「(予算委員長として共産党の宮本顕治を殺人者呼ばわりし、問責され、辞任する際の理由として——引用者)国会の大事な予算審議にあたりその遅滞を招いたことに責任を痛感している」(一九八八年二月一二日、浜田幸一、傍点引用者)

また、

「(防衛庁長官として憲法軽視の発言をし、これを咎められて辞任する時の理由として——引用者)非常にタイトな日程の中で、国会が止まった責任を非常に重く受け止め、責任の表れとして辞表を出した」「信念を言っただけで意図はない」(一九九三年一二月二日、中西啓介、傍点引用者)

つまり、彼らは、先に開陳された「信念」が誤っていたため、その社会に対する政治家としての責任をとって辞任するのではない。そこにいわれる「責任」とは、発言のもつ国民公衆との間にある政治家(公的人間)としての責任ではなく、発言問題が彼らの帰属する集団(政党・派閥)にもたらした不都合に対する、その集団の構成員としての責任である。このことは、彼らにとって第一義のコミットメントの対象(責任の対象)が、公的社会ではなく、帰属共同体(政党・派閥)であることを示す。彼らは公的世界の中でではなく、政治的小共同体の中で生きているのである。たしかに小共同体は彼らの「信念」をささえるには足りないかもしれない。しかし彼らにあってはこの小共同体への「忠誠」が、政治家としての自分をささえるうえで、彼らのやや動揺を受けた「信念」を補って余りあるものと、感じられる。公共的な「信念」はいわば小共同体への「忠誠」によって代補され、それに保証されるのである。

　彼らの一人は、こう述べている。

「(日中戦争の非侵略性を主張し、辞任する時の理由として――引用者)私は(中略)国外、国内にもきしみが生じているなら、私の発言を全部撤回してもいいと言っていた。私の発言が間違っているから撤回したのではない」(一九八八年五月一三日、奥野誠亮、傍点引用者)

三　二つの共同性

　しかし、いうまでもなく彼らが前言撤回してなお「てんとして恥じない」最大の理由は、それだけでなく、こうした彼らの考え方がいわば日本の社会にも共有され、それによって承認されているからである。ある発言がわたし達に失言と感じられる時、わたし達は、失言者とある共同性のうちにあるが、そのことに無自覚でいることが、畢竟すれば、わたし達をこうした前言撤回の非譴責者にするのである。

　ここにあるのは、次のような問題である。

ある発言がわたし達に「失言」と感じられる時、わたし達には、失言者のいっている意味内容のほかに、なぜ失言者がそれをいっているのかといういわば行為理由までがわかっている。それが社会的了解の共同性だが、それがあるため、わたし達は、ある発言を聞くと、それを、放言でも、暴言でもなく、失言と感じる。

たとえば、一九七二年に当時六四歳の原労相が述べた、「私が政治家として活躍できるのは、すべてに感謝しているからだ。社会には不幸な人が多いが、六〇歳で養老院へ行くような人は感謝の気持を忘れた下の下の人たちだ」という発言(一九七二年一月一五日)。この発言は、その低劣さゆえに、なぜそのようなことを彼がいったかという行為理由について、わたし達に了解をもたらさない。この発言に、わたし達があきれた暴言だとは感じても、とんでもない失言だと感じないのは、先の中川大阪府知事発言の場合と同じく、ここにわたし達の共感もなければ、了解もなく、社会的了解の共同性が存在していないからである。

しかし、たとえば戦後におけるこの種の政治的失言の嚆矢となった、あの一九六八年の倉石農相の憲法批判発言なら、どうだろう。わたし達は、「自主防衛」の憲法をもとうという彼の主張に賛成しようと賛成しまいと、そのことにかかわりなく、なぜ彼が戦後も二〇年過ぎた時期になってこのようなことをいいはじめたのかという、その発言の行為理由については、これを了解する。わたし達が倉石発言をとんでもない失言、あるいは放言だとは感じても、暴言、という言葉を思い浮かべないのは、そこにこの了解があるからである。そしてこの点で、わたし達は、たとえば、この意見を耳にして、これはこわい、日本は危険だ、と思う韓国や中国の住民と、違う場所にいるのである。

社会的了解とは、この場合、次のようなことである。第一に、この憲法が戦後の日本人の発意で作られたものでないこと。第二に、武力を否定する憲法といいながら武力を背景に押しつけられた矛盾をひめていること。第三に、これが憲法ながら、米軍の駐留と日米安保条約との一対のセットで存在する半身の最高法にすぎないこと。これらのことを、隣国の住人とは違い、日本の国民であるわたし達が、わがこととして、一定程度矛盾あるものに感じていることが、倉石発言をわたし達に失言と感じさせ、これに反対の意思を表明するにしても、その意思を他国の住民のそれとは違うものにする当のものなのである。

ところで、わたし達は、この社会的了解の共同性ともいうべきものを、どう評価するのがよいだろうか。

わたしは、この倉石の考えに、賛成できない。しかし、その考えが語られることには、反対しない。

わたしが倉石の考えの提示に加担するのは、先にあげたような問題を抱えている以上、わたし達が自分たちの憲法について公然と公共の場でさまざまな意見を戦わせることは、何よりこの憲法と自分たちの関係を強化するために、必要であるばかりでなく不可欠だと思うからである。わたしのこの判断は、倉石の自主憲法制定論を認めるものではないが、そのような考えが出てくる理由が憲法の側にあることを認めるところからくる。この後者の位相が社会的了解の共同性にあたっている。つまり、わたし達はこれを否定すべきではない。この要因は、言葉でこれを否定することによっては打ち消せないからだ。わたし達にできるのは、逆に、その声に場所を与え、この了解の共同性を公共化し、討議可能な形に変えることで、これを克服可能なものへと昇華させること、つまり否定することではなく克服することなのである。

しかし、失言を失言にさせている共同性は、これにとどまらない。このほかに、これに対置されるべき、もう一つの共同性がある。前言撤回してもこれを前言撤回と認めない、そこにホンネの残存を見るいわばホンネの共同性が、それである。

わたしはここまで、失言政治家が前言撤回してなお自分を恥じずにいられる理由を、順を追って見てきたが、実をいえばその最大のものにふれていなかった。その最大の理由とは、ほかでもなく、日本の社会がこれを、彼同様に、恥ずべきものとみなしていないということである。

なぜ失言政治家が、前言撤回しても、それほどそのことを恥じないかといえば、彼の中に、一つの確信があるからである。彼は何も恣意的に自分の思いを吐露したのではなかった。彼は彼の属する共同体の考えを代弁しているので、その思いは、むろん彼の「同志」たちに共有されている。「同志」たちは、外からの非難をよそに、彼の発言を蔭ながら「よくぞいった」と評価しているのである。しかし、彼の確信の中身はそれにとどまらない。さらに、それは次のような内容をもつ。彼の前言撤回がコトバの上でのこと、つまりタテマエにすぎず、ホンネでは彼の考えは変わっていないことは、たんに彼個人あるいは彼の属する小共同体の中の認識なのではない。そのことは、日本の社会によっても了解されている。つまり彼の意見に賛成であろうが反対であろうが、誰もが、この前言撤回がタテマエ上のものにすぎないことは、これを知っている。そう確信できていればこそ、彼は、前言撤回しても、さほど恥に感じず、心の底で、そのことによって自分の信念がまげられたとは考えずにすんでいるのである。

このわたしの考えは、特に右の傍点部分で、突飛にすぎると聞こえるだろうか。しかし、そう聞こえるとしたら、その人は、タテマエとホンネという考え方が日本社会に承認されているのは知っているが、そのことの意味を知らないのである。タテマエとホンネという考え方で失言と前言撤回を受けとる人は、つまるところ、たとえ前言撤回されても、ホンネのところでは失言者の考えは変わっていないと考えている。そしてそう考える時、彼は、当然、失言者のホンネを信念と同列にあるものと認めているのである。ここにあるのが、前言撤回をさほど恥ずべきものでなくさせている、ホンネの共同性にほかならない。ホンネの共同性とは、ホンネを信念として承認するこの共同性をさすが、この共同性が日本社会全般に行き渡っていればこそ、失言者は、あの失言と前言撤回を繰り返しながら、そのことを恥じずにすむのである。

このもう一つの共同性の特徴は、これがほとんど誰にも自覚されていないことにある。少なくとも日本のメディアはまったくこの共同性の意味に気づいていない。このことを疑う人は、なぜ日本のメディアが、失言者の失言内容を非難するとともに、彼が、自分の発言をたちまち撤回してしまったことを、批判しようとしないかを考えてみるのがよい。まるでその前言撤回がなかったように、その発言内容への批判だけが語られるのは、メディア自身が、前言撤回などタテマエのものにすぎないというあのホンネの共同性に、自分では気づかないまま、染まっているからなのである。

具体的にいおう。たとえば一九九四年、永野法相が南京大虐殺はでっち上げだと発言し、その後これを撤回した際、朝日新聞の社説は、これを非難する社説をかかげたが、そこで前日の前言撤回の事実は、ほとんどなきに等しいものとして扱われた。

その冒頭部分は、こう書かれている。

「就任早々の永野茂門法相が、毎日新聞とのインタビューで、日中戦争時に起きた南京大虐殺を「でっち上げだと思う」などと語ったという。

驚くべき歴史認識といわざるをえない。法相という筆頭閣僚の重責を担う人物が、このような考えの持ち主だということは、発言の撤回で消えるものではない。永野氏は、罷免されるべきである[16]」(傍点引用者)。

つまり、この社説自身が、法相を非難しながら、前言撤回によっても発言趣旨は消えない、すなわち法相のホンネは変わっていないとみなすことで、法相とホンネの共同性を共有しているのである。

なぜ失言者が、あのように前言撤回してもさほど日本では恥と感じずにすむのか、その理由がここにある。彼の前言撤回は、あの藤尾や本島におけるように自分の政治家としての死を意味するものではない。彼にそう受けとられていないばかりではなく、彼を非難する新聞の社説の書き手にもそうは受けとられていない。なぜなら、前言撤回でも彼のホンネは変わらないからだ。そう、彼が思っているだけではない、ここでも、彼を非難する新聞の社説の書き手も、そう思っているのである。

ここには、彼が前言撤回でもホンネを変えておらず、したがって信念を変えていないというこことをめぐる日本社会全体の了解の一致がある。彼の発言を糾弾する新聞の社説までが、前言撤回によっても彼の本当の考えは変わっていない、信念は変わっていない、と受けとっていること、そうしたあり方が戦後の日本社会だけにあることが、このような前言撤回が世界広しといえども日本だけにしかないことの最大の理由なのである。

これを可能にさせているものこそ、あのタテマエとホンネという考え方にほかならない。

ここにあるのは、どういう問題だろうか。

戦中派の小説家、山田風太郎はこう書いている。

　この五月に永野茂門法務大臣が就任早々「南京大虐殺はでっちあげ」と発言して辞職に追い込まれたばかりなのに、またもや桜井新環境庁長官が同じ就任早々の記者懇談で「日本も侵略戦争をしようと思って戦ったわけではない」という発言をして更迭された。(中略)どうして彼らはあっさりと発言を撤回し、辞任してしまうのだろうか。

　彼らの発言をまったく正しいものというつもりはない。しかし「盗人にも三分の理」

ではないが、かれらの発言には少なくとも五分の理はあると私は思っている。その五分の理を開陳せずして、ただ全面謝罪をし、あわてふためいて辞任をしてしまう姿勢は、その言論自体よりいっそうよろしくない。[17]
（「戦中派の考える「侵略発言」」）

失言には二つの共同性がある。一つは社会的了解の共同性である。これについては、これを公共化することがこれを解体・昇華することになる。しかし、もう一つ、このホンネの共同性がある。この共同性は、語られない（語られればタテマエになる）。公共化されないことが、この共同性の本質であり、これについては、わたし達は、そのカラクリを明るみに出す以外に、解体の方法が、ないのである。

なぜ、ホンネの共同性は、排されなければならないのだろうか。

それがある限り、わたし達に、言葉を語ることの意味は、覆われたままだからである。つまり言葉が力をもつ社会はわたし達のものとならない。その理由から、わたし達は、このタテマエとホンネという考え方を、踏み抜かなければならないのである。

四　戦後の思考装置

そもそも、タテマエとホンネとは、何だろうか。

これは、ふつう、長年日本人の考え方を拘束してきた日本独特の考え方だと思われている。

余りに深くわたし達自身の生活になじんでいるため、改めてこれについて考えようとするとかえってとまどうほどだが、たとえば、南博監修『日本人の人間関係事典』の「ホンネとタテマエ」の項は、それをこう記述している。

「武士は食わねど高楊枝」というのは、腹を空かしても、武士社会のもつ〈タテマエ〉のために、食いたいという〈ホンネ〉を農民や町人のように吐けないでいる武士の姿を皮肉まじりに描きだした文句である。この文句には、武士という〈タテマエ〉に縛られることによって、人間の自然の感情さえ抑圧しなければならない状態を生む、理にかなわない制度に対する批判の意味がこめられている。とくにこの戦後三十数年間、〈ホンネ〉と〈タテマエ〉についてはこのような批判をこめられたかたちでよく語られてきた。太平洋戦争に負けるまで、「天皇陛下万歳」といって戦死した多くの人々も、〈タテマエ〉として天皇のために死んだのであって、ほんとうは家族や子どものこと、自分の恋人のことなどを思って死にたくなかったのが〈ホンネ〉であったにちがいない。自分で納得のいかないことを、国家のため、家族のためという〈タテマエ〉で押しつけられて行動することに対する反発が、第二次大戦後に、さまざまなかたちで「ホンネ主義」とでもいう思潮を生みだした。

（折橋徹彦「ホンネとタテマエ」）[18]

これによれば、「武士は食わねど高楊枝」というのは、武士が高位身分の「タテマエ」の

表1　国語辞典の「タテマエ」の語釈一覧

語義なし　＊　　表向きの方針　△
語義あり，方針　×　　表向きの方針・ホンネと対置　○

年		辞典	年		辞典
1891(明治24年)	＊	言海(大槻文彦)	1974	×	新潮国語辞典改訂版(新潮社)
1907(明治40年)	＊	辞林(三省堂)	1975	△	日本国語大辞典(小学館)
1912(明治45年)	＊	大辞典(高山堂)	1979	△	岩波国語辞典第三版(岩波書店)
1925(大正14年)	＊	広辞林(三省堂)	1980	◎	旺文社国語辞典新版(旺文社)
1934(昭和9年)	＊	広辞林新訂版(三省堂)	1981	◎	新明解国語辞典第三版(三省堂)
	＊	大言海(冨山房)	1982	◎	講談社国語辞典特別版(講談社)
1955(昭和30年)	×	広辞苑(岩波書店)	1983	◎	広辞苑第三版(岩波書店)
1958(昭和33年)	×	広辞林新版(三省堂)		×	広辞林第六版(三省堂)
1960(昭和35年)	×	旺文社国語辞典(旺文社)	1984	○	講談社国語辞典新版(講談社)
1963(昭和38年)	×	岩波国語辞典(岩波書店)	1985	◎	現代国語例解辞典(小学館)
1965(昭和40年)	×	新潮国語辞典(新潮社)	1986	◎	国語大辞典言泉(小学館)
1966(昭和41年)	×	講談社国語辞典(講談社)		△	岩波国語辞典第四版(岩波書店)
1969(昭和44年)	×	広辞苑第二版(岩波書店)	1988(昭和63年)	◎	大辞林(三省堂)
1971	×	岩波国語辞典第二版(岩波書店)		×	学研国語大辞典第二版(学習研究社)
1972	△	新明解国語辞典(三省堂)	1991(平成3年)	○	広辞苑第四版(岩波書店)
	×	講談社国語辞典改訂増補版(講談社)	1994	◎	岩波国語辞典第五版(岩波書店)
1973	×	広辞林第五版(三省堂)	1995	○	大辞林第二版(三省堂)
	×	旺文社国語辞典新訂版(旺文社)	1998	○	広辞苑第五版(岩波書店)
1974	△	新明解国語辞典第二版(三省堂)			

注　最初の出現時を◎で表示した．

ために食べたいという人間共通の「ホンネ」を抑圧しなければならないことへの、武士以外の階級の人間からの批判のコトバである。また、天皇のために喜んで死ぬという戦前の天皇崇拝は、「タテマエ」であり、押しつけられたもので、当時の日本人の「ホンネ」つまり本当の気持は、家族、子供のために死にたくない、というところにあった。

しかし、世に一般的に流通しているこのようなタテマエとホンネの受けとり方と、たとえば次のような事実を、わたし達は、どう理解するのがよいだろうか。

たとえば表1は、明治以来の日本の主要な国語辞典に、このタテマエ(建前)という言葉とホンネ(本音)という言葉がどのように現れているかを示している。それによれば、一九三四年(昭和九)の『広辞林 新訂版』まで、「建前(立前)」という語に、そもそもその原義である「方針、原則、標準」という意味は出ていない。それは、建築用語の「建前」、つまり棟上げを意味するにすぎない。「方針、原則、標準」という原義は、一九五五年の『広辞苑』第一版から登場するが、これも、いまわたし達が使っている「表向きの方針」(で実は嘘)という意味そのままではない。この現在の用法が国語辞典に現れるのは一九七〇年代以降のことであり、また、それがいっせいに国語辞典に載るのは、一九八〇年代に入ってからのことなのである。

表2では、これに対し、新聞の見出しになった「建前」という言葉について、新聞縮刷版(朝日新聞)のデータベースを使用し、一九四五年から一九九四年までの五〇年間について、これがいまのような用法であるかどうかを調べている。「建前」という語は一九四六年から

表2　朝日新聞記事見出しにおけるタテマエの用例の出現推移(1945-94)

年　度	出現数	現在の用例	以前の用例……●　現在の用例……○
1945-49	7	0	●●●●●●●
1950-54	8	0	●●●●●●●●
1955-59	5	0	●●●●●
1960-64	8	0	●●●●●●●●
1965-69	8	1	●●●●●●○●
1970-74	21	16	●●○○●○○○○●○○●○○○○○○○○
1975-79	34	30	○○○○○○○○○○○○○○○●○○○○○○ ●○○○●○●○○○○○
1980-84	32	28	○○○○○○●○●○○●○○○○○○○○○○ ○○○○○●○○○○
1985-89	12	10	●○○●○○○○○○○○
1990-94	23	22	○○○○○○○○○○○○○○○●○○○○○○ ○

出ているが、やはりその意味は、「方針、原則、標準」という原義のままである。むろんこの意味での「建前」は戦前から使われている。用例もいくつも戦前の文献に見出すことができる。

さて、この使い方が、以後、一九六九年まで二五年間続く。五年刻みの調べ方で、一期間平均して七件の出現だから一年に約一回強の頻度だが、その間、ほとんど増減はない。ところが一九六八年にはじめて一度、いま使われている意味でこの「建前と本音」という言葉が現れると(それが先にふれた戦後初の新タイプの失言である倉石発言の解説記事である)、以後、にわかに様相が変わり、一九七〇年以降、それは三倍から四倍の出現数となるのである。

わたしの考えをいえば次のようになる。

タテマエとホンネに関するいまの一般的な

理解は、先の引例に見られるように、これを日本古来の独自の考え方とするものだが、それは、この考え方の理解としては間違っている。

この考え方はたぶん、戦前には存在していない。わたしの手元にある例で、このタテマエとホンネの一対の用法の最も古いケースは、岩波新書の『現代日本の思想』における久野収の論に出てくるもので、一九五六年の刊行であり[19]、次に古い例は、日本の二重構造性についてふれた谷川雁の論考「日本の二重構造」(『亀裂の現代』所収)に出てくるもので、こちらは一九六一年の刊行だが[20]、タテマエとホンネという考え方は、そのいずれでも、いまとは違い、欺瞞的な考え方とみなされている。たとえば、久野は、これについて、戦前は天皇を人間だと思い、建国神話を神話にすぎないと思ってもそれを「口に出していう」と罰せられたため、天皇信仰が「たてまえ」化した、「「たてまえ」と「ほんね」とを表裏二様に使いわける偽善的態度」が、こうして戦前の「国民を支配」するようになった、と記している。また谷川も、これを、日本社会をこれまで規定してきた舶来と国粋という二分法を日本的に馴致した、「偽装された意識」と考えている。

ところで、ほぼ一〇年後、一九七二年に作田啓一が『価値の社会学』を著して、タテマエとホンネについて社会学的な考察を試みているが[21]、この時には、このタテマエとホンネという考え方から二人が先に付与していた欺瞞性の語感は消えている。そこでのタテマエとホンネへの対し方に、もはやこれを欺瞞的な考え方だとして批判する観点は見られない。作田にこのような意識がなかったというより、谷川がこの概念に言及してから作田がこれを取りあげるまでの一〇年の間に、タテマエとホンネという考え方が、社会学的な対象となるまでにいわば概念として成熟(ニュートラル化)しているのである。

これらを総合すると、次のことがわかる。タテマエとホンネという考え方は、一九五〇年代には登場しているが、たぶん戦前にはなかった。それは当初、欺瞞的な考え方として正当につかまれ、主に知識人によって用いられる。しかしやがて否定的なニュアンスを払拭する形で高度成長の時期に社会に浸透をはじめ、一九七〇年代に入ると、一気に、日本独自の古来からの考え方であるかに思われる形で、メディア等の前面に現れてくるのである。

しかしそうだとすると、こんな問いが浮かぶ。

なぜ、実際に調べてみるとこのような事実を示すこの新しい(?)考え方が、日本に古来からある伝統的な考え方であるかのように受けとられてきたのだろうかと。

たぶんここにあるのは次のような事情である。

これまでこのタテマエとホンネという主題を正面から扱った著作には、一九八四年の増原良彦著『タテマエとホンネ』と一九八五年の土居健郎著『表と裏』の二冊があるが、この二作の著者は、ともに、この考え方が、そんなに古くからあるのではないのではないか、という感触を吐露している。

土居は書いている。

建前と本音という言い方がこの頃しきりと使われるが、この場合ややもすれば、建前は表向きのことで云わば嘘であり、本音こそ本当であるという意味合いが含まれていることが多い。したがってあることが建前に過ぎないと云えばその価値を否定したことになり、本音が出たということではじめて安心するほどである。しかしこのような傾向はもともと以前からあったとは思われない節がある。
（『表と裏』[22]）

また、増原は、もっとはっきりとそれをほとんど「第二次世界大戦後」のことではないかと、明言している。[23]

無条件降伏という世界像の崩壊を経験した後、国民には国家をはじめとするすべての権威が「うさんくさい存在」となった。そのため、戦後になると、国家に対抗して個人が「自分だけのホンネ」をもつようになる。そのホンネにたいし、逆に措定されるようになったのが、「表向きの方針」としてのタテマエではないかというのが、増原の推測である。

しかし、いったんこのように考えるこの二人の著者も、だからといって、ではなぜこの新しい考え方が古くからあるかに思われてきたのかという疑問にとらえられるのでもない。

土居は、こう書く。日本人は、「随分昔から建前・本音の二本立てで人事万般を考えて来ている」。たしかに「建前・本音という言葉自体は比較的新しく、殊に今回の大戦以後、頻繁に使われるようになったと思われる節がある」「しかし建前・本音に相当するオモテ・ウラという言葉は古くから使われており、（中略）日本人がもともと物事をオモテ・ウラの両面においてとらえる傾向を持っていたとすれば、建前・本音の実態は昔から存在したと云って間違いではないだろう」と。タテマエとホンネという考え方は、よく見てゆけば、たとえば表と裏、内と外、公と私、顔と腹といった日本古来の対概念と、だいぶ重なっている。言葉としては新しいが、概念としては、これら伝統的な日本的観念とそう違わない、という受けとめ方が、世に行われているあのタテマエとホンネ観ともいうべきものを、ささえているのである。

しかし、ここまで見てきたように、タテマエとホンネという考え方は、これら日本に古来からあったとされる対概念とは、一見似ているものの、全く違うものだといわなければならない。

その結果として、これを日本古来の考えに還元する見方、またこれの最深の核心をとらえそこねてそのままこれを内と外といった概念の派生形と考え、過去に投影する見方は、どうしてもこれを実際とは違うものとして描くことになる。

先の引例でその違いをいえば、そこで書き手は、「武士は食わねど高楊枝」という成句に武士の「タテマエ」をウソで、食べたいという人間の自然の感情である「ホンネ」を本当のものだとする考え方が現れていると解釈するが、これをもし文字通りに前章までに見てきたタテマエとホンネの考え方として受けとるなら、そこでお腹がすいて何か食べたいというこの武士の思いは、本当にお腹がすいているのではない、いわばまだまだタテマエに覆われる程度の中途半端な空腹にすぎない、ということになる。本当にお腹がすいて、たとえば餓死寸前だという場合には、もう「武士は食わねど高楊枝」などともいえず、このタテマエとホンネの考え方自体が壊れる、とここでは考えるべきなので、つまり、これをタテマエとホンネという限りは、厳密にいえば、武士の食べたいという気持は、「人間の自然の感情」と見えてそうではないのである。

ここで書き手は、タテマエを嘘と考えることでホンネを本当とみなしてしまっている。しかし、タテマエとホンネという考え方は、むしろこの嘘と見える「タテマエ」(武士の見栄)の影でつい本当と思われてしまう「ホンネ」(武士の食欲)が、それこそ実は本当(人間の自然の感情としての食欲)でないことを隠蔽するところにその存在理由をもっているのである。

誰もが見るからにうさん臭いタテマエを警戒して、ホンネを隠された真と考えてしまうが、いわばタテマエの嘘らしさはオトリにすぎない。この考え方が欺瞞的なのは、ここまで見てきたように、タテマエが嘘だからではなくホンネが本当ではないからなのである。

問いはこのようになる。なぜこのような考え方が戦後に生まれているのだろうか。しかもそのことにわたし達がほとんど気づかないということが、わたし達のこの考え方の別のものとの同一視からきているとすれば、なぜわたし達が、この考え方の核心に、こうまで気づかないということが、起こっているのだろうか。以下、これらの問題について、先の二つの著作を素材に、わたしの考えるところを記してみたい。

土居の考察の概要は、次のようなものである。

まず土居は、日本人の行動様式を「表か裏かで多少態度を変える」ことと特徴づけ、それが人が生きる上での「アンビバレンス(両価性)をさばくのに有効」な心的機制であると評価する。分裂病の特徴は「どこかに仕掛けがあって自分の秘密が外に洩れるので自分の固有の存在がなくなると感ずること」だが、表と裏をもつことは、「秘密」の空間をもつことにつながり、こうした不安定なあり方に防壁をもつこととなるからである。

土居によれば、タテマエとホンネの対概念は、この表と裏を原理とする、その派生形態である。

表と裏について、土居はこう述べている。

　オモテとウラという言葉は、「物事の表裏」というように、事柄の両面を示すとともに、対概念としていろいろな組み合わせで使われる。例えば、「表通り、裏通り」「表向き、裏向き」「表書き、裏書き」「表地、裏地」「表芸、裏芸」などのごとくである。またオモテとウラをそれぞれ単独に成句の中で用いる時もオモテと云えばウラ、ウラと云えばオモテという風に、その反対を連想として伴うのが常である。（『表と裏』）

土居によれば、このオモテとウラという対概念は、一方が他を現す相補的概念であり、その点、西欧における現象と本質、テキストと解釈といった対概念に似ているが、相補的であると同時に相対的でもある点で、これらの西欧的概念と違っている。なぜオモテとウラの概念は相対的か。それは「視点を含む」。したがって視点の位置が変わると——こういうことは西欧の概念である「本質と現象」にはありえないが——オモテはウラに、ウラはオモテに

「入れ替わ」る。表と裏とは「言葉の上では矛盾しても、それは視点が異なるためで、両者ともに真であると考える」これが日本人の表と裏という考え方である。

さて、土居によれば、タテマエとホンネに見られるのも、同様の視点を足場にした相対性にほかならない。タテマエは、意味からいえば本来的な方針・原則だが、その日本的ともいうべき特質は、それが「人々の合意によって取り決め」られていることである。「これを要するに建前は、常にその背後に建前において合意する集団が存在することを暗示する」。それは、モーゼの十戒のような神との契約による「取り決め」ではない。それはつねに空の高みならぬ集団の内部に視点をもち、そこからその視点人物により、そのつどタテマエと目される。逆にその視点人物がその集団内部で「建前に合意はするものの、それとは別に」個人としての「思惑」をもつと、それがタテマエにたいしての、ホンネと呼ばれる。

ところで、この土居の論のすぐれたところは、何といっても、タテマエがこれを合意する集団を前提とすることをはっきりさせている点だろう。そこから出てくるのが、タテマエとホンネは「相補的な関係」にあり、「一方なくして他方はない」という土居の定義である。

しかし、土居の論の問題点は、にもかかわらず、彼のタテマエとホンネが、実地の運用となると、相補的概念として駆使されないことにある。彼は、タテマエとホンネの本質をその双方の一対性・相補性・相対性に見るが、実際にこれを適用する段になると、別個の存在、いわば「一方がなくとも他方がある」実体的概念に変えてしまうのである。

たとえば土居は、こんな例をあげている。

あるボランティアの主婦がいて、彼女は主観的には「社会奉仕の精神」から活動している。しかしそれとは別に、彼女には家庭的な問題があり、客観的にいうと「家事や家族から逃げ出したい」ために活動に参加している可能性も否定できない。さて、こういう時、後者の動機が彼女にとってのホンネだといえるためには、前者の動機が彼女にとってタテマエにすぎないことが明らかにされなければならない。この主婦は、社会奉仕の精神から活動していると思いきや、家事や家族から逃げ出したい、という動機がなくなったら、急に活動への参加意欲が減退してしまった。このような前者の動機を疑わしめる材料があった時、わたし達は、ははあ、この「社会奉仕」という動機は彼女にとってのタテマエにすぎないのだな、と思うからである。それがいい換えると、「家からの逃避」という動機が彼女にとってのホンネだな、とわたし達が思うということの「一方なくして他方がない」相補性の意味である。

しかし、ここのところを土居は別なふうに考える。彼は、タテマエに触れず、単独に後者の動機――「家事や家族から逃げ出したい」――を問題にする。彼はいう。「彼女はそのことをはっきり自分の本音として自覚していることもあり、あるいはそれが認められないでいることもある」と。ここで、ホンネは本人に抑圧され、自覚されないまま意識下に潜在することもありうる実体、「意識下の欲望」と解されている。タテマエとホンネの考え方だと、彼女が家からの逃避に動かされていることはとりもなおさず社会奉仕の動機がタテマエにすぎないことである。そしてそれがタテマエにすぎないとは、そのことが彼女に、あるいはメンバーの誰彼に、気づかれうるものとして「現れ」ているということである。しかし、土居の考えだと、たとえ彼女が熱心に社会奉仕に励み、本人もそれを信じ、メンバーの全員が彼女の熱意を疑いえなくても、実は、その彼女の「真の隠された」動機が、家からの逃避という「意識下」のものであることがありうる。つまり、ここで精神分析的に解釈されたホンネは、言葉の底にひめられた本心というよりは、無意識に現れることを抑圧されている本心にほかならず、タテマエの如何にかかわらず、彼女を意識下で動かす「実体」になっているのである。

なぜこのようなことになるのだろうか。この著作で、タテマエとホンネは表と裏の対概念を原型に考えられるが、土居によればこのオモテとウラのもともとの意味は「顔」と「心」である。古語にいう「オモテを挙げる」のオモテは顔であり、「何気なく」の意味に使われる古語「うらもなく」のウラは、心を指している。この古語の原義は、たとえば羨む、裏切る、という言葉にも生きていて、「羨む」とは「ウラすなわち心が病むこと」、「裏切る」とは「(相手の)心を切ること」である。そこから、土居は、現在わたし達が使っている表と裏という考え方が、実は、平安時代の昔からあったものであり、その派生形態であるタテマエとホンネも日本に古来からある、というように考えるのだが、現在のオモテとウラが相対的・相補的一対性の概念だとする限り、この現在のオモテとウラと過去の表と裏とは、むしろ違う概念なのである。なぜなら現在の概念は「一方なくして他方のない」相補的概念であり、論理的に一貫しなくても視点が変われば裏返る「ともなる真」をもつ相対的概念だが、過去の表と裏とは、「顔」と「心」という一対性に基礎をもつ概念であり、「一方がなくとも他方の残る」非相補的、また非相対的な概念だからである。

土居は本居宣長の『紫文要領』から一文を引き、そこでの「表」と「裏」の用法が、現在のオモテとウラの用法と同じであるかに解釈しているが、同じことがいえる。宣長の用法では、表と裏が代替可能でない点、そこに視点の変換がありえない点、さらにそこに明らかに表の意味よりも裏の意味がすぐれ、裏の意味こそ、重要であるという価値観が付与されている点が、いまの用法と違っている。宣長は、紫式部の文では、表が「たはむれにいひなせる」ところでも裏では「ことごとく意味あ」ることがいわれている場合が多い、したがって「見む人よくよく心をとどめて、表の義と下心に含めたる裏の義とをわきまへて、混ずることなかれ」(傍点土居)といっている。そこでの表と裏には、たしかに相補性・一対性こそあるが、視点の移動による表と裏の価値の「相対性」は明確に否定されているのである。ここで宣長が、紫式部の文章の読解には「真」と「誤」があるといっているのは、そのことをさしている。源氏には「古来注解」が多いが、それらは表面的なものであり、「作者の本意」は現れていないと述べられるのは、そこに表を従とし、裏を主とする相補性の形で、「本意」がいわば〝真〟として想定されていることを意味しているのである。[24]

土居の混同は、現在のオモテとウラを過去の表と裏の概念と同一視したことから生じている。彼はむしろタテマエとホンネが現在のオモテとウラの派生形態だと述べた後、現在のオモテとウラがかつてのそれの顔と心の一対性とは違っていることを明らかにすべきだった。そのうえで、現在のタテマエとホンネの心的機制では誰にも明かされない「秘密」は保証されないことを示して、そこに日本社会の問題を指摘するのがよかったのである。彼のこの著作は、前作『「甘え」の構造』ほどの骨太な輪郭線をもたず、論としても魅力ある細部にもかかわらず全体としての説得力に欠けるものとなっているが、その起因はこのいわばオモテとウラに関する遠近法的倒錯にあるのである。

こうして、土居は、ホンネを、顔と心の二分法における「心」へと横滑りさせる。しかし、ものと影なら「一方なくして他方はない」が、このように解された「顔」と「心」の関係では「一方がなくても他方は残る」。それは一対的ではあるが、もはや「一方なくして他方もない」相補的な存在ではない。土居のタテマエとホンネはこの古代以来の「表と裏」概念に重ねられることで、二つの実体として、語られてしまうのである。

しかし、タテマエとホンネは、「一方なくして他方はない」相補性に、本質をもっている。土居の『表と裏』に記述された「本音」の語はすべて「本心」にいい換えられるが、しかしホンネは「本心」と同じではないことが本質であるような、相補的・相対的な概念なのである。

日本の公私観念は、いわば同心円状にその公と私が入れ替わりで広がる相補的・相対的な観念であるところに特徴がある。私企業内部で、会社首脳の考えは、公を意味するが、それはその一段広い日本社会の中では、私的な思惑に下落する。後に見るように、タテマエとホンネに見られるのもそれと全く同質の同心円状の相補的相対性である。そこでホンネはタテマエの影だが、本心はこれに対し、それだけで存在する、むしろもう一つの光なのである。

五　ホンネと本心

タテマエとホンネが、「一方なくして他方はない」相補性を本質にすることに関して、前出の増原良彦は、面白い話を紹介している。

ある小さな団体が毎年一人を選んで「賞」を出していたが、その「賞」自体があまりマスコミに取りあげられない。ある年、賞をマスコミに宣伝するため、「今年はひとつ、有名人を選ぼう」という提案がなされ、承認されたが、具体的に受賞者の選考に入ったところで「タテマエとホンネ」に関し、議論がわかれた。

二つの意見は、次の通りだった。

第一の説

タテマエ……立派な人(賞にふさわしい人)を表彰する

ホンネ　……有名人を表彰したい

第二の説

タテマエ……有名人を表彰する

ホンネ　……立派な人(賞にふさわしい人)を表彰したい

第一の説は、対外的には賞にふさわしい人を選んだことにするが、内部的には有名人を選ぶとするもの、第二の説は、選考委員会の申し合わせとしては有名人を選ぶのがタテマエだが、でもそのタテマエの範囲内で、やはりふさわしい人を選びたい、と委員の誰彼が内心で思うというケースである。

こうした例をひいて、増原は、こう考えると次のような第三の説すら、成立可能にならないだろうか、という。

第三の説

タテマエ……立派な人を選びたい

タテマエ……有名人を選びたい

ホンネ　……どっちだっていいや

だいぶ無責任な考え方だといわれそうだが、この第三の説では、「どっちだっていいや」という投げやりなホンネがあるため、さまざまなタテマエ(とってつけたような理由)が出てくる、というのである。

増原はこれを、タテマエとホンネが「わかったようでわからぬ」概念であることの例に引くが、しかし、わたしにいわせれば、こういう話の中にこそ、タテマエとホンネの本質が顔をのぞかせている。

土居のいうように、タテマエとホンネとは「常にその背後に建前において合意する集団があること」を前提とした概念である。この増原のエピソードが語っているのは、あの「視点」が一つの合意集団の単位から別の単位に移れば、タテマエとホンネは容易に入れ替わるということである。しかし、この話はもう少し先のことも語っている。第一の説、第二の説におけるタテマエとホンネの「入れ替わり」は、この対概念を成り立たせる集合の大きさの差、合意集団の規模の違いから生じているが、第三の説が語っているのは、この合意集団の併存それ自体が何に支えられているのかということだからである。

第一の説でタテマエを共有している集合単位は、社会全体で、受賞者発表の記者会見の場面がこの集合規模を代表している。これにたいし、第二のタテマエを共有する集合単位は、選考委員会で、この集合規模を代表するのは選考会議の場面である。この前二者に対し、第三の説は、「建前において合意する集団」のほとんど成り立たなくなる寸前の極小の集団単位を示していて、選考委員会の会議中、委員の一人が隣の委員にボヤキとして囁く場面が、この集合単位を代表しているが、そこでのホンネ、「どっちだっていいや」は、先の二つと違い、他のものとは「入れ替わり」不可能であり、むしろ他のホンネがタテマエにすぎないことを暴露する、いわばホンネのホンネとなっているのである。

わたし達はこの例から、容易にこれら三つの集合が三つの同心円をなしている図を、思い描くことができる(図1)。タテマエとホンネはその相対性の本質からして、このような無限同心円の像をわたし達に送り届けてよこす。土居によれば物事にはオモテとウラの二面があり、それはある意味でともに「真」である。日本人の考えだと、そうなる、と土居はいうが、ことの本質は、実をいえば、このような相補的・相対的な関係構造の中におかれ、無限に両者が「入れ替わり」可能になり、「真」の数が無数となった場合、そこに「真」はなくなるのである。「真」が「真」であるのはそれが入れ替わり不可能だからだ。「真」が無数にあるとすれば、それは「真」ではない。二つの「真」が交替しうるという時、そこに「真」はなく、そこにあるのは、そもそもすべてが「どっちだっていい」という、「真」へのニヒリズムなのである。

タテマエとホンネについても同じことがいえる。図1の第一の円と第二の円のホンネは無限回ホンネであることをやめうる「タテマエ＝ホンネ」だが、第三の円の「ホンネ」は、これが表に出ればこの同心円構造全体を崩壊させかねない最後のホンネである。そもそも無限回ホンネであることをやめうるホンネとは何だろうか。そのようなホンネは、「本心」ではない。このことは、オモテとウラの無限循環の中に、「真」がないように、タテマエとホンネの無限同心円の中にも、実は、「本心」はないことを語っている。しかしそれだけでなく、もう少しいえば、それは、この無限同心円がこうした「本心」の消滅なしにはそもそも生まれえないことをも、教えているのである。

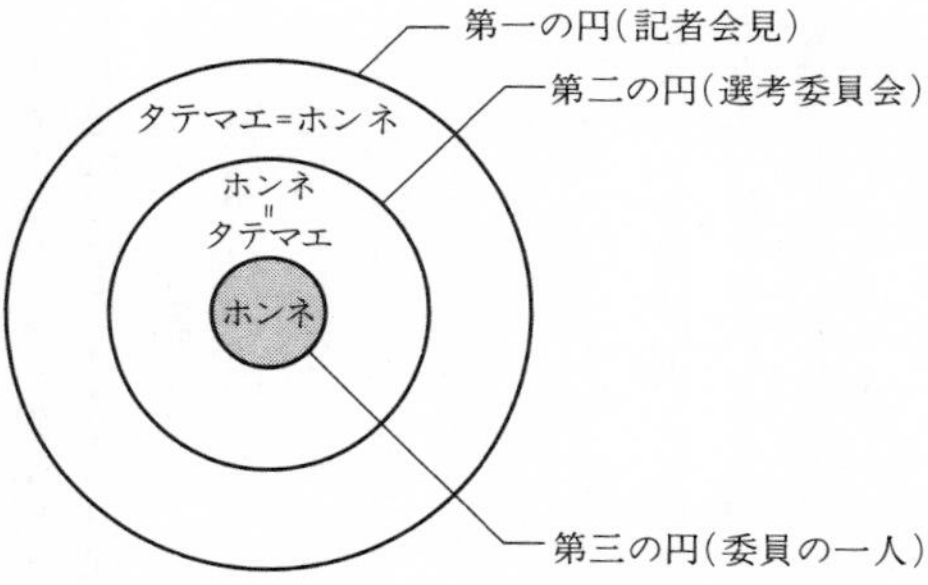

第一の円(記者会見)
第二の円(選考委員会)
タテマエ＝ホンネ
ホンネ＝タテマエ
ホンネ
第三の円(委員の一人)

第一の円	タテマエ	立派な人
	ホンネ	有名な人
第二の円	タテマエ	有名な人
	ホンネ	立派な人

図1　ホンネとタテマエの「入れ替わり」の同心円

わたし達は、この無限同心円の渦中にあって自分のホンネは本心、本当の心だと思う。しかしそれは事実ではない。先の例でいうなら、あのボランティアの主婦は、「社会奉仕の精神」に立って活動に邁進している。活動のさなか、これはタテマエで、自分のホンネは「家事や家族から逃げ出したい」ということなのではないか、そう彼女がもし心のどこかで思うとしたら、それはこのホンネが「ほんとう(＝抑圧された本心)」だからではなく、「社会奉仕の精神」のほうがたんなる「タテマエ(＝うそ)」だと彼女に感じられるからである。そうでない場合には、彼女にはホンネという言葉は浮かばない。つまり、土居が考えたように、「家からの逃避」の欲望なるものが隠蔽された形で存在していてその無意識の欲動に動かされているとか、「家からの逃避」なる本心が不動の真としてそこにあるといった場合には、彼女は、自分は本当は家から逃げ出したいのだ、と思う。そしてその場合には、その思いと、彼女が「社会奉仕」を行いたいという欲求とは必ずしも一対のもの、二者択一的なものとは意識されない。彼女は家を逃げ出したい、そしてそれとは別に、社会奉仕を行いたい、のである。

これに対し、タテマエとホンネの関係性の中におかれている場合には、つねにホンネはタテマエとの関係、他との関係において生じている。その証拠に、たとえば彼女と同じような疑念を自分に抱き、苦しむ女性が数人いて、お互いにそのホンネをもらしあい、その小グループの中ではそのホンネが公然化してしまう、という事態を考えてみると、その場合には、いまやその小グループでは、「家事や家族から逃げ出したい」ための活動がタテマエである。

しかし、何だかんだいったって、やっぱり「家事はいやよね」と、この「家事からの逃亡」が公然と口にされ、それがこの小グループの中でタテマエ化すると、また、その小集団の中に身を置く女性の中には、ひそかに、「とはいってもやはりわたしは社会奉仕の精神を信じている、家事がしたくないからだけで、この活動をしているのではない」という〝呟き〟が生まれ、そして今度は、それがその小集団の中で彼女一人のホンネとして、そこでの極小の円である二人の〝囁き〟の場面に、滲出してくるのである。

しかし、これがあの増原の紹介した委員会の事例と相似形をなしていることに注意しよう。このような事態を想定した場合に最後に「やはり社会奉仕をしたい」という気持がホンネとして出てくるという意味は、これが逆の事態であれば、ここでのホンネが「やはり家事はいやだ」というものだということである。そして、なぜこのようなことになるのか、と考えれば、最後に、わたし達は、先の選考のエピソードと同様、これをタテマエとホンネの例として受けとる限り、この事例におけるボランティアの主婦たちの心情の底に、やはりあの「どっちだっていいや」というニヒリズムが潜在していると結論しないわけにいかないのである。

ホンネとタテマエは、それがホンネとタテマエの関係におかれている限り、無限に入れ替わり可能である。そのような関係におかれたホンネが本心でないことは、誰の目にも明らかだろう。しかしわたし達はその違いに気づかない。あの失言と前言撤回とその社会による容認が語っていたように、これまでわたし達はなぜか、このホンネと信念、口にされない本心(ホンネ)と口に出された本心(信念)とを同一視し、このタテマエとホンネの欺瞞性に気づかずにきたのである。

ここにもしわたし達がだまされてしまうカラクリともいいうるものがあったとしたら、それは、次のようなことである。

タテマエとホンネについて、これまでの言葉の意味の変化を振り返ると、タテマエのほうは、①棟上げ、茶の立て方、②方針・原則、③表向きの方針、表面的な原則、と三段階の変化を経過しているが、実をいえばホンネもこれに対応して、三段階で変わっている。しかしホンネの三段階目の意味の変化は余りわたし達に気づかれなかったし、それ以上に、気づかれたとしても、その意味するところにわたし達は余りにも無防備だった。

一九九八年の末に刊行された『広辞苑』第五版に、ホンネは、「①まことの音色。②本心から出たことば。たてまえを取り除いた本当の気持」と記されている。しかし実は、ホンネはいま、ここにいわれる「本心から出たことば」なのではない。それは、その前年に出た『新明解国語辞典』第五版のホンネの項がいうように、「本心から出たことば」ではなく、逆に、「口に出しては言わない(言うことがはばかられる)本心」なのである。

つまり、ホンネもまた、この間、タテマエ同様、①本当の音色、②本心から出たことば、③口に出してはいわない本心、と三段階の変化を経過している。しかし、それはまだこの「本心から出たことば」と「口に出していわない本心」の違いに十分に気づかれておらず、また、たとえ気づかれているとしても、そのことの意味にわたし達は無自覚なのである。

ここに起こっているのは、それまで「本心から出たことば」だとばかり思われていたホンネが、ある時、気づいてみたら、その意味を反転させ、「言葉に出されない本心」に変わっていた、ということである。そしてそのことの意味に誰一人自覚的でない、という事実が示しているのは、ちょうど、それまで銀行にもっていけば金貨に換えられるはずだった兌換紙幣が、ある日、公告もなしに突然、不換紙幣に変えられた、ところがそのことに対する抗議が誰からも出ていない、というのに似た状況にわたし達がおかれているということなのである。なぜこの政策変更に誰からも抗議が出ないのか。わたし達は誰もがこの言葉を銀行にもっていけば、金に換えられると思い、これを使っている。しかし誰も、実際に日本銀行にいって、これを金に換えてみてくれ、とはいわないのである。

ある意味で言葉への信頼というものが、わたし達の中でほぼ死にかかっていること、ここにあるのがあの「どっちだっていいや」という真へのニヒリズムであることを、このことは語っているのである。

言葉に出されない本心とは、これを外に出してしまえば真っ黒になってしまうフィルムのようなものだ。それは現像液で定着されていないために、同じコマの上に、状況次第でまったく違う映像も乗せることのできる便利なフィルムである。しかし、それは、写真として日の光に曝せない。曝せばそれは、黒化する。しかし、このようなものをわたし達は、はたして、写真と呼べるだろうか。

たぶん一九六〇年代に日本の戦後社会に、一つの社会単位で起こっていたのが、このような大きな反転現象だったのである。カラクリと呼ぶべきものがあるとすれば、これがたぶんそうだが、これをカラクリにしているのは、むろんこれがそのようなものであることに気づかないわたし達自身である。

そしてなぜこうしたことにわたし達が気づかないのか、と考えれば、わたし達はその底に、あの「どっちだっていいや」というわたし達自身にも気づかれないほど深くわたし達を領していているらしい、ニヒリズムの存在を見るのである。

わたし達が行なってきたことは、たぶんいつのまにか、フィルムから現像効果が消えてしまったのに、それに気づかず、あとでまとめて現像しようと、何年も、そのフィルムで写真をとり続ける、というようなことである。そしてその行為はいまも続けられている。

その結果、何が失われることになったのだろうか。

ハンナ・アーレントは、政治を中核とする公共性の根底に、自分の考えを言葉と行動で示すことをあげている。自分の考えを心にとどめおかずに発語すること、そして他の人間からの批判と賛辞に迎えられること、そのような空間を作り、そのような空間に生きることをさして、彼女は自由(フリーダム)と呼んでいる。彼女によれば、人間の生きるもっとも大きな意味は、この自由の創造と享受である(『人間の条件』『革命について』[25])。

彼女のいうように、発語されない本心は、けっして本心ではなく、またしたがって信念でもない。いわんや発語されない本心であるホンネが信念であることはありえない。発語されないことを自分の存在理由とする本心であるホンネは、むしろ本心の対極語であり、信念の反対語なので、つまり、タテマエとホンネという考え方が決定的に壊し、いまもそうし続けているのは、この日本の戦後の社会の、公共性創出の可能性なのである。

しかし、ニヒリズムとは何だろうか。ニーチェはそれを「最高の諸価値がその価値を剝奪されること」と呼んでいる（『力への意志』）。それはなにものも信じられなくなるということだ。戦前の日本人は少なくともなにものかを信じていた。それは天皇信仰だったかもしれず、またそのような「最高の諸価値」に基礎づけられた、嘘をつくのはよくない、といったきわめて基本的な道徳律だったかもしれない。そういう何かが信じられなくなることなしに、ここにニヒリズムが現れることはない。

わたし達はタテマエとホンネについて、それが土居のいう「視点の変換」によって「ともなる真」を可能にする相補的・相対的な一対性であることを見てきたが、その過程でわかったことは、この相対性が、オモテとウラという概念についても同じように見られるということだった。オモテとウラは、かつては表と裏であり、顔と心であり、そこで二つの項の間に「入れ替わり」の可能性はなかった。しかしいまそれは、いつのまにかその意味を変えている。ウラとはかつては心のことであり、「顔となって現れる心」だったのが、いまではそれは「表のむこうに隠れたもの」であり、単なる相対性であり、そうであることを通じて、欲するなら顔との連関を断たれた「顔からはうかがいしれない心」としての「意識下の欲望」のようなものとも解釈されうるものと、なっているのである。

これに対し、同じ古来からの対概念ウチとソト、ワタクシとオオヤケには、当初から動態として、あの無限同心円的な構造が内蔵されている。先に触れたように、そこで劣位の共同体の「公」はつねに一段優位の共同体の位相に「私」として現れている。同じ構造が外と内についてもいえる。しかし、そのことを考慮しても、やはり大きく見ると同じことがここにもいえる。そのような構造自体がかつては長い輪ゴムがその両端で二つの釘にかけられているように「公」の突端としての天皇をもっていたのが、戦後は、その固定点をなくしている。それは以前は、まだ絶対性の擬制をもっていたのが、戦後は完全な相対性の世界に変わっているからである。

タテマエとホンネのあのホンネの反転の意味がなぜわたし達に気づかれないか、ということの背後にあるのは、こうしたもっと広範ないわば相対的なものの社会への浸透にほかならない。つまり、このことは、わたし達がある種のニヒリズムの中にいることを指示するが、そのことが語っているのは、かつてわたし達に、それまで自分の信じていたものがふいに信じられなくなる、ということが広範囲に起こったということなのである。

それは、ある切断の契機がたぶん戦後の初期、わたし達の社会を一括りする規模で起こったことを、さし示しているのだ。

むろんそのようなことをわたし達は記憶していない。いったいいつ、どんな形でそのようなことがあったのか、と考えてもわたし達にその答えは浮かばない。わたしの考えをいえば、そこにわたし達にとってのタテマエとホンネの意味がある。タテマエとホンネとは、その戦後の起点の切断の記憶を隠蔽するため、わたし達が無意識に編みだした、いわばわたし達戦後日本人の、戦後日本人による、戦後日本人のための、自己欺瞞の装置なのである。

六　起点としての全面屈服

なぜわたし達には本心も信念もないのだろうか。

ここまで見てきたことを、あの失言閣僚たちに即して振り返ってみよう。まずわたし達は、ある種の失言のタイプに注目したのだった。それは政治的に失言がなされるのだが、非難にあうとすぐに前言撤回される、しかも失言者がそのことをさして恥と感じない。そういうタイプの失言だった。そして、なぜそのようなことが起こるのか。そう考え進めて、わたし達は、ここにタテマエとホンネという考え方が大きく力を及ぼしている事実に思いいたった。しかし、失言者たちは、そもそもなぜあのようにも簡単に前言撤回していたのだろうか。わたしはその理由をホンネの共同体、小共同体への彼らの忠誠などという要因をあげて説明したが、その後、見てきたことを重ね合わせれば、そのことで問いが答えられたとは、とてもいえない。それまで、ということは戦前のみならず戦後も高度成長前くらいまで、日本の政治家にこのようなふるまい方は見られなかった。とするなら、そこにホンネの共同体の存在、小共同体への忠誠という要因を加味しても、ここにはなぜ戦後の政治家がある時からこうも政治家としての信義感覚をなくし、簡単に徒党の人となってこのことを疑わないようになったか、という問いが、答えられないままに残るからである。

なぜ彼らは、また日本社会は、こうも簡単にタテマエとホンネという欺瞞の装置にだまされるほど、「本心」の感覚、「信義」の感覚を、失うようになっているのか。

たぶんわたし達はこのようにして、ある答えにたどり着くはずである。このように、どこまでも次から次へと出てきた答えに問いを差しむけ続ければ、おのずからわたし達は、ある事実を想定せざるをえなくなる。つまり、この問いは、いわば戦後の原点に、ある完全な戦前からの切断の経験、わたし達をニヒリズムに陥らせるような経験があったことを、想定させるのである。

戦前から戦後にむけて、一つの切断があったことなら、わたし達は知っている。日本の社会は天皇主権から国民主権に変わった。日本は敗戦を機に、被占領国となり、独立を失った。民主主義の導入、農地改革、軍部解体、さまざまな変革がわたし達の社会の中の戦前的なものを途絶させた。しかし、ここにいう「経験」とは、そういう意味ではない。問題は、この社会的な切断が、具体的にわたし達戦後の日本国民の意識を、どう切断したのか、ということ、わたし達の心が具体的に、何を経験したか、ということである。

一九四五年の敗戦は、日本にとって異国人による最初の国土占領、全面的な敗北を意味した。それが当時の日本人に驚天動地、前代未聞の経験だったことは疑われない。たぶんどのような国の住民も、はじめてこのような経験にあえば、さまざまな過剰反応を起こすだろう。しかし、それにしても、たとえば次のような事実、つまり、占領期、勝者の象徴だったマッカーサー連合軍司令官に日本の王になってくれという手紙が国民から届いたこと、数多くの日本女性からあなたの子供を産みたいという手紙が殺到したこと[26]、あるいはその後、それまで鬼畜米英を唱えた国家主義者達の団体がほぼ例外なく「反共」を隠れ蓑に親米派に転じたこと、さらに、天皇信奉者の中に昭和天皇が死ぬまで、その責任を指摘する声が、ほぼ一つとしてなかったこと(27)、これらの事実のうちに見える、それまで列島を金縛りにしていた国家主義的心情と信条の、一転しての軽さは、どんな社会においてもありうることとはいえ、やはりその程度の強さにおいて、特徴的である。

なぜこのようになるのか。

一つにこのことは、たぶんわたし達の敗北のすさまじさを語っている。象徴的にいえば、戦後日本の担い手たちは、まっさきに責任をとるべき天皇だけを免責するという勝者の悪意を前に、有効な対抗手段を作り出せなかった。天皇自身が判断を誤り、側近が判断を誤り、また、国民が、このような天皇にどう対すべきか、その考え方をまとめきれなかった。そのために、いわゆる誰にもある「道義」の問題は戦後の日本社会でかつてない危機に瀕した。日本国民は、それまで天皇の神威にほぼ完全に帰依していただけに、その天皇が「道義」の根幹から大きく外されると、いわば地滑り的な規模で、道義感覚の崩壊を、経験せざるをえなかったのである。

しかしまた、この自己崩壊は、日本国民の前に現れたアメリカ像との関係でも、同じ強度で生じている。

その場合、彼らに起こっているのは、次のようなことである。彼らは、戦争においては鬼畜とまで蔑称をさしむけた米英と戦ったが、これに負け、驚くべき物量作戦をまのあたりにし、そのかつての敵の風貌、ものごし、考え方、資本力を知るにつけ、一度、これではダメだと、いわば国民規模で完全に脱帽し、たとえてみるなら、その軍門に降った。なぜ憲法の問題、天皇の問題、戦争の死者との問題といった戦前から戦後へと続く重大な問題が、一度戦後の日本人の意識から切断され、全部、消し飛んでいるのか。こうしたことは、この〝完全脱帽〟なしには説明がつかない。江藤淳は、それを戦後の占領軍の巧妙な検閲政策のせいだというが[28]、これは、そのような外在的な操作で説明できることではない。戦後日本では、驚くほど多くの保守思想家が、かつて一度マルクス主義の洗礼を受けている。しかしこれも、むろんアメリカの占領政策のせいでもなければソ連の宣伝工作のせいでもなく、マルクス主義が、明治期におけるキリスト教同様[29]、戦後にあって敗者に時の支配イデオロギーの影響圏をまぬがれさせる、ほぼ唯一の対抗イデオロギーとして現れたせいにすぎない。彼らは、〝完全脱帽〟後、かつて自分をささえたイデオロギーでこのアメリカ的な原理に対抗することが叶わないばかりに、大挙してこの対抗イデオロギーに身を投じているのである。日本の右翼のほぼ例外なしの戦後の親米派への集団転向も同じこの〝完全脱帽〟の事実なしには説明できない。つまり、こう考えてくれれば、戦後の日本人は一度、一挙に、敗戦からほどない時期、生命維持のレベルで、「物質主義」「科学主義」「進歩主義」の化身としてのアメリカを前に、いわば「絶対帰依する」瞬間を、もっているのである。

大きく見て、戦前の日本と戦後の日本の違いが、このアメリカ像に象徴される物質、科学、進歩の価値系列に沿うものであることを考えるなら、この完全脱帽、絶対帰依の瞬間を彼らがもったことを、わたし達が疑う理由はないと思われる。しかし、そうだとすれば、なぜ彼ら戦後の日本人、つまりいまここにいるわたし達に、そのような集団的な記憶が、認められないのだろうか。当時のマッカーサー宛ての手紙が発掘されると、わたし達がその卑屈さのすさまじさに驚倒することになるのは、なぜだろうか。

わたしは、このいわばアメリカなるものへの完全脱帽、絶対帰依の経験こそが、抑圧され、見えないままに、日本の戦後の原点に埋め込まれているものなのではないかと考えるのである。

この想定に立てば、わたし達戦後の日本人は、いったんはガックリと膝を折り、アメリカなるものに完全脱帽する瞬間をもったが、占領が終わり、米兵の姿が見えなくなると、ちょうど台風が去ってふたたび頭をもたげる稲の穂のように、やがて自分の中に自尊心のうずきを感じるようになった。自分はかつては征服者に完全脱帽し、全面的に屈服したのだが、いまとなっては、それを受け入れるのはかなり勇気のいることである。こうして彼らのうちの何人かは、次のように考える。いや、自分はあの時、アメリカに絶対帰依したのではない、たしかにそのようなしぐさは示した。しかしそれは、帰依したふりをしたのにすぎない、うわべでは頭を下げたが、腹の中では面従腹背をきめていたのだ、と。あの絶対帰依はタテマエ上でのことであって、ホンネでは、戦前以来の信念を保持していた。そう、あれはいまとなって考えれば、面従腹背だったのだ、と。

つまり彼らは、自分を他に対してつくろう以前に、かつての自分を現在の自分に対し、つくろわなくてはならない。そのことを可能にした自己欺瞞の装置であるところに、たぶんタテマエとホンネという考え方のわたし達にとっての最大の秘密は、ひそんでいるのである。

最近のもっとも印象に残る失言事件の当事者である永野元法相は、陸軍士官学校を卒業し、中国に出征し、敗戦時には陸軍大尉だった。彼はそこからまっすぐ自衛隊へというコースをたどった、典型的な戦前の軍人あがりの政治家である。自衛隊では陸上幕僚長にまで登りつめ、そこから自民党の議員をへて、新生党へと転身し、そこで、羽田内閣の新任の法務大臣になり、あの発言を行なった。その発言は、彼自身が事件直後の南京に赴任して現状をかいま見ている、という言明とともに語られている。むろん、彼が、戦前からの自分の信念として、日本の戦争は自衛のための戦いで、自分たちに当時の国際法に照らしてやましいところはなかった、と考えているということは十分にありうる。そしてそういう考えに、たとえわたし達が反対だとしても、ある種の生き方を貫く中である種の人間がそのような「信念」を失わないということについては、わたし達もそういうことはありうると、了解するはずである。だから、この失言事件で本当に了解不可能なのは、こういう経歴の人物が、こういう発言をしたということではない。もしそのように発言を行なったのなら、それは――かつての藤尾正行の「放言」のように――深い信念に立つ、自分の政治家としての全重量をかけた発言だっただろうに、それがそうではなかったこと、この発言が相手国の憤激を呼び政治問題化すると、彼がいとも簡単に、前言撤回してしまったということが、彼の経歴を知るにつけ、わたし達にやってくる最大の疑問なのである。

なぜこのようになるのか。それは、たぶん、彼にとってこの発言が、自分の信念をかけた政治家としての発言ではなかったからである。それは、他者に向けた政治家としての発言ではなく、むしろ自分にむけた、自分がかつての敵の軍門に降った完全脱帽のオポチュニストなのではないということを証し立てるための、無意識の衝動に動かされた発言にほかならなかった。だから、それは、これまでになく踏み込んだ戦争責任を明らかにした前年の細川首相の路線を継承した新内閣への彼の着任時に、それこそ「ついうっかり」というあの失言の不思議さで、発語される。そしてすぐにしどろもどろに撤回される。というのも、自分をそのような考えの持ち主であると示せれば、その考えが本当に他者に伝わらなくとも、彼の目的は達せられている。彼に前言撤回がさして重く受けとめられない一番基本的な理由は、この彼の発言のアーレントがいう意味での、「非政治性」にあるといわなければならないのである。

七　癋見（べしみ）の位置

しかし、もしタテマエとホンネのむこうに隠されているのが、こうしたいわば、かつての敵への完全脱帽、全面屈服の事実に類した、全面的な自己喪失だとすれば、このタテマエとホンネという考え方から自由になるとは、たんにこの考え方の欺瞞性を暴露してすむことではないということになるのではないだろうか。

戦後の日本人が、他への全面屈服、完全な自己放棄といった自分の不名誉な経験を抑圧するため、こういう考え方を無意識のうちに作り出しているのだとすれば、この思考装置を取り外しても、その後に、わたし達は、この全面屈服の記憶とどう向き合うか、というまた別の新しい問題にぶつからざるをえないからである。

ここまで見てきたことは、わたし達に欠けているのが、あの公共的な感覚だということを示している。そこから帰結されるのは、たぶん、だからわたし達に必要なのはあの西欧におけるような公共的な感覚をこの日本に根づかせることだ、という主張にほかならない。戦後の民主主義が一貫して主張してきたのが、この主張である。しかし、この主張がこれまで半世紀近い間、何度も繰り返されながら、そのつど、いわばある種の空転を余儀なくされてきたこともわたし達は知っている。なぜそうなるのか。たぶんここに顔を出しているのが、この全面屈服という問題なのである。

人は、相手に完全に脱帽し、全面的に屈服した時、そして弁解の余地なく完全に粉砕された時、その苦境から、自己欺瞞の抜け道に逃れずに、どんな再生を図れるものだろうか。

念のためにいっておけば、わたしはこの「無条件の降伏」をテコにした「新生日本」に向けたゼロからの出発という戦後民主主義のあり方が、この「屈辱」を「屈辱」として受けとった上での再生になっているとは考えない。というのも、それは、結局、「屈辱」を過去への反省と「ゼロからの出発」で置き換える、「屈辱」の消去法になり終わっているからである。そして、戦前への反省に立った新生日本の平和主義への徹底という形で、やはりタテマエとホンネの場合にも似た反動形成が、ここに起こっていると考えるからである。

むしろわたしは、この再生の可能性のカギは、こうしたあり方とはまったく別のところにあると思う。

ここで、タテマエとホンネという考え方が、わたし達の中で、新しく戦後になって生まれたものであるにもかかわらず、古代からのものだと受けとられた事実を、思い起こしてみよう。そこでは、それは、オモテとウラ、あるいはソトとウチ、またオオヤケとワタクシといった日本古来の一対概念を祖型とした、その派生形と見られていた。そしてその実、それは、これらを換骨奪胎してなったいわば似て非なる思考装置にほかならなかった。

しかし、なぜこの列島居住民に古来から培われてきた考え方が、ここで、換骨奪胎される祖型を提供するものとして、現れているのだろうか。そしていったんそれに憑依するや、タテマエとホンネという戦後産の考え方が、ほとんどこれらと見分けのつかないものとなりおおせているのは、どういうわけなのだろうか。

理由は簡単だ。そもそもこれらの対概念が、日本の古来からの外来優越文化に対する、圧倒的な屈服の経験から、生まれているからである。

古代以来、日本は時の世界の中心から高度な文明の所産を輸入することで自分の文化を培ってきた。そのため、文化的・社会的・政治的な根深い二重構造性が長い間この社会における一つの特徴となってきた。日本社会の基本構造としてしばしば指摘されるソトとウチ、オモテとウラ、オオヤケとワタクシといった二重構造性は、この移入された高度な文明と劣位の土着文化の間の対立=優劣関係を基本としたものだが、タテマエとホンネは、この古来の二重構造性を隠れ蓑とし、これに憑依する形で成立しているのである。

この二重構造性は、優位移入文化に対する劣位土着文化の側の「劣等感」を媒介にした「不信」という形で、長い間、この列島の住民の心の中に生きてきた。敗戦と異民族による占領は、わたし達にとっては開闢以来の、未曾有の経験だったが、一方、劣位者としての優位者に対する全面屈服は、古代以来わたし達に親しかった。タテマエとホンネは、その落差をうまく利用する形で、わたし達に完全屈服という未曾有の体験が強いられるや、それとの直面をわたし達に回避させるべく、いわばわたし達の無意識によってわたし達に用意された、巧みな自己欺瞞の装置なのである。

しかし、むろんこれがわたし達の古代以来のあり方だったというのではない。古代以来、日本列島の住民は、たしかにしばしば文化的・社会的に卑屈であることを余儀なくされる境遇におかれてはきたが、その卑屈な自分を、彼らは、しっかりと直視する術を知っていたからである。

鶴見俊輔は、古代からいまに続く日本社会における二重構造性の系譜に光をあてた、注目すべき著作である『太夫才蔵伝――漫才をつらぬくもの』(一九七九年)で、こう観察している。(30)

彼によれば、いまでいうダウンタウンやナインティナインなど、ツッコミとボケの二人組からなる漫才は、その淵源を古代にまで遡る。そこにあるのはオモテとウラ、オオヤケとワタクシ以上に古代の形を伝える、生き生きとした、わたし達の文化の生んだ原型的な一対性にほかならない。

その淵源にある原型的関係について、別の場所で、鶴見は書いている。

民俗学者折口信夫(一八八七―一九五三)によりますと、日本における言語芸術は宴会の娯楽から始まったものだといわれます。宴会ではなにか余興が催されます。古い形の余興は今日では田舎の神社のお神楽の踊りに残っています。

(中略)宴会での余興では、主だったお客さんが主役になります。その主だったお客さんはこの家への訪問客であるだけでなく、この地方への新来の客でもあります。このお客への相役としてこの地方の精霊が出てきて、主役のしぐさや話すことをとぼけた仕方で真似をし、(中略)その真似ごとのとぼけ加減を通して、彼はすべて受け入れなければならない約束になっている主役の言いつけに対して抗い、また背いたりします。ただしこの演技は結局は地方神の降伏で終ります。彼はしまいに黙ってしまい、この劇は地方神のしかめっ面で終ります。

(「寄席の芸術」『戦後日本の大衆文化史』[31])

ところで、この鶴見の指摘は、これを戦後日本の全面屈服の経験の脇におく時、何をいっているだろうか。日本列島の居住民は、文字が世界宗教である仏教とともに大陸から伝わってきた七世紀の昔から、いわば圧倒的な優位文化の風下に立たされ続けてきた。そこにあるのは優位な他者、時に軍事的な強者に対するほとんど全面的な文化的・社会的な劣者としての屈服の関係だった。しかし、たとえそれが全面屈服だったとしても、それがたんに一方的な屈従としてあったのではないことを彼らのあり方は示している。というのも、彼らが培ってきた文化の基層には、優者に全面的に屈服しつつ、しかしその屈服を通じてこれに抵抗する、屈従的抵抗ともいうべきものが、ありありと埋めこまれているからである。

折口信夫は、その「翁の発生」(一九二八年)で、「もどく」という語に触れている。それはいま、「反対する・逆に出る・批難する」など否定的な意味で知られている。しかし、古くは、もっと広い意味をもっており、「少くとも、演芸史の上では、物まねする・説明する・代つて再説する・説き和げる」などと解されていた。折口によれば、この列島の居住民の演芸の伝統の起源にあるのは、「とぼけた真似ごと」による「抗い」と「背き」という要素をもった、文化劣位者の手になる一対性の余興劇なのである。(32)

ところで、「もどき」とは、何だろうか。それは、一見物まねのようだが、その本来の意味へとわたし達を連れ戻すていの、むしろ本源的な物まねである。克明に執拗に物まねを行うと、そのことのうちに、何か物まねされる人間がイヤな気持になるような要素が醸される。それはなぜだろう。物まねとは模倣だが、模倣対象への信従の表現でありながら、またその神聖性への抵触でもあるから、ふつう一般には、そこにある種の遠慮が働いている。「もどき」にはその一線の侵犯がある。それは限度を越えて克明に真似をすることで、真似される対象が、何か受け身の存在であること、その物まねの行為の中には、物まねを行う人間の自由があることを誰の眼にも明らかな形で示すのである。

『天皇の肖像』を書いた多木浩二によれば、明治前期に、日本政府が、通貨に天皇の肖像を埋め込むことをためらい、結局それを避けたのは、もし天皇の肖像が貨幣になったら、これを足で踏みつける不埒な輩も出てくるのではないかと恐れたからだった。貨幣の肖像とは無数の模像にほかならないが、当時、天皇は、まだそれまで徳川幕府の治政下にあった民衆に神聖性を帯びた象徴として畏怖の念をもっては迎えられていなかった。そのため、明治政府は、イギリスの場合のように、国王、君主の権威を、貨幣になり、具体的行為でその模像を汚されても毀損されないほどにも強い、という形で示すことができず、逆に模倣できない御真影を民衆に崇めさせることを通じ、それを作り出そうとしたというのである。[33]

「もどき」の中にあるのは、この時明治政府が直観している模倣行為の中にある模倣者の自由、模倣対象の神聖さの侵犯にほかならない。それは揶揄すると見えてへつらい、へつらうと見えて抗う。それはその両義性をテコに、模倣するものへの服従をくぐり、それを相対化し、あわよくば相手にとって代わろうかという、そこではよく見ると服従することが抗いであるような抵抗的服従なのである。

もっとも、この芸能の初原の優者と劣者の対位劇は、「地方神の降伏」で終わる。しかし、だからといってその抵抗が無意味だというのではない。劇は降伏に終わるが、その後に、最後、「地方神のしかめっ面」が残ると、鶴見はいう。

鶴見がここに取りだしている地方神の「しかめっ面」とは、後にこの余興劇から派生したお神楽、田楽、能の中で、中央神の「翁」面に対する「癋見」という名のお面に結実する

〝渋面〟をさしている。「癋見」について、『広辞苑』は、「口角に力を入れて両唇を強く結んだ異相面」と記しているが、「翁」がにこやかに笑っているのに対し、「癋見」はむっつりと苦虫をつぶし、口を真一文字にとじている。鶴見は、この「癋見」につながる敗者の「しかめっ面」に、一見しての全面的な屈従のただなかに埋もれている「抗い」と「背き」、一点の「緊張」を、見るのである。

この一点の緊張とは、何だろうか。

「もどき」とは、自分を無にし、完全に相手の真似に徹することである。そうすると、そこから、相手への抗いの意味が生じてくるのだという。とするなら、これは、ほとんど「ホンネ」の反対物である。「ホンネ」とはほんとうらしいがほんとうではないものを、ほんとうとみなすところに現れる擬似的な真だが、「もどき」は、嘘らしいが嘘ではないものを、嘘(真似)として示すことで、そこに真を現出させようという絶望的な身ぶりだからである。ホンネはいわば「ほんとう」という容れ物に入れられた雄弁な「うそ」だが、「もどき」は、「真似(=うそ)」という容れ物に入れられ、猿ぐつわをかまされた、動きをとれなくされた「ほんとう」なのである。

この翁と癋見の一対が、幾星霜の変転をへて、現代の漫才におけるツッコミとボケに連なっていることは容易に納得がいく。ツッコミはコトバを連発する。ボケはたじたじと、勢いに押され、口をつぐむ。しかし芸が終わった後、わたし達の脳裏に強く残るのは、あの「ムチャクチャでござりまするがな」を連発する、劣者の困惑の表情である。わたし達は、ほとんど言葉にならないもののなかに、言葉にならないものの苦しさを感じる。その凝固した困惑の表情に、いわば物まねに覆われ尽くすことによって現前する「ほんとう」を見ている。しかめっ面のお面に残る一点の「緊張」とは、その「ほんとう」の一瞬の開示なのである。

さて、鶴見によれば、この折口信夫いうところの古代芸能の起源となった基礎構造の形成は、列島の歴史上、古代の「日本に中央政府がつくられた時代」に遡る。この二者の対峙の特徴は、ここに面と向かっての対立も反抗もないことだが、こうした優劣の二者の対立を孕みながら明示されない緊張した関係の原型は、次のような中央から地方にやってきた官僚と地方(じかた)の人の関係に求められる。

> 中央政府から地方の役職に派遣された官僚は、中国風に漢字を連ねて書かれた御触書を持って地方にやってきました。この中央の御触書は、地方にずっと住んでいた人たちには、そのまま真似をすることができません。地方の人はこの公けの言葉を使って中央の官僚に口答えすることができません。というのは、この中央の官僚の言葉は中国から輸入された漢文の書式に基づいていたからです。そこで中央の役人は服従されるわけですが、しかし服従には、渋い感情といくぶんの不満が含まれていました。　（同前）

ここに優者と劣者の対立が顕在化しない理由を、こう語ることができる。ここでの優者と劣者の関係は、勝者と敗者ほどにははっきりしていない。劣位にある地方の人は、中央の言葉を使いこなせない。彼は口答えできないため、黙る。しかし中央からやってくるのが文化的に圧倒的に優位な中国人であったり、圧倒的な武力を背景にした制圧者だというならまだしも、この場合は彼のあやつれない言葉をあやつる中央の官僚も、同じ列島の住民である。それは、圧倒的に優位な文化の前での屈従を共有した、それに立脚する、派生的かつ相対的な優劣関係である。この相対性は、いわば全面屈服とセットになっている。そこでの地方の民の屈従は、相対的であると同時に、絶対的である。彼らの屈服は、そうであればこそ、つねに「渋い感情といくぶんの不満」を含んだ、〝深い屈服〟とならざるをえないのである。

「瘂見」が形象化しているのは、その「渋い感情といくぶんの不満」を基底とした、言葉にならない「しかめっ面」としての屈従的抵抗にほかならない。それは面と向かっては抗弁しないが、優者に抗う。それは「もどく」。「主役のしぐさや話すことをとぼけた仕方で真似をし」、屈服するが、「その真似ごとのとぼけ加減を通して」屈服しつつ、「すべて受け入れなければならない約束」の「主役の言いつけ」に、「抗い、また背」くのである。

では、この抵抗的屈従がその「緊張」のうちに開示する「ほんとう」とは、優者への全面屈服という状況の中で、どんな意味をもつのだろうか。

多田道太郎は、書いている。

　面の連想でいえば瘂見というふしぎな面がある。べしみは口をぎゅっとつぐみ、眉をしかめ、断じてものは言わぬという表情をしている。瘂という字は啞に通じるので、何を言われても返事はしないという精神の表現である。責任(リスポンシビリティ)ということばがあるが、責任とはリスポンドする(返事する)ことである。問いにたいしてまともに答えることである。しかし、権威と圧力とが支配している世の中で、まともに答えることは圧力に服することにつながってゆく。そこで、むかしの征服され、圧服された神々は、一切新しい神の威力にとりあわぬことにした、それがべしみの面の起源である〔折口信夫「日本文学における一つの象徴」〕。(『遊びと日本人』[34])

先に引いた鶴見のいう中央の役人と地方の人の対峙の場面で、地方の人は言葉をもつ中央の役人に「口答え」できない。ほんとうをいえば、レヴィ＝ストロースが明らかにしているようにどのような〝劣位〟の土着文化にも、地方の言葉があり、考え方があり、論理がある(『野生の思考』)。しかし、中央の言葉、考え方、論理が圧倒的にそれに優越する力関係の中で、それは非言葉、非思考、非論理とみなされ、しかも――ここが大切なところだが――地方の人自身に、そう感じられる。

ここでの要点は、地方の文化、言語、考え方を、中央の人間が否定するだけでなく、地方の人が自らこれを否定するようになる、ということだ。地方の人はいわば「委縮」するだけでなく、ついで「棄教」し、最後、優者の教えに「帰依」するのである。

もし、ここで地方の人、つまり劣位の人が自分の文化の言葉、思考、論理に自信をもてるなら、「癒見」は現れない。その代わりに、「面従腹背」が現れる。つまりここには、敗者が死ぬことを肯んぜず、奴隷としてでもなお生きるという場合の、三つの選択肢があるので、彼は、完全に自分を棄てて全面屈服するか、無力のまま徒手空拳で屈服しつつ屈服そのものを通じてその優劣関係に抵抗する道を探るか、また「面従腹背」に徹するか、そのいずれかを選ばざるをえないのである。

むろん、もし自分をこれまで支えてきた信念に信頼をもてるなら、彼は「面従腹背」を選ぶことができる。しかし、その敗北がこれまでの信念を打ち砕くような種類のものである時、彼には、どんな道が残されているのか。「癋見」と「もどき」による、不動の抵抗心の拠点すらもたない古代の日本列島住民の抵抗の経験は、ここで、わたし達の戦後と、向きあうのである。

終わりに

ここまで述べてきたことを戦後の問題として考えれば、「面従腹背」とは、本心をウチに隠し、敵を欺き、オモテ向き、敵に従うことである。これに対し、「タテマエとホンネ」とは、いったん完全に優者に屈服、帰依した劣者が、その優者が立ち去った後、自分のぶざまな完全敗北を認めまいとして行う自己の籠絡の試みにほかならない。しかし、もし心から勝者の力と道義と論理に〝脱帽〟し、全面屈服した場合、そういう人間に残された道は、そのことを自他に対し、隠蔽し続けるか、そうでなければ、優者への屈服を引きずり、そのことを内心後ろめたく思い続けるかのいずれかだけなのだろうか。そこにはもう一つ、あの「癒見」が教える抵抗の道が残されている。多田はそれが、いったい全面屈服の相手の何への抵抗であるかを、語っているのである。

わたしが考えるのは、たとえばハンナ・アーレントの公共性というような「リスポンシビリティ(=応答可能性)」を前提とした考え方である。信念が信念であるためには、語られ、「現れ」をもたなければならない。それがアーレントのいうポリス的(政治的)であること、公共的であることの原点である。失言と前言撤回、タテマエとホンネという考え方がどのように公共性、政治性、他者との関係を阻害するその模造物にすぎないかは、その傍らにこのハンナ・アーレントの公共性の考え方をもってくれば、一目瞭然である。しかし、たぶんそれだけでは、この考えを根絶することはできない。タテマエとホンネを批判するのに、このアーレントの公共性の考えをもってくるとして、そこに、すきま風がすぎるような腰高な感じが否めないのは、なぜだろうか。タテマエとホンネという考え方は、なるほど浅薄な劣者の自己欺瞞装置かもしれないが、あの最低の場所、全面屈服の経験から生まれている。それは、ギリシャ人のいうバルバロイ、野蛮人の愚劣な考えかもしれないが、しかし、その愚劣さを通じ、いわば正しい者の正当性がもつ政治性、何が正当であるかを自ら定義する力の非正当性ともいうべきものを、逆照しているのである。

多田は、圧倒的な優劣関係におかれ、言葉自体が相手に奪われているような状況で、リスポンドすること(口答えすること)は、「圧力に服することにつなが」る、という。リスポンシビリティ(＝責任)という考え方は、別にいえば、勝者が自分のおさめる世界に公平をもたらすために、そこにルールを導入するということである。勝者は、あるいは優位者は、そこで誰の目から見ても非の打ち所のない公正なルールを示し、それを実現するためにそれを敷く。公平は、たぶんルールが敷かれることによってはじめて実現されるが、しかし、そのルールの布告は必ずや、権力の行使をともない、またそれ以前のルールの排除を帰結する。そこにはすでに優位関係がある。だから、全面屈服者にとっての抵抗は、何よりその初原的な優劣関係への抵抗という形をとる。つまり彼は「口をつぐむ」。ゲームに参加しないことが、そこでの無力者の最後の抵抗なのである。

抵抗はそこでは、「口をつぐむ」ことにはじまり、ついで、言葉を奪われた身体が「身をよじる」形に進むだろう。もしそこに好個の対象があれば、たちまちそれはそれに憑依するに違いない。物まねが彼にとって唯一の自由の場所になるのはそのためである。しかし、所詮その物まねが抵抗としては敗北を運命づけられているのも、そのためである。

しかし、だからといって、その屈従的抵抗が無意味だということにならないだろう。鶴見によれば、抵抗は降伏に終わる。しかしその降伏は一つのお面を残す。あの「癋見」という面は、その後、近世になると、その表情をかえ、別の顔になる。鶴見によれば、いまわたし達に親しい「ひょっとこ」が、「癋見」がさらに歪んで変わったものである。それはお神楽では、いまなお「もどき」と呼ばれる(折口信夫「翁の発生」)。また多田によればこの「ひょっとこ」も、「癋見」同様、「主たる神に対してもどく精霊」の一つだという。なぜあの苦虫をつぶした顔がその後、こっけいな「ひょっとこ」面になっているのか。わたしはそこに、あの癒見の面をつけた劣位者たる古代以来の列島の住人たちの、自己戯画化、自己批評の力の現れを見る。全面屈服した人間が、その屈従的抵抗の中で卑屈な自分を直視し続けた結果が、このわたしの想像によれば、あの苦虫つぶした顔をこっけいなひょっとこ面にしている。

わたし達がタテマエとホンネという考え方を根絶し、あの全面屈服を深く生きることとすれば、それは、アーレントのいう公共性を生きることが、その先に抜け出ていくことと重なる時である。タテマエとホンネを越えるのは、あの失言者たちより深い「低さ」なのだ。タテマエとホンネをむしろ全面屈服の深さで凌駕することが失言者たちの浅さと弱さを否定することなのである。

そういうことは可能だろうか。

その可能性は、わたし達の周囲に、いま「ひょっとこ」の顔になって、浮かんでいる。

(1)　小熊英二『単一民族神話の起源――〈日本人〉の自画像の系譜』新曜社、一九九五年。

(2)　後出の調査結果、「国語辞典の「タテマエ」の語釈一覧」(表1)、「朝日新聞記事見出しにおけるタテマエの用例の出現推移」(表2)、並びに注19、注20を参照のこと。

(3)　岡崎哲二・奥野正寛編『現代日本経済システムの源流』(日本経済新聞社、一九九三年)、野口悠紀雄『一九四〇年体制――さらば「戦時経済」』(東洋経済新報社、一九九五年)、他に堺屋太一の著作など。なおわたしも別個の観点から一九六〇年代にはじまる「高度経済成長」政策が、一九四〇年代初頭の「高度国防国家」体制の担い手たちの複製という側面をもっていることに着目し、その反復性を指摘している(『日本という身体――「大・新・高」の精神史』講談社、一九九四年)。

(4) この記事は共同通信が一九九五年一月一八日付で地方新聞に配信し、海外メディア、テレビニュースなどに取りあげられた。なお共同通信配信記事はこれを「暴言」と表現している。この発言はほかに、朝日新聞一九九五年一月二〇日にもある。

(5) 藤尾正行文部大臣の発言は罷免の前後、二度『文藝春秋』誌上に発表されたが、それぞれ「〝放言大臣〟大いに吠える」(『文藝春秋』一九八六年一〇月号)、「〝放言大臣〟再び吠える」(同前、一一月号)と題された。

(6) 戦後の失言を出現順に表としてまとめたものには、『思想の科学』一九九五年六月号の特集「戦後検証2 失言の肖像」のために井上迅によって作成された「戦後の失言」がある。この文章はこの調査結果を基礎に、失言を考察している。

(7) 根本龍太郎自治相臨時代理の一九七一年六月一五日の発言。日本復帰を前に、沖縄が本国政府からの過保護に甘えていると述べた。六月一六日釈明。

(8) 原健三郎労相の一九七二年一月一五日の発言。本文に後出。一月二八日辞任。

(9) 中曽根康弘首相の一九八六年九月二二日の発言。「アメリカは黒人とか、プエルトリコとか、メキシカンとか、そういうのが、相当おって、平均的にみたら非常にまだ低い」と述べた。九月二七日陳謝。

(10) 堀之内久男農相の一九八九年七月七日の発言。「女性が政治の世界で使い物になるか」と述べ、土井たか子社会党委員長を誹謗した。七月八日陳謝。

(11) 朝日新聞「強気の引け際――倉石さん」一九六八年二月二四日。

(12) 奥野誠亮国土庁長官の一九八八年四月二二日・二五日、五月九日・一一日の発言。四月二七日に釈明、五月一三日に辞任。
(13) 中西啓介防衛庁長官の一九九三年一二月一日の発言。「半世紀前に作った憲法に後生大事にしがみついている妙なあり方はどう考えてもまずい」。一二月二日辞任。
(14) 藤尾正行文相の一九八六年九月六日の中曽根・藤尾会談での発言。
(15) 本島等長崎市長は、一九八八年一二月、昭和天皇の死去寸前という時期に、共産党の議員が天皇の「ご病気回復祈願記帳所や戦争責任問題など」に関する質問をしたのに答えて、こう述べた。「外国や日本の歴史家の記述を見ても、そうだし、私が軍隊生活で教育関係の仕事をしたことからも、天皇の戦争責任はあると思う。しかし、日本人の大多数と連合国側の意志によって、それが免れて、新しい憲法の象徴となった以上、(記帳所開設などは)そういう解釈で対応しなければならない」。なお、「発言撤回は死に通じる」は、朝日新聞、一九八八年一二月一二日「ひと」欄での発言。
(16) 朝日新聞、一九九四年五月七日社説「法相は国益を深く傷つけた」。永野茂門法相は一九九四年五月三日に問題発言を行い、五月六日に謝罪会見を行なって「私の過去の歴史に対する発言は不適切だった。撤回したい」と述べている。
(17) 山田風太郎「戦中派の考える「侵略発言」」『文藝春秋』一九九四年一〇月号。
(18) 折橋徹彦「ホンネとタテマエ」(南博編『日本人の人間関係事典』講談社、一九八〇年、所収)。
(19) 久野収「日本の超国家主義――昭和維新の思想」(久野収・鶴見俊輔『現代日本の思想』岩波新書、一九五六年、所収)。久野はこう書いている。「こうして、天皇信仰が科学はもちろん、常識とさえ明白に衝突する側面をもちながら、しかもその信仰が、上から国民をとらえる圧力を強めれば強めるだけ、天皇信仰は「たてまえ」化し、「たてまえ」と「ほんね」とを表裏二様に使いわける偽善的態度が国民を支配しないわけにゆかない」(傍点引用者)。

(20) 谷川雁「日本の二重構造」(『〈現代の発見〉第一三巻 亀裂の現代』春秋社、一九六一年、所収)。谷川はこう述べている。「舶来と国粋という対照は、「和魂漢才」の昔から攘夷・開国論を経て、いわゆる転向の論理にまで貫徹しており、さきごろの安保闘争においてもはげしく噴出した。だが純然たる舶来または国粋というものが一つの歴史社会に存在するはずはなく、そのような定式による葛藤はなにがしか偽装された意識によって支えられていることを見抜いたのは、むしろ外国人たちであった。それはいわゆる「たてまえ」と「本音」の対比として指摘される」(傍点引用者)。なお、ここで谷川が、何をさして、「「たてまえ」と「本音」の対比」が外国人による指摘にあると述べているかは不明。

(21) 作田啓一『価値の社会学』岩波書店、一九七二年。作田はこの本の第二編「日本社会の価値体系」Ⅶ章「価値体系の戦前と戦後」第一節「価値の二重構造——タテマエとホンネ」でタテマエとホンネについて論じている。

(22) 土居健郎『表と裏』弘文堂、一九八五年。

(23) 増原良彦『タテマエとホンネ』講談社現代新書、一九八四年。

(24) 土居が本文に引用している宣長の文章は、以下の通りである。「表はたはむれにいひなせるところも、下心はことごとく意味ありて、褒貶抑揚(ほうへんよくやう)して論定したるものなり。しかも文章迫切ならず、ただ何となくなだらかに書きなし、また一部の始めにも書かず、終りにも書かずして、何となきところにゆるやかに大意を知らせ、さかしげにそれとはいはねど、それと聞かせて書きあらはせること、和漢無双の妙手といふべし。しかるに古来注解多しといへども、ただうはべばかりひとわたりの注にて、作者の本意あらはれがたく、また誤りて注せること多きゆゑに、大きに本意にそむき、義理を取りそこなひたること多きゆゑに、今くはしく注解をなし、ことに表裏の義をつまびらかに注し分くものなり。見む人よくよく心をとどめて、表の義と下心に含めたる裏の義とをわきまへて、混ずることなかれ」(傍点土居、「紫文要領　巻上」『本居宣長集』新潮社、一九八三年)。

(25) ハンナ・アーレント『人間の条件』(志水速雄訳、ちくま学芸文庫、一九九四年)、『革命について』(志水速雄訳、同前、一九九五年)。

(26) 袖井林二郎『拝啓マッカーサー元帥様——占領下の日本人の手紙』大月書店、一九八五年。

(27) このあり方の戦後における ほぼ唯一の例外が、『英霊の聲』を書き、戦争の死者に昭和天皇を糾弾させた三島由紀夫である。

(28) 江藤淳『閉された言語空間——占領軍の検閲と戦後日本』文藝春秋、一九八九年。

(29) 明治維新期には旧佐幕派の武士階級の多くがキリスト教に帰依したが、これも同じ心的機制の現れである。そこでキリスト教は明治新政権のイデオロギーが及ばないイデオロギー圏を意味している。そのようなものとして、明治維新期にキリスト教として現れたものが、戦後、アメリカの圧倒的な影響圏を免れたものとしてマルクス主義の形で現れている。明治期にも、当初の激動期が終わると徳富蘇峰をはじめ、多くの知識人がキリスト教を離れた。それと同じく、戦後期も、時がたつと、多くの知識人がマルクス主義を離れ、数十年たってみると、保守的な反米主義者となっている。

(30) 鶴見俊輔『太夫才蔵伝——漫才をつらぬくもの』平凡社、一九七九年。

(31) 鶴見俊輔『戦後日本の大衆文化史』岩波書店、一九八四年。

(32) 折口信夫「翁の発生」(『折口信夫全集』第二巻、中公文庫、一九七五年)。「日本文学における一つの象徴」(同前一七巻、同、一九七六年)。

(33) 多木浩二『天皇の肖像』岩波新書、一九八八年。

(34) 多田道太郎『遊びと日本人』筑摩書房、一九七四年(『多田道太郎著作集』第四巻、筑摩書房、一九九四年、所収)。

「瘠我慢の説」考

――「民主主義とナショナリズム」の閉回路をめぐって――

一

「民主主義とナショナリズム」という時、何と何が対比されているのだろうか。民主主義とは何か、ナショナリズムとは何か、この二つを考えることでこの対比の意味に迫るしかたもあるが、ここでは、このわたし達に親しい一対の存在に注目し、この一対性それ自体を手がかりに、この問いについて考えてみたい。

この両者の比較の枠が日本の思想の伝統の中でもっている意味と、それのさしだしている課題について、福沢諭吉の「瘠我慢の説」を手がかりに考えてみようというのがこの文章のアイディアである。

「民主主義とナショナリズム」という二つのイズムの組合せからなる問題設定は、さしてわたし達に違和感を与えない。それについては、それなりの理由があると考えなければならない。少なくともこの二つの政治原理、精神原理を生んだ西欧で、民主主義ないしナショナリズムが問題とされる場合、その考察上の対項に、それぞれ、ナショナリズム、民主主義がくるのは、そうポピュラーな現象ではないと思われる(1)。

わたしの考えを先にいえば、この組合せでこの二つのイズムをそれぞれ考えるという仕方は、こうした近代的概念を外来思想として移入した非西欧の後発近代化国に、かなりの程度、通有な現象である。

それは必ずしも日本に固有な問題枠組みというのではない。しかし、その上でいうなら、にもかかわらず、日本の戦後の社会におけるこの「民主主義とナショナリズム」という問題枠組みは、後発近代化国におけるこの二者の対項関係の中でもかなり特異なケースに属するのではないかと思われる。わたしは他の例を知っていうのではないが、しかし、これを身近かな明治期日本のケースと比較し、その違いをヒントにそう考えるのである。

では、戦後日本と明治期日本とで、この「民主主義とナショナリズム」の対項のありようは、どのように違っているだろう。

たとえば、一九四八―四九年に刊行された文部省作成の教科書『民主主義』は、「多くの人々は、民主主義とは単なる政治上の制度だと考えている」が、それだけではそれを「ほんとうに理解することはできない」「たいせつなのは、民主主義の精神をつかむこと」であり、その根本は、「人間の尊重ということにほかならない」と述べている(文部省 一九四八―四九、一六―一七頁)。

この民主主義理解の特徴は、民主主義が、いわば近代的精神原理の代表であるかに――その可能性の最大幅で、広義に――とらえられていることである。これは、民主主義が近代的な政治制度の中の一つ(ワン・ノブ・ゼム)として、たとえば同じく近代的制度である自由主義あるいは共和主義と組合わせて論じられる西欧の場合にくらべ、かなり特異なことといわなければならない。

どんな場合でも新しい主義主張の登場は、先行するそれへの対抗、対位の関係づけをもつ。そして、多くの場合、新しい主義は、先行する主義との対項関係のうちに自分を同定するが、では、この場合、こうした近代的原理の代表としての民主主義は、何を自分の対抗者に擬しているのか。それは別種の近代的な原理を対抗者にしているというより、ある反近代的な原理を対抗者にしている。民主主義は、戦前日本の悪しきものを一掃する戦後日本の良き価値の体現物として自分を同定しているので、そこで悪役を務める戦前の悪しき原理をさして、わたし達は、ナショナリズムと呼んでいるのである。

こういうあり方は、明らかに戦後のものである。この民主主義とナショナリズムの対項関係の特質は、そこで両者が互いの鏡として存在している、ということにほかならない。辞書を見れば、男とは人間のうち、女でないもの、女とは人間のうち、男でないもの、とあり、ここで鏡像的関係というのは、こうした相互依存的対項関係をさすが、ここで民主主義とは、ナショナリズムでないもの、ナショナリズムとは、民主主義でないものなのである。

しかし、民主主義とナショナリズムというこの対項関係は、もちろん近代日本にあって戦後はじめて現れたものというのではない。丸山眞男は「明治国家の思想」の中で明治維新の精神的な立地点を二つの主張の対項の構図として描いている。その二つの主張とは、尊皇攘夷論に端を発する国権論と、公議輿論思潮に端を発する自由民権論であり、言い方をかえれば、政治的集中の表現であるナショナリズムと政治的拡大の表現である民主主義の二項的対立の形で、この対項関係の起源は、明治期における民権論と国権論の対立にまでさかのぼるのである(丸山-一九七六、二〇二—二〇三頁)。

ところで、この明治期の民主主義(民権)とナショナリズム(国権)の対立は、そこで丸山が、山の頂きを高めようという垂直方向の動きと、山の裾野を広めようという水平方向の動きのせめぎあいとして語っているように、そのそれぞれが、国民国家の創設という目標との関係を保った、国民国家創設の二つの力点の間の角逐にほかならない。なぜこのような対立が生じるか、その理由もはっきりしている。一方は、国内的な自由と平等の実現を先行させようとするが、他方は国家の独立つまり国力の増強を優先させようとする。一方は、通時軸に相手をとり、過去の身分制社会との関係で、国内的な自由と平等の確立をめざすが、他方は、共時軸に相手をとり、他国西洋列強の植民地化の動きに抗して、対外的な独立に必要な国力の増強をめざす。これが、近代化を国の独立を確保しつつはからなければならない後発国に固有の二項対立となる所以だが[2]、すぐにわかるように、この丸山の指摘する民主主義(民権)とナショナリズム(国権)の対立は、戦後のそれと同じではない。というのも、先の戦後の民主主義とナショナリズムの対項の構成要素には、ともに、自力で古い体制を壊し、新しい体制を作るという国家(ネイション)につながる回路が欠けている。明治の民権と国権の対立は、ともに国民国家の創設という目標と、それぞれ、徳川社会、西欧列強という相手をもった自律した理念同士の対立であり、これをボートと見ればこの二つのボートはそれぞれ、同じ岸壁の別種の杭につなぎとめられているのだが、戦後のそれは、いわば共通分母もそれぞれの基盤ももたない、互いに相手に結びつけられ、浮遊するボート同士にも似た、一方が消えれば他方も消える、鏡像的な対立にすぎないのである。

そうだとすれば、わたし達は、この戦後における二つのイズムの対項関係を、まったく違う視点から考えなくてはならない。この戦後型対項関係の特徴は、この二つがつねに、先の男女の例のように、相手なしには自分を特定できない概念となっていることである。[3]なぜこのようなことになるのか。そこにあの「敗戦革命」なるものの他律性が顔をだしていることは、いうまでもない。民主主義という概念は、戦後再び移入されることで戦後日本の社会に何かを新たに〝作りだし〟ているとまでは言えない。ナショナリズムについても同じことがいえる。これらは、外からもってこられ、すでにある要素、項目の上にレッテルとしてはられ、いまもそれを指示する記号として機能している「符号」にすぎないのである。

それでは、この一対のコトバの組合せは、つまるところわたし達の社会の中の何を指示しているのだろうか。

わたし達はこの対項関係の中で、民主主義に外来の普遍的な価値を代表させ、ナショナリズムに土着の特殊固有な価値を代表させている。この二つは、それぞれこうした役割分担を行うことで、戦後についていえば、革新派と保守派の対立を代弁してきた。〝代弁〟されるその当のものがほんらい鏡像的な一対の概念であることを反映して、空の容れ物としてその二つを代弁するこの戦後型の対項関係は、これもやはりそれをなぞり、鏡像的一対の対項関係になり終わっているのである。

問題は、ここにいう民主主義、ナショナリズムが、そのような「非言語」であるにもかかわらず、そうとは受けとられていないことにある。このそれぞれが、独自に概念を指示する「言語」であるなら、これが一方を取れば他方を否定しなくてはならない二者択一的命題どころか、ともに国民国家の成立とほぼ時を同じくして誕生した双生児的な近代概念であることが、わたし達の眼に明らかになるだろう。しかし、いわば自力で「敗戦革命」を果たしたのではないわたし達の戦後においては、そのことの直視の回避という無意識の欲望にも動かされて、民主主義もナショナリズムも、ともに国民国家と自分を関係づけたがらない傾向をその特徴としてきた。(4) そのため、この二つのイズムの対項は、ますます鏡像的となり、これまで長い間、戦後社会の言説を、その深刻な袋小路に閉じこめる結果を招来してきたのである。

共産主義を信奉する政党が「平和と民主主義」を標榜し、偏狭な民族主義的志向をおし隠す政党が自由民主党つまり「自由と民主主義」の党を名乗った。そこではあれほどこのコトバが氾濫したにもかかわらず、民主主義の実質を誰もがマトモには受けとっていなかったことが明らかである。論壇では「戦後民主主義」なるコトバが語られたが、このような風潮によりかからない民主主義の言語化の努力は丸山眞男などごく一握りの知識人によって続けられたにすぎなかった。

わたし達は、戦後、ほんとうは民主主義にも、ナショナリズムにも、出会わないできたのではないだろうか。わたし達が民主主義と思ってきたものはナショナリズムの前面の鏡に浮かぶ対立鏡像にすぎず、一方、ナショナリズムと思ってきたものは、民主主義の前面の鏡に浮かぶ対立鏡像にすぎなかった。

したがって、この「民主主義とナショナリズム」という問題領域がわたし達にさしむけてよこしている課題とは、一言でいえば、このようなものとなる。

ここにあるのは、あの合わせ鏡空間のちょうど逆構造の空間であって、そこには民主主義とナショナリズムという二つの実体が存在するが、ただその中間に両面鏡が介在し、両者を隔てている。両者を隔てるものが鏡であるため、両者とも、鏡像を相手と見間違え、隔てられていることに気づかない。

その二つの間にある両面の鏡を、取り除くこと。そうすることで、この二つのものをじかに対面させること。

なぜわたし達の社会、とりわけ戦後社会は、ナショナルなものに関心をむける民主主義者、普遍的な価値に身をよせるナショナリストという像を、それほどもたずにきたうえに、現にいまも、もっていないのか。

二つの間にある鏡を取り除くとは、これら二つのものの対項関係の中で、対角線を描くこと、関係線を斜行させ、間に介在する鏡を壊すことである。これら二つの概念を「言語」として再び吟味し、身体化し、じかに対面させ、その対面を生きる以外に、この二つの「イズム」の間に鏡をはさんだ袋小路的対項空間を壊すことはできないのである。

しかし、このじかの対面を生きるとはどういうことだろうか。

その結果、この二つのイズムの「現在」からわたし達はどういう課題を受けとることになるのか。

その手がかりは、残念ながら戦後の、日本の、文物からは得られない。

さしあたり日本語で書かれたもののうちにそれを求めようとして、わたし達は時代を約百年ばかり、さかのぼらなくてはいけないのである。

二

ここで、すぐに百年前の福沢諭吉の「瘠我慢の説」にいく前に、もう少し別の面から、民主主義とナショナリズムについて見ておきたい。そもそもこの二つは、どういう関係に置かれる政治原理だろうか。

ナショナリズムは民族主義とも、国民主義とも訳され、後に見るように国民国家の基本要因としての「言語」から「日々の人民投票」までの広がりで解されているが、民主主義は、そういうナショナリズムの起源である国民国家の成立を、ある意味で自分の現実的な基盤として成立している。橋爪大三郎は、民主主義を「関係者の全員が、対等な資格で、意思決定に加わることを原則にする政治制度」と定義している(橋爪・一九九二、一〇〇頁)。民主主義は閉集合の集団を前提とする政治原理であり、この閉集合の単位として、国民(ネイション)という概念を、国民国家の成立から、手に入れているのである。

一方、ナショナリズムは政治思想として、二・二六事件の青年将校が東北農村の救済を決起の理由にあげていることに知られるように、民主主義の原理の一つである平等を、当初から自分のうちに含んでいる。また後述するようにカール・シュミットは自由主義と対比して、民主主義の本質の一つを民衆に同質性を要求する点に見ているが、ナショナリズムもまた、この構成員の同質性を、何らかの形で基盤として自分に繰りこむ政治概念にほかならない。ここで民主主義を、古代ギリシャの民主政と区別して用いれば、近代初頭にほぼ時を同じくして生まれたこの二つの近代的政治思想、精神態度は、ほんらい対立するものというより、いくつかの接点をもつ、双生児的存在なのである。

ところで、そう考えてみて、面白いのは、次のことではないだろうか。

元来、ナショナリズムと民主主義は、自由主義、個人主義、資本主義と同様、一六世紀イングランドあたりにはじまる中世から近代への動きの中から現れ、革命をへて国民国家の成立によって現実化する、ほぼ同時期生まれの近代概念だが(5)、これがいったん西欧という出生の地を離れ、よその国に輸出されると、二つのうち、一つ、ナショナリズムは土着かつ特殊、もう一つ、民主主義は外来かつ普遍と、それぞれ非西欧後発近代化国の近代の範型に沿って「棲み分け」る。いわば同じ年齢の二人の子どもが、よその土地にやられると一人は子どもっぽい子、もう一人は大人びた子と、役割をそれぞれ「振り分けられ」るのである。

　むろんナショナリズムは西欧でもそれに後発的要素のひそむドイツなどの場合には、土着の固有特殊の因子である「血と大地」と結びつくが、その場合でも、そこでそれはナショナリズム本来の近代的因子によるチェックを受ける。それはフィヒテの『ドイツ国民に告ぐ』に見られるように、そのドイツでなお国民国家の一因子であり、カール・シュミットにおいても、同じ一因子たる民主主義とは、同列に置かれこそすれ、対立していないのである。これに対し、後発近代化国では、同じく外来の新しい近代的考え方であるはずのナショナリズムが反近代の概念に転化し、民主主義はたとえば前近代的な慣習などからとらえ返されることなしに、ますます外来性、近代性を強化され、その対項を形成することとなる。

　しかし、なぜこのようなことになるのか。外来と土着という後発近代化国に特有の対項の範型は、ふつう思われているように、近代と反近代(＝近代でないもの)の対立を意味しているのではない。ここに言われる反近代(＝近代に反対するもの)というあり方がすでに近代の所産であるといえば、わたしのいうことが伝わるだろうか。近代は外来文化として移植されると必ず反近代という近代化作用を移植先に発生させるが、それがともに近代の所産であることが、あの民主主義とナショナリズムという大人びた子と子どもっぽい子の一対性に顔を見せているのである。

　近代と近代でないものの対立は実をいうと対立という形をとらない。近代の到来は、近代でないものを隠し、近代と近代でないものの対立を見えなくする。その代わり現れるのが、外来と土着、近代と反近代というこの対項である。それは対立としては見かけにすぎない。それは、現実の対立を表現しているのではなく、むしろ多くの場合、近代が移入されることで後発近代化国に生じる事態の解決困難をこそ表現している。ナショナリズムか、民主主義か、土着文化か、外来文化か。問いはどのようにも現れうるが、それは対立としては仮象である。この難問を解こうとすれば、この難問の仮象性を明らかにする以外にない。ここでは、この脱出不可能な袋小路を壊すことが、この袋小路からいかに抜けだすかという仮象の問いを解く、ただ一つの答えなのである。

さて、こう考えてくれば、わたし達が考えようとすることが、次のような位置にあることがはっきりする。

戦後日本型の民主主義理解、ナショナリズム理解は、近代を生んだ西欧におけるそのそれぞれの理解とだいぶ違っている。

たとえば、現在の西欧における民主主義をめぐる問題設定を枠づけているのは先に述べたように民主主義対自由主義という対項関係である。カール・シュミットは、一九二三年に書かれた『現代議会主義の精神史的地位』で、民主主義が民衆に同質性を要求するのに対し、自由主義は異質性を要求すると述べ、両者の対立する所以を明らかにしている（シュミット－一九二三、二一－二二頁）。また一九三二年の『政治的なものの概念』では、ヤーコプ・ブルクハルト等の民主主義観に触れ、民主主義が「国家と社会との間の境界を消し」「すべてを絶えず論議可能かつ変更可能のものとして留保することを欲」する世界観であるのは、政治的なものへの治外法権の領域はないとする国家総動員体制の全体主義への第一歩だという、これもいまのわたし達からして意表をつく見方を披瀝している（シュミット－一九三二、一〇一一頁、傍点原文）。この点に関しては、政治的立場においてシュミットの対極に立つハンナ・アーレントも例外ではない。彼女は一九五一年に書かれた『全体主義の起原』で、民主主義の「条件の平等」の追求が構成員の集団内同質性を高める一方、今度は逆に人種という集団間の異質性を浮上させる結果になったと述べ、シュミットとは逆の立場から、やはり民主主義の逆説の根拠を、こう説明している。

法の前での万人の政治的・法律的平等は、社会的な、また物質的な境遇の同質性の増大をともなっていた。けれどもそのような境遇が同質的になればなるほど、個人と集団における非同質性も大きくなった。この一見逆説的な結果は、平等というものがもはや万物を超えた力を持つ神の前での、もしくは人類共通の運命としての死の前での平等を意味せず、人民そのものの内部での世俗的な組織的原理となったとき、必然的に人々の眼に見えてきた。このような条件のもとで、平等は、その基準となる尺度とその根拠となるべき超越的な実在性を、失うことになった。

（アーレント－一九五一、一〇一－一〇二頁。Arendt—1951: 54を参照し、手を加えた）

現在の西欧の民主主義論は、いわばこの民主主義をめぐるディレンマをどうすれば克服できるか、をその基本的な出発点とする。そこから出発して、理念型としての民主主義の内奥にひそむ逆説を取りだし、それを考察の主対象とする。(6)

これは、理念型としての民主主義の実現をめざし、その実現をさまたげる反民主主義的なもの(ナショナルなもの)の不正である所以と民主主義の正義である所以を強調する戦後日本の民主主義論とは、一八〇度すれ違うあり方といわざるをえない。しかし、西欧において考察対象となるこの民主主義のディレンマを、さらに一息おし進め、民主主義がメビウスの環を通っていつのまにかナショナリズムにつながってしまうディレンマ、というように敷衍してみると、一転、わたし達は、日本の戦後の範型から出発してこの問題を考えることの、また新たな可能性にひらかれるのである。

日本を含む後発近代化国で、いまなお問題なのは、民主主義とナショナリズムの対項関係として現れる近代対反近代の範型を、どう解体できるか、ということである。そのためのカギは、わたしの考えでは、ナショナリズムの民主主義につながる所以を明らかにし、一方民主主義のナショナリズムに根ざす類縁を回復すること、つまり両者の双生児性を明らかにし、それを、袋小路解体作業の出発点、基本的了解事項とすることにほかならない。ところで、この時西欧の民主主義論の焦点は、両者の双生児性を基本的了解事項に、ここに生じるナショナリズムと民主主義の閉回路をどう克服できるか、という形をとっている。「民主主義とナショナリズム」とは戦後日本にあっていわば最も通説的、かつ通俗的なこの二つのイズム考察における準拠枠だった。戦後の代表的ナショナリズム論の一つ吉本隆明の「日本のナショナリズム」も、これに依っている(吉本－一九六四)。いま、再びこの準拠枠からはじめるといえば、知的怠慢の誇りをまぬがれないとも見えるが、しかし、事実は逆で、わたし達は、この一番手前のわたし達の通説的理解から出発し、これを徹底し、その前提を踏み抜く時はじめて、現在の西欧における民主主義の問題の場所に抜けでるといえるのである。

三

さて、福沢の「瘠我慢の説」に対するわたしの考えの枠組みを、簡単に述べておく。

この文章は一八九一年(明治二四)、福沢諭吉によって書かれた。内容は、江戸幕府方の代表として官軍との敗戦講和交渉の任にあたった勝海舟の降伏方針と、維新後の出処進退に対する批判がその主たる部分で、これに維新後の出処進退について同じ問題のあった榎本武揚をあわせ、批判している。内容が激越な個人批判の側面をもつことから、執筆の年、擱筆後に、勝、榎本の両人と数名の知友に写しが示されたが、その後は、深く筐底に秘められ、一九〇一年(明治三四)、福沢の死の直前、この論のスッパ抜きがきっかけとなり、はじめて世に公表された。

この文章は、発表当時からいまにいたるまで、大筋において、維新の際に幕府方の指導的地位にありながら、敗北後、「曩(さ)きの敵国の士人と並立(ならびたつ)て、得々名利の地位に」納ったとされる勝、榎本にたいする批判の書と解されている。その受けとめ方は必ずしも誤りではないが、この書のめざす批判の主眼は、そこにないというのがわたしの考えである。

ではこの論の要点はどこにあるか。徳富蘇峰は、発表の直後、この文に触れ、「国民が緩急に際し、利害得喪を度外視して、国家と存亡を倶にするの精神」をもし「瘠我慢」と呼ぶなら、これを最重要とする福沢と自分の間に意見の相違はない、と述べている（徳富－一九〇二）。しかし、徳富のいう「国家と存亡を倶にするの精神」がいわゆる滅私奉公的自己犠牲の精神であるのに対し、福沢の「瘠我慢」は、公共的道徳心、「国家と存亡を倶にするの精神」の基盤が失われた後にそれでも残る「私情」を本質としている点、これとは全く違っている。勝とともに榎本を批判の対象にしているため、論点にブレがあるが、この書の中心軸をなす福沢の論理を辿れば、勝が誤ったのは、旧幕臣として仕えた徳川の「公」に殉じなかったためでも、かつて指導者として死に追いやった部下への責任をまっとうしていないからでもない[7]。勝の新政府への仕官をよくないとする理由も、福沢の論理を丁寧に辿れば、一般に考えられるように旧君への忠義をまっとうしていないといった儒教的なものとは違っているのである[8]。

勝氏は予め必敗を期し、其未だ実際に敗れざるに先んじて、自から自家の大権を投棄し、只管平和を買はんとて勉めたる者なれば、兵乱の為めに人を殺し財を散ずるの禍をば軽くしたりと雖も、立国の要素たる瘠我慢の士風を傷ふたるの責は免かる可らず。

（福沢－一八九一、二四五頁）

つまり、この文章の主眼は、勝がその無血江戸開城に際し、負けるとわかっていても最後まで抵抗する「瘠我慢」の精神を没却してしまったことへの糾弾にあるが、そこにいう「瘠我慢」の精神の核心は、「士風」とは書かれているものの、それが、「皇国の大義」とか「忠君愛国」とかといった公的なものの対極に位置する「私情」である点にある、というのが、ここでこの論を扱うわたしの力点なのである。

あらかじめ、わたしの着眼を示しておけば、わたしはこの福沢の論が、明治維新後、敗者としての旧幕臣の立場から書かれたほぼ唯一の敗北論で、かつ、フランスにおけるネイション論の礎の位置を占めるエルネスト・ルナンの「国民(ナシオン)とは何か」の九年後、一八九一年という時期に書かれている事実に、意味を見ている。

ルナンの「国民とは何か」と題する講演は、よく知られているように、一八八二年、普仏戦争の敗北によりフランスがアルザス・ロレーヌ地方を失い、失意の底にあるその〝戦後〟のさなか、パリ、ソルボンヌ大学でなされている。そこでルナンは、国民の基盤になるものは何か、と問い、種族、言語、利害、宗教的類縁性、地理、軍事的必要がそういうものになるかと逐一吟味し、それらだけでは国民の創設に不十分である所以を明らかにした後、国民とは一つの「精神的原理」なのだといい、こう述べている。

国民とは霊魂であり、精神的原理です。実は一体である二つのものが、この霊魂を、この精神的原理を構成しています。一方は過去にあり、他方は現在にあります。（中略）過去においては共通の栄光を、現在においては共通の意志を持つこと。共に偉大なことをなし、さらに偉大なことをなそうと欲すること。これこそ民族(peuple)となるための本質的な要件です。（中略）共に苦しみ、喜び、望んだこと、これこそ、共通の税関や戦略的観念に合致した境界線以上に価値あるものです。（中略）共通の苦悩は歓喜以上に人々を結びつけます。国民的追憶に関しては、哀悼は勝利以上に価値あるものです。というのも、哀悼は義務を課し、共通の努力を命ずるのですから。

（ルナン一八八二、四七頁、Renan-1882: 306-307）

ところで興味深いことには、「瘠我慢の説」も、冒頭、これと似た論のみちすじを辿っている。地球上の人類は、山海天然の境界に隔てられ、いくつかの国に分かれ、交易し、利害を争い、互いに衆人の生命財産を空しくしたりまでする。なぜこのようなことになるのか。これは立国がすべて人間の私情に生じることで、天然の公道によるものでないことによっている。しかし面白いのは、その私情にすぎないものがやがて国内的には「忠君愛国等の名」のもとに「国民最上の美徳」とまで称せられるようになることだ。

つまり、「忠君愛国」とは、これを哲学流に解すれば「純乎たる人類の私情」にすぎない。国家を単位として相争う世界の現状を踏まえれば、「忠君愛国」は「之を称して美徳と云はざるを得」ないが、その本質はそれが「私情」だという一点にある、というのが福沢の力点なのである。

「哲学の私情は立国の公道」である。という意味は、「立国の公道」の基底に「哲学の私情」がある、ということにほかならない。

この論は名高い「立国は私なり、公に非ざるなり」の一句にはじまるが、その意味は、ネイション・ビルディングをささえているのは一個の「私情」だということなのである。

ここにあるのは、こういう問題である。つまり、国があるうちは例の「忠君愛国」でやっていける。しかし、その国がなくなったら、何がそのない国を支えるのか。残るのは「公に非ざる私」、私情(瘠我慢)だけではないのか。

> 扨、この立国立政府の公道を行はんとするに当り、平時に在ては差したる艱難もなしと雖も、時勢の変遷に従て国の盛衰なきを得ず。其衰勢に及んでは、迚も自家の地歩を維持するに足らず、廃滅の数、既に明なりと雖も、尚ほ万一の僥倖を期して屈することを為さず、実際に力尽きて然る後に斃るゝは、是亦人情の然らしむる所にして、其趣を喩へて云へば、父母の大病に回復の望なしとは知りながらも、実際の臨終に至るまで、医薬の手当を怠らざるが如し。是れも哲学流にて云へば、等しく死する病人なれば、望なき回復を謀るが為め、徒に病苦を長くするよりも、モルヒネなど与へて、臨終を安楽にするこそ智なるが如くなれども、子と為りて考ふれば、億万中の一を僥倖しても、故らに父母の死を促がすが如きは情に於て忍びざる所なり。(福沢-一八九一、二四一頁)

国がなくなれば「立国の公道」はなくなり、したがってその亡国への「忠君愛国」は根拠を失う。しかし、それればかりではない。これが新しい立国をともなう場合には「忠君愛国」といえば今度はそれは旧国を倒した新立国への「忠君愛国」となり代わる。

「瘠我慢の説」が露わにするのはまさしくその「公」(立国の公道)の限界の問題にほかならない。この論に対する、当時現れた大町桂月の反論は、こうして期せずして、福沢の論の急所に光をあてるのである。

徳川氏が大政を奉還した上は、官軍に抵抗するのは逆賊行為にほかならぬ。幕府が非を悟って、平穏に政権を朝廷に返したのは皇国当然のすがたである。維新後勝が朝廷に仕へたのも、臣民の分を尽したまでで、なんら議すべき点はない。(中略)福沢の説は、日本の国体を弁へぬ愚論にすぎぬ。(9)

ここに顔をだしているのは、どういう問題だろうか。

西欧でルナンの「国民とは何か」に並び称される国民論といえば、一八〇七年から八年にかけ、ベルリンで一四回にわたり講演が行われたフィヒテの『ドイツ国民に告ぐ』がそれにあたっている。ところで、よく知られているように、これは、これもまた、ナポレオンによる占領下に行われた、まだ統一国家をもたないドイツの「国民」にむけてなされた、ルナンの場合と同様、敗者による「ネイション論」の企てにほかならない。

敗者、これがいまある私たちだ。今後、私たちは同時に軽蔑されるのだろうか。私たちは軽蔑に値することを望むのか。すでに私たちが失ったすべてのものに加えて、名誉も失いたいのだろうか。これはひとえに私たちの気持ち次第であろう。武器の戦争は終わった。しかし私たちが望むなら、新たな戦争が、原理と人倫と性格の戦いが始まるのだ。私たちの異国の客人に、祖国と友人に対する忠実なる献身、朽ちることのない潔癖さ、義務の意味、あらゆる公的、私的な徳行を示すことにしよう。(中略)私たちはそのためのもっとも確実な手段を持っている。すなわち、各人がかつての祖国の諸事情から実現を許されたものだけで我慢し、共同の重荷を各自の力量に応じて担い、外国から供される一切の恩恵を不名誉や堕落と考えることである。

(フィヒテ - 一八〇七—〇八、三九〇—三九一頁、なおこの箇所の訳はバリバール - 一九九三、六〇頁に前者に基づき一部手を加えた)

考えてみれば、「国民論」とは、敗者の手になる敗れてもなお残るものの吟味、敗れてもなお残らなければならないものの探求である。その意味でそれは、一つの敗北論、敗北に抗する試みでもある。

一八〇七年のプロイセンの敗北はフィヒテのネイション論をもたらし、一八七一年の普仏戦争におけるフランスの敗北はルナンのネイション論をもたらす。では一九四五年の日本の敗北は、どのようなネイション論をもたらしたか、と考えてみて、わたし達はそれに該当するものの不在に気づく。わたし達は一九四五年の敗北については何ももたなかった。しかし気づいてみれば、一八六七年の敗北について、一つのネイション論の試みをもっているのである。(10)

四

福沢の「瘠我慢の説」を一個のネイション論、敗北論と見る時、一つ気づかされることは、この論がすでに来たるべき敗北、一九四五年のそれを一八六七年の経験に照らして、予言するものとなっているということである。

当時或る外人の評に、凡そ生あるものは、其死に垂(なんな)んとして抵抗を試みざるはなし、蠢爾(しゅんじ)たる昆虫が百貫目の鉄槌に撃たるゝときにても、尚ほ其足を張(はっ)て抵抗の状を為すの常なるに、二百七十年の大政府が、二、三強藩の兵力に対して毫も敵対の意なく、唯一向(ただいっこう)に和を講じ哀を乞うて止まずとは、古今世界中に未だ其例を見ずとて、窃(ひそか)に冷笑したるも謂れなきに非ず。

(福沢 - 一八九一、二四四頁)

一八六七年の日本の公的国家、徳川幕府の敗北は、どこが一九四五年の日本の公的国家、大日本帝国の敗北にむけ、予言的か。

王政維新の成敗は内国の事にして、云はゞ兄弟朋友間の争ひのみ(中略)とて、妙に説を作すものあれども、一場の遁辞口実たるに過ぎず。内国の事にても、朋友間の事にても、既に事端を発するときは、敵は即ち敵なり。然るに今その敵に敵するは、無益なり、無謀なり、国家の損亡なりとて、専ら平和無事に誘導したる其士人を率ゐて、一朝敵国外患の至るに当り、能く其士気を振うて極端の苦辛に堪へしむるの術ある可きや。内に瘠我慢なきものは、外に対しても亦然らざるを得ず。之を筆にするも不祥ながら、億万一にも我日本国民が外敵に逢うて、時勢を見計らひ、手際好く自から解散するが如きあらば、之を何とか言はん。然り而して幕府解散の始末は、内国の事に相違なしと雖も、自から一例を作りたるものと云ふ可し。

(同前、二四五―二四六頁)

勝が一八六七年、幕府方の代表として官軍側代表の西郷隆盛と談判に及び、講和条件の交渉に入った時の最大の関心事の一つは、将軍徳川慶喜の処遇の如何だったろう。何とか慶喜の生命に累が及ぶことを避けようとして、勝はこの無血江戸開城の合意にこぎつけるが、これは、「国体の護持」つまり天皇の生命保全を最大の関心事に、原爆の東京への投下を惧れ、国体保持を理由に無条件降伏にこぎつける一九四五年の決定に、すでにして「自から」なる

「一例」を提供している。[11]

また、勝のこれに並ぶ、もう一つ最大の関心事は、たぶん列強の圧迫のもと、危機的な状況にある日本の国としての独立を、何とか全うしようということだった。勝は福沢のこの批判によく知られているように、「行蔵は我に存す、毀誉は他人の主張、我に与(あず)からず我に関せずと存候」という返書を送っているが(勝－一八九一、二五五頁)、こちらが勝の本心で慶喜助命が幕臣説得のための口実だったか、慶喜助命が勝の本心で、国の独立安泰が、官軍懐柔のための口実だったか、真相は勝の「我に存」し、第三者にはうかがい知れない。しかし、次のことははっきりしている。このもう一つの関心事を成就するため、勝が掲げたのは、「皇国の大義」という「公」の前で、幕権の強化維持などは「一家の私論」にすぎない、という考え方だった(松本－一九八一、二八三―二八四頁)。これは、いわば新しい「公」の観点から古い「公」を「一家の私論」に下落させる見方だが[12]、福沢は、この考え方にどうしても反対したいと、「瘠我慢の説」を書き、勝の批判に立ち上っているのである。

国があるうちは「忠君愛国」でいい。しかし、国がなくなったら、何がそのいまはない国をささえるのか。「皇国の大義」の前に幕権の強化維持などは「一家の私論」にすぎない。しかし、この考え方のいう「一家の私論」こそ、敗北した者に最後に残る最初の立地点ではないのか。その内実は、単なる私論ではない、それは、「公」に先立つ「私」であり、「公」の消滅の後に残る「公」の起点としての私情なのだ。福沢は、そう考えるのである。

たぶん戦後に福沢のような人物がいたら、彼はまず、昭和天皇に、サンフランシスコ講和がなった後のすみやかな退位をせまっただろう。しかし、また、それだけでなく、別の文脈から考えるなら、「戦争を傍観した」世の民主主義者にも、その「戦争責任」を全うすることを、せまったに違いない。この二つの批判に共通しているのは、いまやどのような意味でも「公的」な文脈から没却された、かつての「公」でいまは「一家の私論」にすぎないもの、そういうものに立脚し、その「私」から、いまの新たな「公」のよしとするものを、批判するという姿勢にほかならない(13)。

それは、一方で、公的なナショナリズムの浅さを衝き、また他方、公的な民主主義の浅さを衝く。福沢が「瘠我慢の説」を「立国」は「私」であって「公」ではない、という一句ではじめる時、彼が自分の最大の思想的敵手と目しているのは、勝の「皇国の大義」論もしくは勝に代表される「立国は公なり」ともいうべき「公」のネイション論なのだが、それはまた「私」に徹することで、戦後的なあのナショナリズムと民主主義の対項の範型の崩されうる道のあることを、わたし達に教えてもいるのである。

松本三之介は、先の「瘠我慢の説」の冒頭の一句が、すでに一八八一年(明治一四)、福沢によって書かれた「天然の自由民権論は正道にして人為の国権論は権道なり。或は甲は公にして乙は私なりと云ふも可なり」を受けている事実に読者の注意を喚起している(松本－一九八一、二八一頁)。天然の自由民権論(民主主義)は「公」で、人為の国権論(ナショナリズム)は「私」である。こう書く福沢は、いうまでもなく国権論を自分の身を置く場所と心得ているので、この一〇年前の「時事小言」から「瘠我慢の説」まで、一貫しているのは、「私」

は「公」より広い、とでもいうべき、一見逆説的な福沢の直観の形なのである。

では、なぜ「私」は「公」よりも広いのだろうか。

いったん国ができれば、忠君愛国は公的な道義心となり、たんなる私情の上位におかれる。「公」はつねに、いまここにある国を前提に、その権威のもとに公認される道徳だからだ。しかし、ではその「公」を生む国をそもそも生むのは、どのような力か。それは「公」ではありえない。国を生むのは一個の暴力であり、一個の欲望であり、何にも承認されることのない、何をも自分に先立たせない、一つの「私情」である。

ここで先に見ておいた東大出身の官学派の論客大町桂月の駁論を思いだしてみよう。大町は、徳川氏が大政奉還した時点で「公」は幕府から朝廷に移ったのであるから、その瞬間から、それまで徳川氏を対象としていた忠君愛国は天皇を対象とするものに変わるはずだ、という。この論理を前に、わたし達はちょっと変だな、と感じるはずだが、しかし大町は詭弁を弄しているのではない。「公」が「私」より広いとする限り、大町のいうことは、正しいのである。

勝は徳川慶喜を主君と仰ぐ幕臣だが、その主君が征夷大将軍として委託されていた執政権をさらにその主上である天皇に返還した以上、いまや、天皇の臣下たる将軍のそのまた臣下である。勝の忠君愛国の念の対象は、天皇となるが、この時点で、一方勝の慶喜への忠誠心はたんなる「私情」に下落する。福沢は、そのいまや「私情」にすぎないものを盾に、勝の忠君愛国の行動(速やかな平穏裡の降伏と新政府への任官)を批難する。「私情」が「忠君愛国」よりも広く深い、とでもいうのでない限り、これは愚論というほかない、と大町はいっているのだが、そういうなら、福沢は、ここで御用学者大町の思いもよらない大きな論を、展開しているのである。

「瘠我慢の説」は、むしろ大町の論理をちょっと変だな、とわたし達が感じるその違和感を掘り下げ、そういうなら、「私情」は「忠君愛国」より広く深くなければならない、広く深いはずだ、と考えすすめられた論であり、その冒頭の一句「立国は私なり、公に非ざるなり」は、すでにして大町の論を越え、それ以前に、「皇国の大義」の前に幕権の強化維持は「一家の私論」にすぎないとする勝的な「公」の立国論(ネイション論)を、そもそものところ、正面の標的に、書かれているのである。

「瘠我慢の説」のネイション論としての核心は、わたしの見るところ、明らかにこの「公」と「私」のダイナミックな位相的逆立にある。(14) この論が立国の基礎は「私」にあって「公」にあるのではないとはじまるところから、なるほど多くの論者が、この論のポイントを「公」と「私」の関係に見ている。しかし、その二つのもののダイナミズムをそのほんらいの深さでとらえる読みは、これまでほとんど見られない。この論を「私」論とは見ても「立国」論と見ず、「立国」論と見ても通常の立国論の前提を覆すスケール大きな立国論であるとまでは見られないわたし達の視野狭窄が、ここにははたらき、この論の正当な理解をさまたげているのである。

一九〇〇年(明治三三)、この文章を新聞『日本』が掲載した時、これを評し、「此の若き高潔にして悲壮なる文が拝金宗の翁の手に出でんとは、よも世人は思ひはせじ。たとへ福沢全集は焚くべしとするも、此の一篇は焚くべからず。是れ殆んど翁に於て名誉回復たるが如し」と書いたが(三宅－一九〇〇)、「瘠我慢の説」で福沢は別に改心しているのでもなければ従来の「拝金宗」から改宗しているのでもない。この論のポイントは、逆に「拝金宗」の立場から、「立国論」の方をひっくり返している点にある。

まず一八七七年の「私の利を営む可き事」。そこに福沢はこう書いていた。

実地経験する所に依れば、私利を後にして公益を先にするものあらず。偶これあるも全く嘘の皮にて、肝太くも人を欺く者の口実なるのみ。私利は公益の基にして、公益は能く私利を営むものあるに依て起る可きものなり。(福沢－一八七七、六三三―六三四頁)

また、「西洋の文明開化は銭に在り」(一八八五)。

殖産の事たるや、特に国のためにする者とては一人もあることなし。徹頭徹尾、自から私のためにして自から利するの目的なれども、一国の公は国民の私の集りたるものなれば、私利集りて公利と為り、家財積て国財と為り、以て、今日其国々の富強を致したるものなり。(福沢－一八八五、二七二頁)

また、「私権論」(一八八七)にはこうある。

政権は社会公共の為めにして戸外の事に属するものなり。私権は内なり、政権は外なり。我輩は先づ内の自衛を堅固にして、然る後に外を勤めんと欲する者なり。

(福沢 - 一八八七、三八六頁)

「公」の基礎が「私」であり、いわば公共性は私利私欲の上に築かれなければならないとは、福沢の思想的出発時からの持論だった。「瘠我慢の説」は、これを従来の主張よりいっそう大胆に踏みこませたところに、論の礎石を置くのである。

従来福沢は「政権」は社会公共のため、「私権」は個人と私事のため、と二つを分け、「私」は「公」に先立つ、と述べてきたのだが、ここでは、ではこの「社会公共」のためである「政権」のその根源は何か、と考えて、その底にもまた「私」がある、と一歩その「私権」論を「政権」の領域にまで踏みこませる。この一歩の踏みこみから、あの「瘠我慢の説」は生まれている。なぜ「私利集りて公利と為」るのか。たんにそれが算術的な問題だとしたらこれは時間的な後先きの問題にすぎない。そうではなく、これが価値の後先きの問題だとすれば、その根拠は何か。私利は自分の欲望を一定のルール、他の妨げをなさない定めに従い、追求することだが、そのことの正当性の感覚をささえる普遍性は、文化、文明の違いを越え、個としてある人性に基づき、人類一般に及んでいる。それは、この点、必ず国や村といった閉集合の存在を前提としなければ存在できない公益、公共心、公共的道徳といった「公的なもの」より、広く深い。これがここで福沢の辿っている考えのみちすじにほかならない。

私利の内には、その底へどこまでも降りるなら、公利をささえる国よりも広い普遍性の地底湖がある。「私」は「公」よりそもそも普遍的なので、日本の「公」はむしろ「私」によって解体され、「私」を基礎に、その上にもう一度編み直されなければならない。それ以外に、この国の底の浅い「公」の解体と構築はありえない。福沢の私権論は、ほぼこのような順序で、展開されているのである。

「瘠我慢の説」を収めた『福沢諭吉選集』第一二巻の松本三之介による解説は、委曲をつくしたものだが、その松本にして、この論における「公」と「私」の関係については、ほんらい支配者集団の「私情」にすぎないものがやがて立国後、両者の緊張関係のもとで「公道」化されていく、という「逆説的なイデオロギー構造」をここに見る以上の突込んだ見方は、示しえていない[15]。しかし福沢がいっているのは、そういうことではない。ほんらい支配者集団の、ではなく、「人間の」私情が立国の要めとなるのは、それが立国の「公道」と重なるからではなく、「公道」とは違い、それが国の損亡により消滅した後も「国破れて」なお残る、「公道」以上に普遍的なものだからである。国は国に帰属する以外のものにささえられるほかない。しかし、そのことを徹底的に吟味すると、どういうことになるか。

国は忠君愛国にささえられない。国が亡びれば忠君愛国はささえを失い、消尽する。国にささえられるナショナリズムなどというものは浅薄なものだ、「公」によりかかるナショナリズムは中途半端だ。福沢はむしろここで、その後近代日本を領導することになるナショナリズムのともづなを、前もって断ちきっているのである。

五

では、「民主主義とナショナリズム」をめぐるネイション論として読む時、「瘠我慢の説」は、わたし達に何を教えるだろうか。

福沢は天皇家が有名無実の無力の中、なお消滅しなかったのも、徳川家が小身から起って天下を掌握するにいたったのも、すべて「瘠我慢」の賜だとし、「左れば、瘠我慢の一主義は、固より人の私情に出ることにして、冷淡なる数理より論ずるときは、殆んど児戯に等しと云はるゝも、弁解に辞なきが如くなれども、世界古今の実際に於て、所謂国家なるものを目的に定めて、之を維持保存せんとする者は、此主義に由らざるはなし」と、立国の根底に「瘠我慢」の主義をおき、その精神の本質を「私情」たることに見る、独自のネイション論をここに展開している(福沢-一八九一、二四二頁)。

それは「私情」だが、死ぬときまった親にたいしそれでも億万一の可能性を信じて空しく加療を追求する子の情に通じる、不合理ではあろうが普遍的な「人類の私情」である。

左れば、自国の衰頽に際し、敵に対して固より勝算なき場合にても、千辛万苦、力のあらん限りを尽し、いよ〳〵勝敗の極に至りて、始めて和を講ずるか、若しくは死を決するは、立国の公道にして、国民が国に報ずるの義務と称す可きものなり。即ち俗に云ふ瘠我慢なれども、強弱相対して苟も弱者の地位を保つものは、単に此瘠我慢に依らざるはなし。啻に戦争の勝敗のみに限らず、平生の国交際に於ても、瘠我慢の一義は決して之を忘る可らず。欧洲にて、和蘭、白耳義の如き小国が、仏独の間に介在して、小政府を維持するよりも、大国に合併するこそ安楽なる可けれども、尚ほ其独立を張て動かざるは小国の瘠我慢にして、我慢、能く国の栄誉を保つものと云ふ可し。

(福沢－一八九一、二四一頁)

つまり、国としての敗北の中で、フィヒテは言語にささえられた国民文化という「内的な国境」を維持強化すべきことをいい、ルナンは、「日々の人民投票」ともいうべき国民の未来への意思と過去への共感からなる「精神的原理」をあげ、福沢は、同じところで、「瘠我慢」の主義をあげるのだが、福沢の論の特質は、フィヒテの「内的な国境」、ルナンの「精神的原理」がともに公的なもの(国民)を基礎にしているのに対し、その「瘠我慢」が私的なもの(私情)の上に立っていることなのである。

この福沢の論を敷衍すれば、一つに、ナショナリズムの核心は、国民国家への忠誠心というような、国民国家があってはじめて生じる公的感情、公的価値にあるのではない。といってまたそれは、国民文化、言語といった、国家を必ずしも前提としないが共同的な価値を基礎とするパトリオティズム(愛郷心)といったものでもまったくない。そういう公的・共同体的な感情は、国家、家郷の存在によってささえられこそすれ、けっして国家、家郷をささえない。それをささえる感情は、当然別の源泉をもたなければならないのである。

では、ナショナリズムの核心とは何か。それは、人間誰もが国のあるなしにかかわらずもつ私情、国民国家の成立以前にあり、その滅亡後にもそれとは独立に残る、何にも公認されない私的感情にほかならない。それは相対的な、「公」に対しての「私」という関係の中での現れだが、その源泉は、絶対的なものであり、そこまで福沢は述べていないものの、その私情の核にあるのは、あの「私利」である。ところでここに言われる「私利」とは何だろうか。それは、個人に発する何ごとかをしたいという欲望としての私利私欲であり、言葉を換えていうなら、個を成りたたせ、それに先行するものとしてのニーチェのいう「力への意志」であって、そうであればこそそれは一国の「公」を越える。親の死を前にした「子の情」に通じ、また、一時代、一国民の「公」を越え、誰が何をいおうとおかしいものはおかしいという、普遍にひらかれた、まともさ(decency)の感覚とも結びつくものとなるのである。

ところでここまで来て、わたしは民主主義による平等の拡大が、なぜ一方に非同質性をうみだすことになるかということについて述べた、先のハンナ・アーレントの指摘を思い起こす。彼女によれば、かつて「平等」の観念は、神の前での万人の平等、死を前にしての万人の同じさ、というように、ある絶対的な尺度、超越的な実在にささえられ、人々の中に生きていた。それはある集合の構成員にのみ適用される近代的な「政治的組織の原理」としての平等と違い、メンバー、非メンバーという観念をもたない、絶対的かつ超越的な万人の平等という観念である。しかしそこから超越性が失われ、平等がたんなる「人民そのものの内部での世俗的な組織原理」となった時、生じたのはどういうことだったか。この平等概念は、それなしには不平等な人間がそこで平等の権利をもてないある「政治的組織の原理」と解されてはじめて、意義ある近代的な政治概念として機能するのだが、そうなるべきところ、政治的概念から社会的・心理的概念にそのまま横すべりし(拡散的に解釈され)、神の前での平等とも政治的組織の原理とも違う、第三の存在になってしまう。平等はそこでは「すべての個人の持って生れた資格」として「個人」に帰属するが、その個人とはそこで「ほかの誰とも違っていなければ〈正常〉と呼ばれ、違っていれば〈異常〉と呼ばれる」相対的存在にほかならない。そこで平等は、非限定的な「人間」の一部、外側のみを規定する、超越的でもなければかといって政治的でもない、世俗的かつ社会的・心理的な概念に拡散していくのである(アーレント-一九五一、一〇二頁、Arendt—1951: 54)。

ところでこれを、平等の概念は万人の前にある超越性と、メンバーにのみ適用される政治的限定性とをともに失い、国民国家が大衆社会へと変質するなかで受動的な公共性となる、と解してみると、どうなるだろうか。

アーレントによれば、国民国家により法的・政治的な身分の差が撤廃されてはじめに起こったことは貴族社会の「ヒエラルヒー的な構成」の内向化、だった。貴族の特権が消えた代わりに、プルーストが『失われた時を求めて』で活写したように、社会が内的なヒエラルヒー構成を逆に強めるスノッブ社会(擬似貴族社会)が現れるのである。しかしこれも、大きく見れば二〇世紀的な画一的大衆社会に向かう平準化の一態様であり、この社会の均質化の果て、何が起こるかといえば、「史上はじめてすべての人間が境遇や生活条件の差異という防壁なしに他のすべての人間と相対峙」する事態が生じ、ユダヤ人虐殺を結果する近代の人類妄想は、この冒険的事態の結果、「すべての人を自分と同じものとして認めることを要求する」世俗的な平等概念への反動として、生じてくるとされるのである。

このアーレントの指摘で、問題の核心は、明らかに自分に発する、神の前での平等でも死の前での平等でもない、「私は各々すべての個人を私の対等者と認める(I recognize each and every individual as my equal.)」という新しい平等概念のうちにある(Arendt—1951: 54)。そのような相対的な平等概念こそが、否認されなければならない。彼女によれば、こうした相対的な平等概念が、集団内成員に同質性を要求する一方、集団間に異質性を用意し、新たな人種妄想への引金になっているのである。

ところで、この相対的・世俗的な平等概念の特徴は、ここに神がなく、個人の私が、それに代わる価値の尺度になっていることだが、もう少しいえば、そこでの「私」が、受動的な私、集団の一単位としての、いわば「公共的な私」になっているということにほかならない。

光の出所は「私」なのだが、光源は「私」ではなく、むしろ大衆社会の中の個としての受動的な公共性なのである。

超越的な「神」が死んだ後、ではこの世俗的かつ受動的な公共性を打破し、アーレントのいう政治的組織の原則としての「平等」概念(これを能動的な公共性と呼んでおく)を回復することは、では、どのように可能だろう。

わたしはここに福沢の「瘠我慢の説」の「私情」の徹底のいまに生きる可能性を見たい。福沢は、むしろ「私」に徹することで、近代民主主義の世俗的平等概念の底板を破る道のあることを教える。それは、一八八一年の「時事小言」から一八九一年の「瘠我慢の説」へいたる福沢の論が述べる、いわばナショナリズム(国権論)の核を吟味しぬくことで、公的なナショナリズムを解体し、そのことで公的な民主主義(自由民権論)を、普遍性にひらかれた実践的な民主主義へと解体構築する、もう一つの道である。

西欧の文脈に照らすなら、この福沢の「立国は私なり、公に非ざるなり」には、すべてのもとにあるのは「力への意志」であり、世界解釈はその結果にすぎないという、ニーチェ的な響きがある。

伊藤博文が維新後、明治日本にないものを神の不在ととらえ、天皇をもって神に代えようと考えたとすれば、福沢はむしろ、徳川将軍の敗北を神の不在ととらえ、それを別のもので充塡しようというより、その不在そのものの意味を、究めようとした。ここに、福沢のモチーフが同時代の西欧の政治哲学に触れる、一つの根拠はあったのである。

わたしの見るところ、アーレントの指摘を含め、西欧の文脈を通じて見られるのは、「神」の死後、それに代わる形で浮上した「社会的なるもの」の覇権を、どう解体できるか、というモチーフである。

その「社会的なるもの」は、アーレントにおいては世俗的・相対的な平等概念という現れをもち、それがかつて神のいた座を占めるものだが、シュミットにおいては、その神に代わる超越的なものが、国家であり、「政治的なもの」であり、つまり、「公的なもの」である。

ここで同じようにカール・シュミットの先の指摘をこの観点から吟味してみれば、彼はヤーコプ・ブルクハルトを引いて、民主主義はそれまであった政治的なものと社会的なものの境界を消して、いわばすべてを「論議可能かつ変更可能」なものへと変え、「国家と社会との同一性としての全体国家」(傍点原文)への動きの一翼を担う、と評価している。以前は、宗教とか文化とか教養とか経済とかは、身分社会のもと、衆議の如何で変更しうるものとも、そもそも衆議の対象になるものとも考えられなかったが、民主主義はこのあり方を変え、以来非国家的、非政治的という意味で「中立的」とされてきた領域は、消えて、アーレントにおいて「社会的なもの」がそうであったように、ここでは「政治的なもの」がすべてを覆うのである。

ではここにいわれる「政治的なもの」とは何か。

それは、道徳的なもの、美的なもの、経済的なものが、それぞれ自分の領域を善と悪、美と醜、利と害という根本的二分法の上に築いているように、「友と敵」という根本的な二分法の上に自分を築く独立固有の一領域をさす。

だから政治的に敵であることはたとえば道徳的に善であり、美的に美であることと結びつかない。道徳的に悪で、しかも友ということがありうるし、経済的に取引きした方が有利で、道徳的に善であって、しかもその相手が敵だということもありうる。

敵とは、他者・異質者にほかならず、その本質は、とくに強い意味で、存在的に、他者・異質者であるということだけで足りる。したがって、極端なばあいには、敵との衝突が起こりうるのであって、この衝突は、あらかじめ定められた一般的規定によっても、また「局外にあり」、したがって「不偏不党である」第三者の判定によっても、決着のつくものではない。（シュミット－一九三二、一六頁）

友と敵という概念は、経済的、道徳的等の概念をそこに混入させて弱めてもならず、私的な個人主義的な意味で心理的に解されてもならない。いつかはこの友・敵の区別が地上から消えるだろうとか、およそ敵なるものは存在しないといってみるとかのことも、同じく問題にならない、とシュミットはいう。

このあたり、シュミットの議論はほんの少し、福沢の「瘠我慢の説」に触れ、かつ、すれ違っている。

つまり、こういうところで、だから人類を友と敵に分ける立国の本質は、何ら道義的なものにささえられない「私情」なのだと、福沢はいうのだが、これに対し、シュミットは、だから敵とは経済的範疇や道徳上についていわれる競争相手、論争相手、相手一般でも反感を抱く私的な相手でもありえず、自分の同類の総体と対立している「抗争している人間の総体」にほかならず、したがって、その「敵には、公的な敵しかいない」(傍点原文)、そういうのである。

なぜなら、このような人間の総体に、とくに全国民に関係するものはすべて、公的になるからである。敵とは公敵であって、ひろい意味における私仇ではない。ポレミオス〔戦敵〕であって、エヒトロス〔私仇〕ではない。ドイツ語には、他の諸国語同様、私的な「敵」と政治的な「敵」との区別がないので、多くの誤解やすりかえの生じる可能性がある。よく引用される章句、「なんじらの敵を愛せ」(マタイ伝第五章四四節、ルカ伝第六章二七節)は、〔ラテン語では〕「なんじらの *inimici*〔私仇ら〕を愛せ」、〔ギリシア語では〕「なんじらのエヒトロスすべてを愛せ」であって、〔ラテン語の〕「なんじらの *hostes*〔公敵ら〕を愛せ」ではない。すなわち、政治的な敵についてはふれていないのである。

(シュミット-一九三二、一九頁、傍点原文)

シュミットによれば、この「公敵」と「私仇」の違いは広くプラトンに見られる。プラトンの『国家』はポレミオス(戦敵)とエヒトロス(私仇)の対立を強調するが、それはポレモス

(戦争)とスタシス(暴動・一揆・反乱・内乱)という別の対立と結びついている。プラトンにとってはヘラスたるギリシア人とバルバロイたる蛮族の間の戦いのみが真の戦争であり、これに対し、ギリシャ人同士の戦いは、スタシス(不和)なのである。

ここに見られるシュミットの考えが、後に「万人の敵」であるユダヤ人を作りだす、ナチス流の人種妄想の理論的支えとなるだろうことは、誰の眼にも明らかだろう。民主主義は、シュミットによれば、社会から非政治的、非国家的なものを駆逐し、社会を「政治的なもの」一色にする全体主義の先触れの思想であり、神に代えて国民国家に万能を与えることで、その外に局外者の存在を許さない問答無用の敵を生みだす政治原理にほかならない。そしてその敵の本質は、それが「私」の敵ならぬ「われわれ(国民)の」敵であること、「公的なるもの」だということなのである。

神という超越的なものが存在しないいま、この「公的なるもの」は何によって審査され、チェックされるべきか。

この「公的なるもの」の万能を破る価値を、わたし達は人間の何に求めるべきなのか。広くいえばここでわたしは、むしろ「私」の原理を深く掘ることでそこに「人間の私情」の源泉ともいうべき普遍的原理(力への意志)を見出すニーチェの考えに示唆される形で、私利私欲を出発点として、その上に能動的な公共性を新しく作りあげる、「落ちて〈下方に穴を抜けて〉出る」〝下からの超越〟(加藤-一九九四、七頁)の可能性に思いをいたしたい。

これは日本の戦後の文脈に戻せば、民主主義をいったんナショナルな視点からとらえ返し、さらにそのナショナルなものを「私」をテコにとらえ返す一個のシャフリング(攪拌)の運動であり、このような民主主義とナショナルなもののシャフリングによる民主主義の蘇生なしに、日本が戦時に犯したさまざまなアジア隣国への戦時および戦後の責任は、果たされえないというのが、念のためにいっておくなら、わたしのこの論の手前にある前提である。

福沢は敗者の立場から小さなことを書いた。この小さな論は、遠く百余年前、極東の辺境に書かれ、いま可能性をその内と外にひらかれた、広く深い「私的なるもの」の論の嚆矢にほかならない。

(1) たとえば後述するカール・シュミットでは、民主主義は全体主義と結びつけられ、その対項は個人主義的な自由主義である(『現代議会主義の精神史的地位』『政治的なものの概念』)。また、ハンナ・アーレントでは、ナショナリズムつまり国民主義は、一九世紀末になって勃興してくる帝国主義との関連で論じられる。あるいは、民主主義はその平等概念の相対化を通じ、ナチスによる人種主義を生みだす起因の一つとなると指摘される(『全体主義の起原』)。さらに、最近の例ではレジス・ドブレは、民主制を共和制と対比している(「あなたは民主派かそれとも共和派か?」『ル・ヌーヴェル・オプセルヴァトゥール』一九八九年一一月三〇日号)。
(2) 国の独立を確保しつつ近代化をはからなければならないというこの要請は、近代化後発国に限らない。旧来の身分社会を打破し、近代社会を自力で創設しようとする試みは、かならず、このような二重の要請に同時に応える困難に際会している。フランス革命時のフランスがそうであり、ロシア革命時のロシアがそうであり、アメリカ独立戦争(アメリカ革命)時のアメリカ合衆国にも同様の要請はあったと考えられる。近代化後発国に通有の要請というより、近代化の起点で政治的主体が出会う固有の困難である。そこでそうした政治的主体は二重の姿勢を強いられる。戦後の日本に欠けているのは、その二重の姿勢である。

(3) 明治期の国権と民権の関係はそのようにはなっていない。たとえば中江兆民『三酔人経綸問答』では、国権的立場を代表する豪傑の客が、自分を否定し、高次のナショナルなものへと連なる発言を行う。このようなことは、戦後の右翼と左翼の関係にありえない。

(4) 民主主義は戦後、その底に国家の廃絶を展望するマルクス主義的展望をもつものとなり、ネイションと自分を切断したし、ナショナリズムは戦後、復古的主張へと退行し、構成員の平等の実現といった国民国家との関係をやはり見失うことになった。その背景には、そのことを評価するにせよ、評価しないにせよ、とにかく、敗戦によって戦前の体制から戦後の体制に変わったことをどう自分に繰り込むか、という努力が革新派、保守派の双方によってなされずにきた事実があることを、否定できない。

(5) 福田歓一によると、ネイションの観念は「イングランドではすでに一六世紀から、支配身分を除いた国民の意味でひろく用いられており、フランスでは革命によって成立した新国家を成員の共同体として表現するために頻用されるようになった」(福田 - 一九八五、四七七頁)。

(6) たとえば、松葉祥一「民主主義の両義性――クロード・ルフォールと〈政治哲学〉の可能性」(『現代思想』一九九五年一一月号)の紹介しているクロード・ルフォールの民主主義論(『民主主義の発明』一九八一年)は、民主主義の本質を、それまで君主の〈身体〉に統一、具現されていた権力、法、知の三つの領域の分離に見ている。これは、民主主義を「政治的なもの」がすべてを覆う過程の一里塚と見る、シュミット - 一九三二等の考えを念頭に置いた、その反論とも見られる。また、同じ松葉論文によれば、ルフォールは別のところでアーレントの民主主義批判に反論を試みている。

(7) 福沢によれば、勝の誤りは旧幕臣として仕えた徳川の「公」がいまや勝の曰く「皇国の大義」の前で一個の徳川家という「私」になった時、それが「公」でないというのでこれを棄てたこと、この「私」にさらに殉じようとしなかったことである。また、かつて指導者として死に追いやった部下への責任はどうか、という点について、福沢は「瘠我慢の説」の中で榎本武揚に関し言及しているが、そこでも、かつての部下たる人間との私的な関係は言及されこそすれ、指導者としての公的な道義的責任を問うということへの力点はそう大きくない。というより、わたしの読みからいえば、ここで福沢は公的なものの浅さを私的なものの側から衝いているので、もしここで指導者の公的責任の欠如をもって勝、榎本を批判しているとすれば、それは、福沢の論理的な逸脱となる。

(8) ここのところ、福沢はこう述べている。勝の無血江戸開城の降伏方針は、「由て以て殺人散財の禍を免かれ」させた一方で、「瘠我慢の大主義を破り、以て立国の根本たる士気を弛めた」。その大罪は、一時的な兵禍免除の功などでとても償えない。この上は、勝は、自分はやむを得ずこういう方針を採用したが、これは間違いであり、「天下後世、国を立てゝ外に交はらんとする者は、努々(ゆめゆめ)吾維新の挙動を学んで権道に就く可らず」とのメッセージを残すべく、「断然政府の寵遇を辞し、官爵を棄て利禄を抛ち、単身去て其跡を隠す」べきである(福沢-一八九一、二四七―二四八頁)。つまり福沢は勝が仕官したことを責めているのではなく、勝が退官によって「瘠我慢の大義」を破ったことの自己批判を行うチャンスに恵まれているのに、それをしていないと、そのことを責めるのである。

(9) 大町桂月の福沢への駁論「福沢氏の瘠我慢説」(『太陽』一九〇一年二月号)を伊藤-一九七五、九頁による要約に基づき紹介した。これは当時の官学派の国体論を代表する考え方である。

（10）「瘠我慢の説」をネイション論と受けとる見方がこれまで出ているかどうかはつまびらかでない。福沢－一八九一の解説（松本三之介）は「瘠我慢の説」に関するきわめて行き届いた、すぐれたものだが、後に述べるように（注15参照）、ここで展開している福沢の「私情は公道よりも広い」という観点については消極的な関心しか示していない。また、それの推奨する伊藤－一九七五は、「瘠我慢の説」についての古今の論評を集めたものだが、文献をよく渉猟している反面、福沢の論への読み込みには物足りないものがある。小田実、小林秀雄の論も同様にもの足りない。眼に触れた限りで「瘠我慢の説」についての論で注目に値するのは、中村光夫「失はれた天皇の地図」だが、これも「瘠我慢の説」をネイション論と見るのとは違う関心から書かれている。

（11）この二つの例の類似に気づいている論者は少なくない。たとえば、伊藤－一九七五は、勝の降伏方針が当時の時代背景に照らして福沢の批判よりも妥当なものだったと述べるに際し、慶喜助命のモチーフに関し、奇しくもこれを一九四五年の敗戦における天皇助命に重ね、両者の共通性を指摘して、その妥当であることの理由にあげている。「（禍が慶喜の身に及ぶことは――引用者）幕臣の勝としては、到底忍び得ぬところである。それはあたかも昭和終戦時の政府当局者が、天皇の安泰を第一に苦慮したのと同様の心境に違ひない」（伊藤－一九七五、一一頁）。

（12）一九四五年に現れているのも、これとほぼ同じ考え方である。一九四六年一月一日の天皇の人間宣言とは、その古い「公」に代えて新しい「公」を提示する儀式にほかならない。この儀式を通じ、天皇を現人神と見るかつての天皇観は、いまや国民との君民関係を人間同士の信頼によって成立させる西欧近代的な人間としての天皇観の前に、「一家の私論」の地位に下落させられる。これに代わり、人間主義に立つ「公」が新しく宣揚されるが、この考え方がすんなり国民に受け入れられたところに顔を出しているのは、やはり、あの勝流の、いまや国際的に通用する人間天皇の前で、蒙昧な現人神天皇など「一家の私論」にすぎないという、新しい「公」を立てることで古い「公」を私情に下落させる明治維新時と同じ考え方である。

(13) 二種の批判の観点がありうる。敗戦の直後には、東京大学総長南原繁が、天皇に戦争遂行に対する道徳的責任があると述べ(一九四六年四月二九日の講演)、三好達治が、天皇は退位すべきではないか、という意見を述べた(三好「陛下は速やかに御退位になるがよろしい」一九四六年)。また、ややあって、中野好夫が、さらに講和成立後には、梅崎春生が、天皇制廃止論を展開している(中野「天皇制について」一九四九年、梅崎「天皇制について」一九五三年)。前二者の論が(普遍的な道義論でありつつ)戦前の公つまりいまや旧来のものとされ、下落しかかっている価値からの責任論ないし退位論という性格をもつのに対し、後二者の論は戦後の公的価値に立脚した責任論、退位論である。しかし、ともあれ、この梅崎の意見などは例外で、以後、全体としては天皇の道義的責任を問う論は減少の一途を辿り、またとりわけ天皇信奉者から天皇のため天皇の退位を願うという論はほとんど現れることがなくなる。一方、戦時を皇国少年として通過した体験から、戦後の民主主義派知識人に対し、戦争責任を問う論陣を張った知識人に吉本隆明がいる(「戦後文学は何処へ行ったか」一九五七年)。吉本は、この戦争責任追及の延長で花田清輝と論争するが、花田はこの自分への批判者に勝を批判した福沢の面影を認め、一九六〇年四月、「「慷慨談」の流行」を書いて、自分を勝に擬し、直接には橋川文三の論に言及しながら、福沢＝吉本の「道義」的批判の非政治性を否定している。なお、花田の弟子筋にあたる安部公房はこの後、「瘠我慢の説」が批判するもう一人の「変節者」榎本武揚を主人公に戯曲「榎本武揚」を書くことになる。

(14) もし、こういう観点からもう一つの「私」による「公」の底板の踏み抜きを見ようというなら、もう一つの例は、疑いなく二・二六事件の青年将校の中心人物磯部浅一の場合である。逮捕後、磯部ははじめ、自分達の義挙が神である天皇(昭和天皇)に理解されないはずはないと思い、天皇が自分達を反逆軍と呼んだのは君側の奸が誤った情報を天皇に伝えたせいに違いないと考えるが、最後、とうとう天皇が本心から自分達を逆賊とみなしたことを認めざるを得なくなると、一転、天皇は間違っている、皇祖皇宗に対し今上天皇は自分をはじるべきであると天皇を諫める言を吐く。彼は、自分の忠君愛国がその対象たる天皇に否定されたと知るや、自分を否定するのではなく、いまや妄想の地点まで下落した自分の「私情」の場所から、「公の象徴」たる天皇を否定するのである。彼は天皇を諫め、呪詛する。ただ、その「私情」の支えは磯部の場合、天皇の皇祖に求められる。昭和天皇は天皇の伝統を踏み外したとして否定されるので、「私情」の支えは「公の中の公」である。妄想である点、私情ではあるが、その私情の根拠を純粋に私利私欲に置く福沢ほどの強靱さはもっていない。そのため、この磯部の昭和天皇批判の観点は、後に三島由紀夫『英霊の聲』では真に「公的なるもの」の観点から昭和天皇を批判する、という形に回収されることになる(「公的なるもの」については本文五節を参照)。

(15)　松本はこう書いている。「それぞれの時代状況における公と私の緊張関係と、その緊張関係の下でそれぞれの時代の支配的集団の「私情」が「公道」化されて行くという逆説的なこのイデオロギー構造は、しかしながら彼の「瘠我慢の説」では必ずしも十分に展開されていない」(松本‐一九八一、二八二頁、傍点原文)。松本のこの見方は、福沢の論を本来のスケールで把握しているとはいえない。

[引用文献]

アーレント、ハンナ‐一九五一、大久保和郎訳『全体主義の起原1　反ユダヤ主義』みすず書房、一

九七二年(Arendt—1951)
伊藤正雄-一九七五「「瘠我慢の説」私説」『神戸女子大学紀要』第四巻、一九七五年
大町桂月-一九〇一「福沢氏の瘠我慢説」『太陽』一九〇一年二月号
勝海舟-一八九一「勝安芳氏の答書」『福沢諭吉選集』第一二巻、岩波書店、一九八一年
加藤典洋-一九九四『日本という身体――「大・新・高」の精神史』講談社、一九九四年
シュミット、カール-一九二三、服部平治・宮本盛太郎訳『現代議会主義の精神史的地位』社会思想社、一九七二年
シュミット、カール-一九三二、田中浩・原田武雄訳『政治的なものの概念』未来社、一九七〇年
徳富蘇峰-一九〇一「瘠我慢の説を読む」『国民新聞』一九〇一年一月一三日
橋爪大三郎-一九九二「陳腐で凡庸で過酷で抑圧的な民主主義は人類が生み出した最高の政治制度である」『民主主義は最高の政治制度である』現代書館、一九九二年
フィヒテ、ヨハン・G-一八〇七―〇八、篠原正瑛訳「ドイツ国民に告ぐ」『世界大思想全集　哲学・文芸思想篇』第一一巻、河出書房、一九五五年
福沢諭吉-一八七七「私の利を営む可き事」『福沢諭吉全集』第一九巻、岩波書店、一九六二年
福沢諭吉-一八八五「西洋の文明開化は銭に在り」『福沢諭吉全集』第一〇巻、岩波書店、一九六〇年
福沢諭吉-一八八七「私権論」『福沢諭吉全集』第一一巻、岩波書店、一九六〇年
福沢諭吉-一八九一「瘠我慢の説」『福沢諭吉選集』第一二巻、岩波書店、一九八一年
福田歓一-一九八五『政治学史』東京大学出版会、一九八五年
松本三之介-一九八一「解説」『福沢諭吉選集』第一二巻、岩波書店、一九八一年

丸山眞男－一九七六「明治国家の思想」『戦中と戦後の間　1936-1957』みすず書房、一九七六年
三宅雪嶺[無署名]－一九〇〇「『瘠我慢の説』を紹介す」『日本』一九〇〇年一二月二八日、伊藤－一九七五より再引用
文部省－一九四八―四九『民主主義』径書房、一九九五年
ルナン、エルネスト－一八八二、鵜飼哲訳「国民(ナシオン)とは何か？」『批評空間』第九号、一九九三年(Renan, 1882)
Arendt, Hannah―1951, *The Origins of Totalitarianism*, The World Publishing Company.(アーレント－一九五一)
Renan, Ernest―1882, "Qu'est-ce qu'une nation?", in *Discours et conf'erence*, Calmann-L'evy.(ルナン－一八八二)

［参考文献］

磯部浅一－一九三六「手記」(河野司編『二・二六事件　獄中手記・遺書』河出書房新社、一九八九年、所収)
海老坂武－一九九二『思想の冬の時代に――〈東欧〉、〈湾岸〉そして民主主義』岩波書店、一九九二年
加藤典洋－一九九五「敗戦後論」『群像』一九九五年一月号(『敗戦後論』講談社、一九九七年、所収)
中村光夫－一九五六「失はれた天皇の地図」(『中村光夫全集』第一二巻、筑摩書房、一九七二年、所収)
西川長夫－一九九二『国境の越え方――比較文化論序説』筑摩書房、一九九二年
花田清輝－一九六〇「「慷慨談」の流行」(『東洋的回帰』文藝春秋、一九七一年、所収)

バリバール、エティエンヌ－一九九三、大西雅一郎訳「フィヒテと内的国境」『現代思想』一九九三年五月号
フィンケルクロート、アラン－一九八七、西谷修訳『思考の敗北あるいは文化のパラドクス』河出書房新社、一九八八年
松葉祥一－一九九五「民主主義の両義性――クロード・ルフォールと〈政治哲学〉の可能性」『現代思想』一九九五年一一月号
三島由紀夫－一九六六「英霊の聲」『文藝』一九六六年六月号（『英霊の聲』河出書房新社、一九六六年、所収）
吉本隆明－一九五七「戦後文学は何処へ行ったか」『群像』一九五七年八月号（『芸術的抵抗と挫折』未来社、一九五九年、所収）
吉本隆明－一九六四「日本のナショナリズム」（『自立の思想的拠点』徳間書店、一九六六年、所収）

チャールズ・ケーディスの思想
――植民地日本の可能性――

一

「日本人のアメリカ経験」について問われている。

まず、わたしの考えの大筋の輪郭をいっておきたい。

日本人のアメリカ経験の最たるものは、一九四五年八月にはじまり、七年後、一九五二年四月に終わる一連の被占領経験だろうが、わたしは、この敗戦、占領経験の核心に、占領当事者の手になる日本の憲法の策定という行為があると思っている。

さて、この日本国憲法の要はといえば、戦争の放棄をうたった第九条だが、わたしは、このような考えに立って、この第九条の規定について、ほぼ次のような問題点を、この間、何度かにわたり、述べてきた。

日本国憲法を、わたし達日本国民が、自分で作ったと考える限り、その第九条の規定は重大な矛盾を抱えている。というのも、このきわめて民主主義的な憲法の、その中心をなす紛争解決の手段としての戦争の放棄、軍事力の否定をうたう条項は、何よりわたし達の政府に、当時の占領軍当局により、軍事力を背景に「押しつけ」られたものだからである。

ところでこの矛盾はわたし達にとって、どんな意味をもつだろうか。

グレゴリー・ベイトソンの作り出した概念にダブル・バインドというものがあり、それは、たとえば母親が子どもに、これからは人の意見に左右されず、自分で判断しなさい、と命令するような場合の、子どもの置かれる二重拘束のディレンマの状況をさしている。この子どもは、母のいうこと――自主判断――を実行しようとするが、それは母のいうことにそむくこと――母のいいなりになること――と同じである。彼にとっては自分で判断することが主要な関心事なのだが、自分で判断することが同時に自分で判断できないことでもあるため、よりにもよって、そのことだけが、彼からは、奪われている。彼は他の子どもがそう思いさえすればそうできるようには、自分で判断ができない二重の拘束の中に置かれるのである。

それと同じように、この憲法の現状は、わたし達にこの憲法のうたう軍事力の否定、平和について考えさせようとするが、よりにもよってこの憲法を尊重することは軍事力の威力の産物を尊重することでもあるため、憲法を手がかりに平和について考えることだけが、わたし達から奪われている。その事情は憲法全体についても同様で、この憲法は国民主権をうたっており、わたし達がこの憲法を作ったことになっているが、そう語るこの憲法はいわばわたし達を支配していた占領軍当局がわたし達に代わり、わたし達の政府に作らせたものだということをわたし達はみんな知っている。憲法といえばわたし達にとっての最高法規だが、その最高法規のただ中に同じ、あのダブル・バインドの構造をした矛盾が埋め込まれている。最も矛盾から遠いはずのものがわたし達にとっては矛盾の核心なので、わたし達には憲法が必要であるにもかかわらず、憲法をまともに運用することだけが、やはり奪われているのである。

では、この第九条と日本国憲法をめぐる矛盾は、どうすればわたし達に克服、解消できるのだろう。

わたしの答えは、憲法制定から五〇年近く経ったとはいえ、とにかく、いまからでも遅くないから、また平和条項をいったん失うことになってもよいから、憲法に規定された改正条項に従い、国民投票の形で、この憲法を「選び直せ」、というものだ。平和条項が価値あるのは、それがわたし達の手で選ばれるからである。要点はこのうちの後段にある。憲法がわたし達の手で選ばれていることが、その内容に優先する。もしその「選び直し」の結果、平和条項がなくなれば、そしてわたし達がそれを必要と考えれば、それを回復する運動を起こせばよいのである。しかし、そうだとして、そもそもこの憲法をどう考えるのか、この憲法の規定する戦争放棄条項をどう評価するのか、そういうことは、わたしの中で、十分に吟味されてきたというわけではなかった。

憲法の内容に立ち入るには、この憲法全体への基本的な肯定が必要だが、わたしには、どうしてもこの憲法の成り立ちが、肯定的に受けとめられなかったのである。

さて、ここでわたしはこの憲法をどう考えるか、という問いに関し、一歩憲法の中身に立ち入り、わたしの答えを記してみたい。憲法の成り立ちが肯定できるようになったというのではないが、最近眼にしたいくつかの著作が、これまでと少し違うふうに、この問題について考えることを、わたしに促すのである。

二

一四年前に書かれた磯田光一の『戦後史の空間』(新潮社、一九八三年)の最終章「もう一つの〝日本〟」に、もし日本がアメリカの第五一番目の州なら、戦後のもろもろの問題はどう見えるか、という問いがでてくる。

いまの観点から見て、この磯田の作業仮説がわたしに刺激的なのは、彼がこの想定を日本をプエルトリコという「小国」に見立てることで、得ているからである。

磯田の引く冥王まさ子の小説によれば、スペインから属領としてアメリカに譲渡されたプエルトリコには、(一)アメリカの州に昇格する、(二)ソ連の力でアメリカを排除し社会主義政体を獲得する、(三)戦後日本型の独立国をめざす、という三つの選択肢があったという。日本も敗戦直後にはこのプエルトリコとそう変わらない場所にいた。時間を経て錯綜の度を増す戦後の問題をいったん簡単な形に置きなおしてみる上で、日本をもう一つのプエルトリコと見る想定は、必ずしも無効ではない、磯田はそう述べ、これに準じた三つの想定の一つとして、先の「米合衆国第五十一番目の州としての日本」という作業仮説を提示するのである。

　わたしはこれを読み、磯田が亡くなってからの九年間に、何が「戦後」という問題領域においてつけ加えられることになったか、そんなことを考えた。

　磯田は一九八〇年代前半当時の日本の対米国関係の選択肢を、このように描いている。日本の対米従属の現実から眼をそらさない限り、「日本の選択は三つしかない。すなわち保護と被支配とを断ち切って独立するか、正妻に昇格するか、それとも「戦後」を永久に清算しないで、なれあいと甘えとをつづけてゆくか、という三つである」。

　磯田のいう「アメリカ合衆国日本州」という仮説は、このうち第二の選択にあたっている。この仮説は、一九八〇年代には磯田の述べるような「なれあいと甘え」の戦後を断ち切る異化効果をもったはずだが、現在、そこから見たら、わたし達の戦後はどう見えるか、そこにこの九年間の経験がどのように現れるか、わたしはそんなことを問われる思いで、このいまなお新鮮さを失わない評論を読み直し、そして、一つのことを確認する思いがしたのである。

　ことはこの憲法に関する。磯田はいっている。日本がアメリカの州になれば、「日本国を中心とするいっさいの国家主義も、その対極に位する「反国家」の観念も、ことごとく意味を失う」だろう。「日本国憲法は州憲法となり、それはより高次の合衆国憲法によっておのずから修正をこうむる」ことになるはずである。ところで、この場合、日本国憲法の人権条項は合衆国憲法の「権利章典」(すなわち憲法修正箇条の第一―第一〇条に相当)に基づいている以上、そのまま残り続けるが、一方、第九条の戦争放棄条項のほうは、合衆国憲法の軍事条項(合衆国憲法第一条八節一一―一六項)の準用を受け、改正を余儀なくされるのではないだろうか。いずれにしても、ここで日本州は本国合衆国との関係で「軍事上の義務をどういうかたちで負担するかを厳しく問われる」ことになるはずである。

しかし、ここのところ、わたしはいま、少し磯田と違ったふうに感じる。この想定を磯田が、州憲法としての日本国憲法の第九条は、本国のアメリカ合衆国憲法の軍事条項に照らし、合致しないゆえ、その適法性を問われざるを得ない、という順序で考えているのは疑いがない。

しかし、この磯田の想定は、それこそこの日本国憲法が実は日本占領者としての米国自身によって、日本に「押しつけ」られたものであることを、見逃しているのではないだろうか。アメリカの五一番目の州としての日本という想定が、占領にはじまるアメリカニズムの浸透を一つのきっかけとして考えつかれ、しかも、その根幹にあるのがこの占領軍当局の手になる日本国憲法であることを考えれば、これは、この作業仮説にとって重大な見逃しを意味するはずである。

では、日本国憲法がいわば米国製であり、そのことがこの合衆国日本州という作業仮説の中核である、というほんらい磯田の想定が前提している観点を、ここで磯田に代わり、一歩徹底させてみるなら、想定は、どういう形に伸びるだろう。

ここでわたしの考えは磯田と別れる。わたしはここにわたし達にとっての九年間の意味を認めたいが、わたしの考えによれば、ここでの日本とアメリカとの関係は、ちょうど戦後の沖縄と日本の関係と、相似のものとなるはずなのである。

もし日本が、沖縄が第四七番目の県として、日本であるように、第五一番目の州として、アメリカだとするなら、その時、日本は、沖縄が日本にとってそうであるように、ある戦後の初心の形を色濃く保った激戦地、かつ旧占領地という意味を、アメリカ本国においてもつだろう。広島、長崎に原爆が投下されたことを中心に含め、日本はアメリカにとってそのような「初心」を刻んだ存在として、第五一番目の州に組み入れられることになるはずである。

なぜなら、あの占領軍当局が作った憲法こそ——これをアメリカ人として見るなら——「われわれ」が原爆投下を含む二度の未曾有の世界大戦の痛みとひきかえに、二〇世紀初頭のよき時代に育った「ニューディーラー」と呼ばれる最良の部分を駆使して、マグナ・カルタにはじまる西洋近代の英知を動員し、作った「アメリカの光」ともいうべき制作物に、ほかならないからである。

いまではよく知られているように、この憲法の原案は、「一九四六年の二月四日から一二日までのわずか九日間に、連合軍総司令部(GHQ)民政局の二五人のメンバーによって書き上げられ」た。一九九三年に当時まだ生存していたこの作成メンバーに取材し、テレビのドキュメンタリー番組を制作した鈴木昭典が取材内容を本の形に書き下ろした『日本国憲法を生んだ密室の九日間』(創元社、一九九五年)によれば、彼らの大半は、責任者であるチャールズ・L・ケーディスをはじめとして、学生時代にルーズヴェルトのニューディール政策に影響を受けた進歩派「ニューディーラー」たちだった。実をいえば、この文章を書く上でわたしはこの鈴木の驚くべき記録に、影響を受けている。鈴木のドキュメンタリーはこの作成メンバーのわずかな生き残りを訪ね、綿密なインタビューを重ねているが、それを通じ、一つのことを教える。この一九四六年の憲法制作の九日間は、それに参加した全員にとって、その生涯のハイライトにほかならなかった。憲法制作は、これを日本系アメリカ人という磯田の作業仮説の場所から、つまりアメリカ人としてのわたし達という場所から見るなら、たぶんアメリカ二〇〇年の歴史上、最良の果実というに恥じないその初心の形の体現物なので、とするなら、第五一番目の州としてアメリカに参加するにあたり、日本系アメリカ人としてわたし達が考えるべきことは、あの沖縄の本土復帰においていわれた「本土の沖縄化」同様の、「日本のアメリカ化」、つまり州憲法第九条の〝本土化〟という主張なのである。

磯田は日本国憲法の合衆国憲法との違いから、日本国憲法の戦争放棄条項の修正が求められるというが、ここで想定は逆になる。わたし達はわたし達がアメリカ人である限り、この日本国憲法をモデルに本国合衆国憲法の修正を求めるべきなのである。

ところでこれは荒唐無稽な作業仮説だろうか。わたしは、必ずしもそうは思わない。

わたし達は日本国憲法がわたし達のものだと考えているが、そのため、かえって、この憲法の意味を考える文脈を失ってしまっている。日本国憲法はわたし達のものだ、と考えたとたん、わたし達は永世中立国的な世界史の中の真空空間に入り込み、憲法はコウノトリが運んできた赤ん坊にも似た普遍的理念的産物の色合いを強める。しかし、それはわずか九日間に熱に浮かされた四十代半ばから二十代半ばまでのたった二五人のアメリカ人の手で作られた。これがアメリカ製であることを当然の前提として考えるなら、たしかにこの憲法は、一九四五年の世界戦争が偶然の結果生みだした最良の歴史的産物の一つなのである。

湾岸戦争時、「文学者の反戦署名」というものが行われ、そこには、この戦争放棄条項に関して、「二つの世界大戦を経た西洋人自身の祈念が書き込まれているとわれわれは信じる」という表現がなされたが、したがって、その指摘は、それ自体として正しい。それは、そこには語られなかったがこの憲法とこの戦争放棄条項が「他国からの強制」として日本人に与えられた——押しつけられた——という一点に触れていないことを除けば、十分に正確な記述なのである。つまり問題は一つしかない。この憲法は、アメリカ人の初心を刻んだすぐれた作物だが、彼らから見れば残念なことに、彼ら自身の国家のために書かれ、彼ら自身の国にもたらされたのではなかった。わたし達の憲法だが、わたし達のほうからいえば残念なことに、それはわたし達の作ったものではなかったのである。

三

磯田の作業仮説は、こう考えさせる。

わたし達は、むしろ日本国憲法をわたし達のものだと考えない方がいい。それはある状況の中でわたし達でない勢力によって作られた。それはまだわたし達のものではないが、それをわたし達のものとするかどうかは、わたし達の手にゆだねられている。

　では、この憲法のわたし達にとっての利点は、どこにあるか。またそのまだ不十分な点は、どこにあるか。

　つまり、わたし達に必要なのはまっさらな形で憲法に対することだが、わたし達は、そんなふうに、いったん他者としてこの日本国憲法を考えてみる時、はじめてこの憲法に、五分五分の資格で立ち向かえるようなのである。

　先に触れた鈴木の著作は、こう考える時、この先、この憲法について判断する上に欠かせないいくつかの事実を教える。

　一つはアメリカ製のこの日本国憲法原案がどういう出自をもっているか、そしてもう一つは、この日本国憲法原案が、どういう思想によって作られているか。

　はじめのほうからいうと、この憲法の戦争放棄条項は、何も人類の理想を仮託され、天から降ってきたのではなかった。ＧＨＱは、当初、日本政府のイニシアティヴによる憲法改正をめざすが、彼らの考える民主主義的憲法がとてもこのようなやり方では期待できないとわかるに及んで、自分達の手で原案を作り、それを日本政府の手で発表させるように、方針を転換する。その方針の転換がいつ、どのように行われたかはわからないが、とにかく、その原案作成作業は、松本烝治を長とする憲法問題調査委員会の改正案骨子が一九四六年二月一日毎日新聞にスクープされ、その内容が明らかになると、先に触れたように二月三日、突如としてＧＨＱ民政局のメンバーに命令が下り、以後、二月一二日までの九日間、夜を徹する形で行われるのである。

ところで、この憲法原案の淵源には、ポツダム宣言のほか、一九四二年以来準備された米国国務省の領土小委員会文書、これを受け、一九四四年一二月に発足する国務・陸軍・海軍三省調整委員会(SWNCC)極東委員会が準備した「初期対日方針」「日本の統治体制の改革」文書、さらにそれらをもとにマッカーサーが憲法原案の作成に際し示した三項目のメモ(マッカーサー・ノート)がある。

その三項目とは、天皇の権能、戦争の放棄、封建制度の廃止を定めた憲法原案作成上の三原則だが、戦争の放棄についてこれを見れば、この「ノート」の文言、

国権の発動たる戦争は、廃止する。日本は、紛争解決のための手段としての戦争、さらに自己の安全を保持するための手段としての戦争をも、放棄する。日本は、その防衛と保護を、今や世界を動かしつつある崇高な理想に委ねる。

のうちの第一文「国権の発動たる戦争は、廃止する」は、一九二八年、ヨーロッパで定められたパリ不戦条約(ケロッグ・ブリアン条約)の第一条から、第三文「日本は、その防衛と保護を、今や世界を動かしつつある崇高な理想に委ねる」は、一九四五年六月にできた連合国憲章(国連憲章)から取られている。

さらにここには、マッカーサーの父親が駐屯軍総司令官をつとめ、マッカーサー自身都合

四回過ごしたフィリピンの憲法の残響すら、認めることができるのだという。
つまり、いったんこれをマッカーサーの指示によって占領軍当局の手で作られたものと考えれば、この戦争放棄条項は、第一に「戦争放棄ニ関スル条約・一九二八年」(パリ不戦条約)の第一条、

条約国ハ国際紛争解決ノ為戦争ニ訴フルコトヲ非トシ且其ノ相互関係ニ於テ国家ノ政策ノ手段トシテノ戦争ヲ抛棄スルコトヲ其ノ各自ノ名ニ於テ厳粛ニ宣言ス。

第二に一九三五年に制定され、「当時世界で唯一、戦争放棄の条項を持っていた」フィリピン憲法の第二条第三節、

フィリピンは、国策遂行の手段としての戦争を放棄し、一般に確立された国際法の諸原則を国家の法の一部として採用する。

第三に一九四五年、日本の無条件降伏前に作られた国連憲章(連合国憲章)の第二条の四、

すべての加盟国は、その国際関係において、武力による威嚇または武力の行使を、いかなる国の領土保全または政治的独立に対するものも、また、国際連合の目的と両立しな

い他のいかなる方法によるものも慎まなければならない。

を原典とした、西洋近代が自分のイニシアティヴでその数次の戦争経験を教訓に祈念をこめて作った最終的条項にほかならないのである。

ところで、こう三つの淵源を並べる時、何より最も無力な、あのプエルトリコにも似た独立前のフィリピンの憲法にわたし達の憲法のルーツがあるというこれまで余り語られないできた事実が、むしろわたし達を鼓舞すると感じられるのは、なぜだろうか。

わたし達は、この条項がわたし達においてもつ、いわば「栄光と悲惨」のうち、世界史的理想を先取りした「栄光」の側面ばかりを強調することで、自分の「悲惨」を覆い隠し、ひいてはこの憲法の問題を回避してきた。しかしわたし達に必要なのはむしろ「与えられた」ものをどのように自分のものにできるかという、植民地的経験のほうなのだ。この戦争放棄条項を精神年齢一二歳の指導されるべき蒙昧な人民に「与えられた」ものと考え、フィリピンの経験に並ぶ「悲惨」の側面から受け取り直すことは、わたし達に、その植民地的性格を理由として、新たな可能性の足場をもたらす。

さて、鈴木の本は、これに加えてもう一つ、この「啓蒙的」観点からわたし達に与えられた憲法について、これまで少なくともわたしの考えもしなかった新しい視点を送り届けてよこす。

一言でいえば、わたしの見るところ、この米国製の憲法原案は、たんに理想家肌の進歩派

「ニューディーラー」たちによって作られているのではない。この戦争放棄条項を書き上げているのは、憲法原案全体の作成責任者でもあるGHQ民政局次長チャールズ・L・ケーディスだが、この鈴木のインタビューを読むにつけ、わたしにはこの憲法原案作成者が、一通りでない思想の持ち主と見えてくる。そしてこの憲法原案が、このきわめて独自な人物の思想作品というようにも見えはじめるのである。

鈴木によれば、ケーディスは、一九〇六年ニューヨーク州の生まれで当時四〇歳。コーネル大学とハーバード大学ロー・スクールで学んだ根っからの「ニューディーラー」(進歩派)で、この時大佐、民政局の次長だが、わたしに興味深いのは、この占領者として被占領地で行う民主的憲法の原案作成作業において、彼が、ただ一人、そのことの彼らと日本人と双方にとってもつダブル・バインド的意味合いに、気づいていたと思われる点である。

この鈴木の本を読んですぐに気づくのは、この原案作成作業で、ケーディスが、ことさら、いわば理想家肌のメンバーの熱気の中で最保守的な場所に立とうとしていることだ。たとえば、彼は、マッカーサーがそのノートに戦争の放棄として日本の自衛権まで否定する考えを示していたのを無視して、独断で、先のノート文言にある「自己の安全を保持するための手段としての戦争をも」の部分を削除し、いわば完全な戦争放棄の観点からいえば、原案の条文を「骨抜き」にする。その理由について、ケーディスは後年、鈴木にこう語っている。

カットした理由は、それが現実離れしていると思ったからです。どんな国でも、自分を守る権利があるからです。だって個人にも人権があるでしょう？

ここにあるのは、何というか、徹底した近代主義的な態度なのだが、それは、このアジアの敗戦国での先進的憲法原案の作成作業という場面では、普遍的理念の啓蒙的下付という他のメンバーの無意識裡の欧米優越主義的なあり方と、するどく対立するのである。

この憲法原案の当初案には、土地や天然資源の最終的権原は「国民全体の代表としての資格で国に存する」といった急進的な社会主義的条項さえ盛られているが、ケーディスは、そういう場面でつねに理想家肌の表現に水をさす後退的人物として現れる。たとえばこの条項について、彼は、それが「土地および資源に対する私的所有」の否定につながる、という理由で反対する。他のメンバーが、日本が占領解除後、憲法に定める基本的人権に関する条項を再び後退させてしまうことを懼れ、「権利章典(人権に関する条項)」の改正ができないようにしようという案を出すと、彼は、その考えは「暗黙のうちに、この憲法の無謬性を前提としている。一つの世代が、他の世代に対して、自らの問題を決する権利の否定を強要することになる」「権利章典の変更は、革命によってしか成就されないことになる。とても賛成はできないね」と明示こそされないものの、それが下付される日本国民の権利を侵害することになるという理由で、反対するのである。

彼は、この憲法の改正条項の策定においても、これを改正しにくくしようという他のメンバーの意見に強く反対している。当初案では、「日本国民には、まだ民主主義の運用ができない」だろうから、この憲法は一〇年間改正が許されず、以後も改正は国会の三分の二、国民の四分の三の承認を必要とするようにしたいとされ、そのように条文が書かれていたが、彼は、それでは「後世の国民の自由意志を奪う」「憲法を保護するためにこのような制限をするのはよくない」とこれに強く反対し、激論の末、これを撤回させている。いずれの場合も彼はこれ以上のことを反対理由としてあげない。そういう制限は「他の世代」「後世の国民」の権利を侵害する、としか語られない。しかし、それは同じ国民に対して語られる場合の言い方であり、つまり、ここで彼は、そういう制限がたとえ占領者の善意に立つものでも、被占領民たる日本人の権利を侵害することだという感覚を失っていない。彼は、そのような制度が憲法として「下付」されようとしている思想に照らして、占領者の被占領者への越権にあたると考えればこそ、これに反対を唱えるのである。

前文か最高法規の条項に「この憲法はその主権の基礎を国民の意思だけではなく、普遍的な道徳の諸原理に置いている旨、明記し」「物理的な力だけでなく、道徳的高潔さが権威の源泉であることを正面から謳っておくべき」だ、という主張が他のメンバーからなされた時も、彼は強い調子で、そういう「ユニバーサル・チャーチ(普遍的教会)的なものを一国の憲法に入れるべきではない」と反対するが、その時、理由として語られることは、彼の反対が実はどういうところからきているかをはっきりと示している。彼はいう。「憲法の効力」は、「日本国民に由来するものであって、どんなものであれ、普遍的道徳に由来するものではない」「主権は力に基礎を置くもの」だ、と。しかし世界はやはり国民を超える高次の法があることを認めるようになってきている、現にそういう高次の法によって「戦争犯罪人裁判」が行われているではないか、と反論されても、その時勢論にも動ぜず、彼は、その延長で、「私は、その考えに納得しない」と自説を保持し続けるのである。

わたしは、ここに一貫する彼の態度からあるメッセージを受け取るような気がするが、これをいまあえて言葉にするなら、彼はこのGHQメンバーにあっておそらくただ一人、現に自分のやっていることが、本当なら不当なことであり、もし相手がまともなら、こういうことを喜びはしないだろうことを、きわめてはっきりと自覚している。

この憲法原案が夜を徹しての密室作業の結果、九日間で完成し、翌二月一三日午前、予告なしに日本側に示されたおりの、ケーディスの上官であるGHQ民政局長ホイットニー准将の「原子力的な陽光のひなたぼっこ」発言については、よく知られている。この戦争放棄の憲法原案が日本側に手渡され、時間を区切って内容検討の猶予を与えられた時、日本政府代表達が文面を検討する屋敷の屋根を震わせて米軍機が通過していく。外で待機しているホイットニーに日本側メンバーの一人白洲次郎が近づいていくと、彼は、いま「アトミック・エナジーの陽光を楽しんでいましたよ」と発言するのである。

日本のほうから見れば、この時この憲法は、軍事力を否定しながらそれこそこのホイットニーの発言が示す「軍事的威力」を背景に、日本にうむをいわさず「強制」されている。わたしはかつて、その憲法のわたし達にとっての「ねじれ」たあり方に注目してこの場面を取りあげ、このホイットニーの発言に触れたことがある(「戦後再見――天皇・原爆・無条件降伏」

『アメリカの影』河出書房新社、一九八五年、所収）。しかし、そのおり、わたしの視界になかったことだが、この憲法はわたし達によって作られたのでないと同時に、わたし達でない作者に、作られていた。それを作ったのはわたし達ではないが、しかし作者は、占領軍という顔のない権力というわけでもなく、そこには一つの作成者の思想が、もし仔細に見ようと思えば見える形で、刻まれていたのである。

四

わたしはそれを、こうした発言と文面修正をつうじて浮かび上がる原案作成責任者としてのチャールズ・ケーディスの思想に見る。

有能な法律家であった彼のことだから、ケーディスは当然、占領において占領者は「占領地ノ現行法律ヲ尊重」して事にあたるべきで、これに違反することは慎まなければならないとするハーグ陸戦法規についてよく知っていた。彼は、たとえそれがどんなに「よい憲法」であろうと、占領者が占領者の権力を背景に、被占領国の最高法規たる憲法を作ることが、もし法廷で争われるなら、弁明不可能な越権行為であり、かつそうでなくとも、それが不当な行為であることを、自分の近代的理念に照らし、わかっていたはずである。

彼の憲法原案作成における保守的対応は、ここから見る時、やむをえず越権行為を行うもののの、せめてもの対応として示される謙虚さと映る。しかし、そういうなら、この謙虚さは、ある相手への信頼とともに、ある相手への無言の問いかけをも含んでいる。

彼はマッカーサー・ノートにあった文言を、一個人の人権にも比すべき一国の自衛権は否定されるべきでない、という信条から独断で削除する。それは彼の占領者としての謙虚さだが、しかし、その文言削除後の条文に、彼は自衛権の保持をうたうというのでもない。たぶん彼によれば、それは彼のビジネスではない。それは、被占領者である日本とその国民が、自分で、自分のリスクをかけ、考え、必要であればそれを主張し、闘いとるべきものなのである。

彼は不当な占領者としてボールを投げる。それを受けとるのは権力関係の中にある被占領者だが、しかし、その権力関係の中でやりとりされるこのキャッチボール、権力ゲームにおいて、占領者と被占領者は五分五分である。ボールを投げ返すか投げ返さないかは日本側の問題なのである。

憲法原案の手交後、数カ月して、衆議院憲法改正特別委員長芦田均が、第九条規定に自衛権を確保する抜け道を作ろうと、相談にやってくる。芦田は、第九条規定の第一項に「日本国民は、正義と秩序を基調とする国際平和を誠実に希求し」の一文を挿入し、第二項に「前項の目的を達するため」を加えることで、実は自衛権の保持に道を残そうと考えたのだが、この時、ケーディスは芦田の意図を察した上、それに自分の責任で「OKを出」している。その独断承認は明らかに日本に自衛権を認めることを意味していた。同席していた同僚は驚いてただちに上官のホイットニーのところに注進にいく。しかし、ケーディスの思想にとってここは、たぶん譲れない一線なのである。

わたしは、ここまで来て、こんなふうに思う。いまわたし達のもとにある日本国憲法の第九六条には、この憲法の改正の規定があって、そこには「この憲法の改正は、各議院の総議員の三分の二以上の賛成で、国会が、これを発議し、国民に提案してその承認を経なければならない」「この承認には、特別の国民投票又は国会の定める選挙の際行はれる投票において、その過半数の賛成を必要とする」と規定が記されている。ここのところ、国民投票の承認が「四分の三」でなく「過半数」になっているところには――もちろん日本政府のその後の対応にもよったとはいえ――激論の末のケーディスの意思が反映している。

鈴木の記録を読めばわかるが、これらのＧＨＱ原案作成メンバーの大半が信じていたのは、占領が完了し、彼らが去った後、日本政府および日本国民は、ただちにこの憲法を変え、骨抜きにしてしまうだろうということだった。そのことを計算に入れ、できるだけその骨抜きができないよう、彼らはさまざまな制限をつけようと考えたのである。もちろんケーディスもこの憲法に自分達の盛り込んだ祈念以上のものが改正によって可能になるとは考えていない。この憲法の内容は彼にとっても最良のものを意味していたはずである。では、にもかかわらず、なぜ彼は、これが正当の条件をみたせば廃棄されうる憲法改正の道を確保しなければならないと、そこに譲れない一線をただ一人、見ているのだろうか。わたしの考えをいえば、ケーディスは他のメンバー以上に日本の国民により深い信を置いていた、というのではない。この国民が民主主義とか個人主義というものを身につけていることを彼はよく知っていたと思われる。では彼と他のメンバーの違いはどこにあったか。ここでわたしは、わたし自身の考えをケーディスに投影することになるが、彼は、たぶん作成メンバーの中にあってただ一人、一つの国民は、自分の決めたのでないよい憲法をもつより、やはりよくないものであれ、自分の決めた憲法をもつのが正しい、と考えているのである。なぜなら、「憲法の効力」はその「国民に由来する」ので、どんなものであれ「普遍的道徳」からくるのではないからだ。そもそも法をささえる正当さの感覚が、「力」なしにはその容れ物である身体に生まれないのである。

わたしは、この日本国憲法がわたし達にとって有名無実のものであり、一度としてまともに一国規模で考えられたことがなかったのは、その起源からいって当然のことだと思う。これを一度国民投票の形で「火」にかけるというのが、これまでのわたしの主張だった。その時わたしの思っていたのは、内容は同じであれ、とにかくこの憲法とは別のものを、わたし達が手にする、ということだった。しかし、ここまできて、わたしは違うように感じはじめている。この憲法には、当初から、そういう「第二の誕生」(ルソー『エミール』)がプログラムとして組みこまれていたのではないだろうか。少なくともその制作者であるケーディスの思想の中では、その「ボールの投げ返し」が無言のまま、わたし達に問いかけられている。

この憲法がよいものであることと、しかしこの憲法が当時のわたし達の実力からいって作られ得ないものだったことは、わたし達の戦後を作った二つの条件である。しかし、そのことの「歪み」に苦しむという形で、この矛盾に対し、これまでわたし達は十分なだけのものを支払ってきた。この憲法は外来のものだ。この外来憲法を選び直し、自分のものとすることは、この戦後という時間にたぶん、最後の区切りをつけることである。

Ⅲ

二つの視野の統合

――見田宗介『現代社会の理論――情報化・消費化社会の現在と未来』を手がかりに――

以下の文章は本誌(明治学院論叢『国際学研究』)前号の「国際学部創立一〇周年記念号」に間に合わなかった追加分の寄稿です。その号では、国際学部の教員各人に、自分にとって「国際学」が意味するところの一端を披瀝した論考を寄せることが求められています。ここで僕は、以下、見田宗介の『現代社会の理論』(岩波新書、一九九六年)をめぐって、自分の書いた『敗戦後論』(講談社、一九九七年)という著作との連関を念頭に、「架空講義」の形で一文を草しますが、これはこの見田著(最近読みました)の個人的な書評であると同時に、現時点での僕の関心のありかを、「国際学」あるいは「国際学部」のありかたとの関係で、述べてみようとする試みでもあります。そこに、僕の考える、いま「国際学」と「国際学部」に大切だと思われる観点をも読み取ってもらえれば幸いです。

一 「闇の巨大」と「光の巨大」

見田宗介の『現代社会の理論』をここで取りあげるのは、それが注目すべきモチーフに立っているからです。ここでは、まず、そのモチーフを僕なりに取りだすことを通じて、この著作の意義と僕の考えるところを、明らかにしてみます。

この著作の表題は『現代社会の理論』ですが、見田は、この「現代社会」について、こういっています。

——「現代社会」は「近代社会」とは違う。「近代社会」はいわば古典的な資本主義体制で特徴づけられる。その本質は、マルクスが分析の対象としているように、そこでの需要の根拠が消費者の「必要」におかれていることである。冷戦構造における社会主義陣営の依拠した「資本主義の基本的矛盾」は、恐慌の必然性という論理を支柱としていた。「拡大しつづけることでしか存続しえない資本主義的な生産力が、市場(需要)の有限性の前に、周期的に破綻するほかはない」という論理である。しかし、資本主義体制は、その後、消費者の欲望を喚起することを通じて、需要の根拠を消費者の「必要」から「欲望」にシフトし、この「市場の有限性」を「欲望の無限空間」に変えることで、この限界を突破する。これにより、古典的な資本制システムの前に、システムではどうすることもできないその「外部」として現れていた「市場」は、その「内部」にくり込まれることになる。以後システムは、自分で市場(需要)を創出し、自給自足の体制を確立する、つまり、自己準拠化する。

これが資本制システムにおける消費社会の到来の意味であり、また、現代社会が近代社会とは違う出来になっているということの中身である。したがって、「近代社会」の標識は、都市化、産業化、合理化、資本主義化だが、もう「現代社会」は、これらの「しるし」のいくつかを「反転するようにさえみえる」さまざまなしるしの群れによってしか、その核心を語れない。その指標とは、「ゆたかな」社会、消費社会、管理社会、脱産業化社会、情報化社会、等々である。その本質を「消費」と「情報」に求めることができる。

しかし、こうして古典的な「市場の有限性」という外部を内部化することによって、この「現代社会」のシステムは、「理論的には当初から一般的に存在していた」にもかかわらず、これまで手が届かないため遠くて見えていなかったもう一つの絶対的な「外部」に、「新しく現実的に」切迫した様相で直面することになる。「資源と環境」という外部的制約がそれである。

こうして「現代社会」の問題は、資本制システムの内部の消費化・情報化を特徴とする「ゆたかな」社会の問題と、その外部の環境と公害、資源とエネルギー、また、多くの大陸の過半の人々の、貧困と飢餓の問題という、危機的な様相を呈する問題との対面・共存という事実によって、輪郭づけられる。後者は、現代社会が、近代社会の延長上で実現するに至ったシステムのダイナミズムの帰結として、そのシステムの臨界面に生成し続けてきたいわば必然の所産であり、裏返しの自己、自分と一対になったマイナスの問題群にほかならない。

さて、このように思い描かれる現代社会の輪郭を念頭に、見田は、この著作のモチーフを、次のように語ります。

現代社会は、こう見てくればわかるように、いまや、それが「光」あふれるシステムの「外部」に産みだした「闇」を無視しては、その全貌を語れないところまできている。しかし、いまわれわれの周りにある記述は、この「光の巨大」の側面を強調し、現代社会を明るく描きだす一方、「闇」の部分に目を向けない議論と、逆に、この「闇の巨大」の側面を強調し、現代社会を暗く描きだす一方、「光」の部分のポジティブな側面を評価しない議論という、それぞれ片肺飛行の二種類の議論のいずれかにしかなっていない。つまりここには、明るいが、外部を捨象したノーテンキな社会像と、問題の本質を押さえているが、現代社会のポジティブな要素を捨象したためこの深刻な状況からの現実的な出口を示しえない、暗いだけの社会像という、それぞれ半分の世界のパースペクティブを示した二つの社会像があり、互いが相手を嘲笑し、糾弾し、否定しあう、相すくみ状況を作っているのである。しかし、それでは、今後、どうすれば問題を解決できるか、という展望は、開けない。必要なのは、この二つを貫き、そこから一つのパースペクティブを取りだすことである。それがあってはじめて、何がいまわれわれにとって一番枢要な課題かが誰の目にも明らかに、共有可能な形で、取りだされる。見田は、こうして、いまわれわれに必要なことを、この、「(分裂した)二つの社会像の統合」という課題に、定式化するのです。

見田はこう書いています。

情報化／消費化社会の「光の巨大」に目を奪われる「現代社会」の華麗な諸理論は、環境、公害、資源、エネルギー、南北の飢餓や貧困の巨大な実在と、それがこの情報化／消費化社会のシステムの原理それ自体がその「臨界」に生成する問題系であることを正面から見ようとしない。反対に、現代世界の「闇の巨大」を告発する多くの理論は、この現代の情報化／消費化社会の、人間の社会の歴史の中での相対的な優位と魅力と、その未来に開かれてある原的な可能性とを見ようとしない。

現代社会の全体理論は、この情報化／消費化社会のシステムの基本的な構造とダイナミズムと、矛盾とその克服の基本的な方向を、一貫した統合的な理論の展開として、太い線で把握するものでなければならないだろう。

一見、何でもないようですが、ここに立ちどまらなくてはいけません。このモチーフの一点に、今回の見田の著作の意義が集約されているのです。

そう考える理由を、三点に要約できます。

第一は、この二つの現代社会像を統一した社会像として描いたものが、これまでなかったことです。

第二は、これが、この二つの現代社会像の分裂に気づき、それを克服することが問題解決の第一歩であることを明言した、はじめての試みだということです。

第三は、この分裂の克服なしに、本当の未来に向けてのわれわれにとっての課題は、提示されえないということです。

以下、この順序で、このモチーフとこの著作の意味を、説明してみます。

二　社会像の分裂の統合

第一の点の重要性については、皆さんもすぐにおわかりになるでしょう。特に、この大学の国際学部で学ぶような人は、すぐピンとくるはずです。この学部には非常に真摯ですぐれた学者、研究者が集まっていますが、僕の不満は、その仕事の多くが、いまのところ、上にいう現代社会の「闇の巨大」の側面に目を向ける一方で、その「光の巨大」の側面をどちらかといえば軽視、あるいは否定する気味のものとなっていることです。

むろん、「闇の巨大」に目を向けることは不可欠であり、必要であり、大切です。日本社会で、「光の巨大」に目を向けたものだけがマスコミやジャーナリズムにもてはやされる傾向が強く、日本が「先進諸国」全体の中でも特に「闇の巨大」に関する情報が絶対量として少ない社会として突出していることを考えるなら、このことの重要性はいくら強調してもしすぎることはありません。

しかし、そのことは、こうした仕事が、にもかかわらず弱点をもつことを打ち消さないでしょう。これだけ世界には問題がある、では、どうすればよいのか。この「闇の巨大」の強調だけでは、この問題解決の方向と方法を、長期的な視野に立ち、理論的背景に裏付けられて、具体的に、現実的に、示すことはとうていできません。そこにはいわば問題を提示する、その先の折り返し以降の着地過程が、いささか欠けているのです。

ですから、もし、これが同時に「光の巨大」にも目をむけたものとなれば、画期的なものとなるでしょう。現在の消費化、情報化社会のメリットを押さえ、これを正当に評価すること、「光の巨大」に目をむけ、これを自分の中に取り込むことは、これが未知の課題であるだけに、このいわば外から内を見る「国際学」の〝闇のパースペクティブ〟にとって、厄介でもあれば、困難な課題となります。しかし、それを自覚的にとりこまなければ、さしあたり思いつくだけでも、以下に述べる、二つの弊害が生じることになるでしょう。

一つは、いま述べましたが、未来への出口が示せなくなることです。

たとえば、この環境、公害、資源、人口爆発といった危機的な問題群を前にして、われわれは、現在の資本主義が条件づけている経済規模、活動規模を何らかの形でキープしつつ、問題解決をめざすことを条件づけられています。

エコロジカルな思想は、ここでは問題の解決にはなりません。というのも、われわれの乗っている南北含めての現代社会という乗り物は、いま少しずつスピードを上げつつ、前進しているのですが、たとえば一五〇キロに達したらもうカーブが切れず、崖下に落ちるのが明らかである反面(これが「資源と環境」の限界です)、スピードが八〇キロ以下に落ちたら、あの数年前にヒットしたパニック映画(「スピード」)におけるバスのように、やはり爆発して破滅する定めだからです。先に触れたように資本制システムの本質はたえず前進していなければ倒れてしまうということです。ここにもう一つの限界あるいは必須の条件がある。僕達は、一五〇キロに達しようという現在のスピードをできるだけ押さえ、徐々に落としつつ、しかもそれが八〇キロを切らないように注意しながら大きなカーブを何とか無事に曲がらなければならない車のドライバーと、同じ要請を負っているのです。

ここにあるのがどういう問題であるかを知るには、思いっきり外枠から見た地球物理学的な観点が、好都合でしょう。比較惑星学者の松井孝典は、こう述べています。松井は、あるところで、地球物理学的な観点からいまの人類の臨界点を計測した場合の数値をあげ、「リサイクル」の思想ではない、「レンタル」の思想の必要を打ち出していますが、その論文によると、人類が農耕牧畜の段階(人間圏)以前の狩猟採集の段階(生物圏)にとどまる場合の「生息数」の上限は、地球全体で「一〇〇〇万人」「実際には五〇〇〇万人を超えることはない」そうです。これに対し、現在の人口は約「六〇億人」。この人口は二〇世紀初頭にはこの四分の一だったので、二〇世紀は「人口爆発」の時代といってよいのですが、どの程度、これがすさまじい「爆発」かというと、「その人口増加率で人口がふえていったとしよう。するとの(今後――引用者)二〇〇〇年を経ずして、人の重さが地球の重さになる」、そのような規模だと松井は明言しています(「レンタルの思想――人類が生き残るための提言」『中央公論』一九九七年一〇月号)。

ですから、このエコロジーの思想も、上限だけでなく、下限の問題に自ら答えを用意しなければ、資源、人口、エネルギーの問題に答えることができません。どうすれば、この数十億人の人口を地球が養い、しかも、資源、環境との関係で破綻せずにすむ形で、未来社会を構想できるか。問いは、上限に達しないよう考えればよいだけでなく、下限を上回るにはどうすべきか、をも同時にクリアしなければならないのです。

松井もこう述べています。

なお、地球にやさしいという標語を今でも見かけるが、地球にやさしいとは上の意味で科学的に考えれば、生物圏のなかに閉じて生きる、ということを意味する。したがってその本当の意味するところは人間にきびしいということで、例えば人口を今の一〇〇〇分の一にまで減らさなければならない。このような標語で地球環境問題がとらえられているところに、地球環境問題の討議が袋小路に入り込む下地がある。地球や地球システムや人間圏を知らない人に地球環境問題の本質や解決への方策は語れない。

(松井「レンタルの思想」)

具体的には、この現在の資本制システムが地球的に可能にしている生存規模を大きく損なわず、どう上限の問題をクリアできるかというのが問いの形です。「光の巨大」の問題を繰り込むことは、いまや必須だということがわかるでしょう。もっと「光」を、というのが、悪い冗談めきますが、僕がいま、すぐれた同僚一般に考えてみていただきたいことなのです。

さらに、このことに関連して、もう一つ問題があります。

これは、特にここ数年、学生を指導していて強く感じていることです。

簡単に言うと、教師と学生の間のギャップの問題。教師は、研究者として現代社会の「闇の巨大」を強調するわけですが、上のようなあり方ですと、それと「光の巨大」の間の関係としては、この「光」の部分——情報化社会、消費化社会の問題——は「南」側の闇の上にあぐらをかく「北」側の否定的側面としてしか語られない傾向が強いのです。しかし、教師にとって、この闇の部分の問題を取りだし、光の部分を告発することは、その光の領域での使命感の発露であると同時に、生活の糧を得る手段でもあるのですが、これに対し、学生にとっては、事情が違っています。教師の中では、この光の告発は、二重の意味で彼の光の世界での生活と結びついているのですが、学生の中では、それは、二重の意味で、自分の世界を否定し、それから隔てられること、この世界からの隔離の可能性なのです。学生は、光の領域で生活しつつ、その自分のあり方を否定、告発する形で闇の問題を考えるよう促されますが、それは彼らの生活の糧を得る手段とはなかなか結びつきませんから、現実との分裂が生じます。この現代社会像の描き方の中にある光と闇の分裂の問題性が、実は、環境問題における食物連鎖のような連関の果て、これを学ぶ学生の中で先鋭化されます。その結果として、真面目でかつ感性豊かな学生の一部が、非常に悩んでしまうという問題が起こっていることに、いまわれわれは、意識的であるべきだと思うのです。

このような現象に気づいている人は多いはずです。僕はひそかにこれを、「国際学部病」と名づけています。考えるべき大切な問題にかかわることが、いま生きている自分の足場を否定することになる。それでは学生は生きていけない。問題に頭を突っ込めば突っ込むほど悩みが深くなり、最後、不安神経症的な状況になったり、世界と自分の関係をうまくとれなくなったりして、動きがとれなくなる学生が特にここ数年、だいぶ出ています。それは、一概にいえませんが、一つに、その光と闇をとりこんだ全体的なパースペクティブを教師の側が用意できていないことの、端的な現れではないでしょうか。

三　視界の逆転

第二の点は、こう述べてくればほぼ明らかでしょう。少なくとも僕にとって、こういう問題点の指摘は、これがはじめてだといってよい。しかも、これは、単なる思いつきとして語られているのではありません。

闇の部分の指摘と光の部分の指摘がかみ合わなければならない、また、かみ合うことができる、ということを示すに際して、見田は、視界の逆転の契機をこう語っています。

上部構造は下部構造に規定される、というのは名高いマルクスの唯物論の命題です。それは牧畜産業を例にしていうと、次のようなことを意味します。

> 牧畜業者は、自分の投下した資本が回転し増殖するサイクルの内の決定的な部分を、家畜自身の食欲と生殖欲とに委ねたままにしておくことができる。むしろ牧畜業者にとって、資本のこの拡大再生産は、家畜自身の旺盛な欲望にこそ依存している。家畜のよろこびは牧畜業者のよろこび、というわけである。

それで、マルクスは『資本論』で、こう言います。

> 「家畜が餌を食うことは家畜自身のよろこびであるからといって、それが資本の再生産過程の一環であることに変わりはない。」(中略)ここでマルクスは、大衆の消費の過程のことを語っている。(傍点原文)

つまり、この例は大衆の消費過程のこととして同じく言える。見田はそういいます。モノを購入し、消費することは、大衆のモノを消費することの「楽しさ」「華やかさ」「魅力性」への応答の発露だが、だからといって「それが資本の再生産過程の一環であることに変わりはない」。上部構造としての浮ついた消費欲望の蔭で、下部構造としての悲惨な「南北」問題が隠蔽されている、という構図が、こうして生まれることになります。

さて、この隠蔽は、事実ですから、まず、それをその意味の重大さそのまま、受けとってみることが必要でしょう。現代の消費社会は、外部の悲惨の隠蔽を一条件にして成立しているといって過言ではありません。しかし、ここでの問題は、ここで一方が他方の隠蔽を伴って成立しているという時の、二つの項の間の権利問題、資格問題です。ここにいう「浮ついた消費欲望」と「悲惨な『南』の状況」は、ほんらいわれわれの関心の対象となる主題としての権利と資格において、対等なのではないでしょうか。前者が浮ついているので考慮に値せず、後者が深刻な問題なのでより重大だということはいえない。それは先に述べた一五〇キロの上限と八〇キロの下限の話からも明白でしょう。ここで見田は、論理の問題として、このマルクスのテーゼを、こう、反転してみせます。視界の逆転です。

ここでマルクスの言っていることは正しいけれども、この命題は、同じ資格で、反転してみることもできる。つまり家畜が餌を食み、生殖欲求をみたすということは、牧畜業者の資本の循環の一環をなすからといって、それが家畜のよろこびであることに変わりはない、と。あるいは〈大衆が消費することは、それが資本の増殖過程の一環をなすからといって、それが大衆自身のよろこびであることに変わりはない〉と。（傍点原文）

ところで、ここで少し考えていただきたいのは、この反転が、一朝にして現れているのではないことです。これは単に気の利いたひっくり返しのようなものとしてここにあるのではありません。ここには、日本の戦後のマルクス主義思想の自由検討の精華、日本の戦後の思想の一つの精華が顔を見せているのです。

きっと、社会科学の領域にも似た先行する指摘はあるのでしょうが、いま、僕の専門である人文科学の分野で、思いつくままに、こうした反転の試みの系譜を取りだしてみると、戦後、最初にこの「上部構造は下部構造に規定される」という命題の全能性に限定をつけたのは、吉本隆明の「ラムボオ若しくはカール・マルクスの方法に就いての諸注」というエッセーでした(一九四九年、『擬制の終焉』現代思潮社、一九六二年、所収)。この時、吉本は二五歳です。

そこで吉本は、「例えば僕の内部には現在アルチュル・ランボオなる詩人とカール・マルクスなる思想家とが別に奇妙な感じもなく同在している」が、それが自分には全然矛盾と感じられない、と述べています。ランボーという詩人から見ると、マルクスなどどんな思想家だろうと、まず人間であるという理由で嘲弄の対象をまぬがれない。しかし、また、マルクスという思想家から見ると、ランボーなど、どんな詩を書こうと、生産とか交通といった概念から帰納できるクモの巣の中の一匹の蝶のような存在たることをまぬがれない。ここにあるのは、上部構造と下部構造の互いの否定の様相ですね。少なくともマルクスのいう下部構造の規定性に、ランボーの詩(上部構造)は従属しないということがいわれているのですが、しかし、この両者の関係は、あれか、これか、の対立ではない。また一方が他方よりすぐれているのではない。両者の間にあるのは、対立・矛盾ではなく、「逆立」という関係なのだ。

これが、「上部構造」は「下部構造」に規定される、というマルクス主義の通俗的理解における優劣秩序に対する、吉本のひっくり返しの仕方でした。

見田も同様、家畜のよろこびは牧畜業者のよろこびに従属するのではない、両者は同じ資格、同じ権利で、「逆立」している、といっているのです。

この反転、視界の逆転がどういう意味を歴史的にもつかをこの延長でより明確に示しているのがこの吉本と、近年亡くなった戦後文学者埴谷雄高の間で、消費化社会が前面に露頭してきた一九八五年に交わされた、いわゆる「コム・デ・ギャルソン」論争でしょう。この論争の下地となっているのは、吉本隆明の消費社会肯定の姿勢です。たとえば、吉本は、その前後、「重層的な非決定へ」というようなことをいって、風俗の問題と古典の問題とマルクス主義の大問題を同じ資格で「重層的に」捉える視角がいま思想に求められている、という問題意識を提示しています。その一環として、ファッションとしてのコム・デ・ギャルソンのデザイナー川久保玲の仕事を高く評価しましたが、それがきっかけになり、雑誌『アンアン』に、まあ、遊びのページとしてだったでしょう、吉本にコム・デ・ギャルソンを着せて登場させるという企画が載りました。これを見て、埴谷雄高が、もし、この吉本の姿をタイかビルマといった第三世界の青年が見たとしたら、ここに自分たちを経済的に搾取する日本の典型的な悪魔的なイメージを見るのではないか、と批判したことから、この論争は起こっています。

ここにあるのが、あの見田の、反転を手がかりにした、「浮ついた消費欲望」と「悲惨な

「南」の貧困」の双方を二つながら含むパースペクティブの原型であることは明らかでしょう。また、この論争がそのようなものとして、これまでしばしばそう見られてきた程度の軽い論争ではなかったことも明らかです。ここで吉本は、「光の巨大」に比重をおき、「闇の巨大」の側から「光」を断罪しようとした埴谷雄高に、どうしても譲れないという形で、全身で立ち向かっているのです。

この時点で、吉本が、埴谷に体現される「南」から「北」を弾劾するというあり方に反対しながらも、彼自身、「南」の問題と「北」の問題の双方を含むパースペクティブの必要を考慮していたことは疑いがありません。近年の吉本はだいぶこの手の(「南」の観点を忘れているのではないか、といった)批判にさらされてきていますが、彼の仕事を丁寧に追えば、そういう批判が彼のモチーフを解さない、非常に浅薄なものであることは、すぐわかるはずです。従来の社会科学の伝統の中では、圧倒的に「南」優位の観点が強かった。しかしそれだけでは問題は解決しない。そう考え、それと闘うことに比重がおかれたのが、この時期の吉本の活動でした。

なぜその後、吉本が、ここに見る見田のような、こうした観点を前面に出す論へと進み出なかったか、ここからそういう問いが生まれますが、この点については後に考えましょう。

さて、そう考えてみれば、一九八〇年代前後、すでに、この吉本的な声が、新しい文学の声としても現れていたことに気づきます。村上春樹の処女作『風の歌を聴け』(講談社、一九七九年)がそれです。これについては、別に書いていますので、それを読んでいただきたいのですが、この作品で、村上は、だいぶこのような問題視角がわかったうえで、「金持ちなんて・みんな・糞くらえさ」という「南」優位の「北」弾劾型の声と、「気分が良くて何が悪い？」という「北」優位の声の対位の劇を描いています。この小説の主人公「僕」の友人で没落していく「鼠」と、その「鼠」の没落を時代の流れとは逆向きに深い眼差しで見送る主人公「僕」の関係は、この二つの声によって特徴づけられます。この小説は、「南」の側に立つ善意の、六〇年代の左翼的な声が、八〇年代の消費社会の到来の中で没落していくのを、消費社会の中にあって、別の仕方でこの志をひきとろうとする「僕」が、深い感情を抱えて見送る、新しい時代のモラルの模索の物語でもありました(加藤編『村上春樹イエローページ』第一章、荒地出版社、一九九六年、参照)。

このような前史があって、あの見田の指摘は来ています。

見田自身に以前からこのような反転の想像力があったことを忘れるわけにいきませんが(「失われた言葉を求めて――想像力の陣地の奪還」『現代日本の心情と論理』筑摩書房、一九七一年、所収)、ここで直接、この反転の契機にヒントとなっているのは、本文にも引かれている、次の竹田青嗣の井上陽水論(『陽水の快楽』河出書房新社、一九八六年)に現れた考え方だったかも知れません。

ふつう、若い人は、キラキラしたロマンティックな理想を胸に生きはじめ、やがて現実にぶつかり、その苦さを嚙みしめ、ロマンティシズムを捨て、リアリズムを身につけます。しかし、陽水は、現実にぶつかり、ロマンティシズムだけではダメだ、と思い知った時、ふつう他の人がリアリストになるところ、その「リアリストの方を噛み殺したのだ」というのが、意表をつく竹田の陽水論の要点です。ロマンティシズムだけでは人は生きていけない。ふつう人は、そうわかったところで、自分の中のロマンティストに見切りをつけ、これを噛み殺してリアリストになるのですが、陽水は、しかし、そのことは、なおロマンティシズムがひとを生きさせることを否定していない、と反転し、逆に自分の中のリアリストの方を噛み殺すのです。

そこから、こうした誘惑の底は割れている、しかし、わかったうえで誘惑されていたい、とでもいうべき陽水の歌の情緒が出てくるというのが竹田の考えですが、まさしくこうした情緒が現代の消費社会の醸し出す魅力、魅惑の基本感情になっていると、見田は見ています。この反転はいま、「光の巨大」の世界の透徹した感情となっている。「南」のことはわからないのではない、でもどうすればいいかわからない、その時間を、けっして自責しない自分との関係で生きていく、ここにあるのはこのような情緒といってよいでしょう。これに見合う繊細さが、「南」の側に立つ思考にも求められている、という見田の言外の声が聞こえてきます。

ロマンティシズムだけでは生きていけない。しかし、リアリズムだけでも、本当は生きていけないのではないか。それだけで生きていけない、ということでは、二つは「同じ資格」なのではないか。そういう反転を、竹田は井上陽水の調べに聴くわけですが、そのような日本の消費社会の中での思考と感性の前史を糧に、この見田の観点が、この「南」と「北」に関する反転をはじめて定式化するものとして、打ち出されていることを、見逃すべきではないでしょう。「北」だけでは問題は解決できない。しかし、「南」を強調するだけでもその事情は同じなのではないか。求められているのは、むしろ二つの分裂した半身の社会像を統合し、そこから課題を導くことではないか。そんな声が聞こえてくるのです。

四　幕間――あるモチーフの近接について

ここに、あるいはなくもがなの付録として、自分の話をさしはさませて下さい。

実は、この「社会像の分裂」の克服というモチーフを見田の著作に見て、僕は、自分の仕事との類似を感じたのでした。自分の仕事に言及するのはあまり見た目にいい図ではありませんが、最近本にした『敗戦後論』というもので、僕は、戦後の受けとめ方について、ほぼ同じ社会像の分裂というものを問題にしています(戦後像の分裂という形でですが)。

戦後の日本には、戦後憲法の理念の実現をめざす革新陣営の護憲派と、戦前とのつながりの上に天皇をいただく形で今後の日本を構想する保守陣営の改憲派と、大きくいって二つのタイプの主張があり、それに基づく戦後像(社会像)がありました。しかし、これは、自国の死者、他国の死者、という二様の死者とのそれぞれの関係の仕方を見れば明らかですが、現代社会の社会像の場合と同じく、分裂しているのです。つまり、旧護憲派(旧社会党出身の首相が自衛隊を合憲と言明した後、護憲と改憲という対立軸は消えたので、ここでは旧とします）は、日本が侵略戦争で死にいたらしめた約二〇〇〇万の死者にどう謝罪すべきかを戦後の課題の第一にすえ、一方、旧改憲派は、日本の約三〇〇万の自国の死者が戦後なおざりにされてきたという認識に立ち、この「英霊」をどう弔うかを第一義に考えるのですが、先の場合と同じく、前者は、自国の死者を自分の論理の中に位置づけられないため、視界から外し、後者は、対アジア侵略を自衛のための戦争と言い募り、他国の死者に謝罪することができないまま、これから目をそらし、つまり、そのそれぞれが他を繰り込めないままに、分裂しているのです。しかし、見田の場合と同様、この二つの戦後像を一連のモラルの「展開として、太い線で把握するものでなければ」、ここにある課題は取り出せないのではないでしょうか。

僕はここに問題が同じ形で現れていることに興味をそそられます。僕が戦後の問題についてぶつかったと同じ問題に、見田はここで、現代社会全体の問題として、ぶつかっている。これがこのモチーフをめぐる、僕の基本的な受け取り方なのです。

五　取りだされる課題

さて、このような二つの現代社会像の「太い線で」の把握の結果、どういう課題がこの本からさしだされているかが、第三の、最後の問いとなります。

その基本的な輪郭は、すでに述べた通りです。繰り返すなら、「どうすれば、この数十億人の人口を地球が養い、しかも、資源、環境との関係で破綻せずにすむ形で、未来社会を構想できるか」。

この課題の前提になっているのは、次のことです。

現代社会の危機的様相は、そのシステムが「自然」と接する臨界面と、「外部社会」と接する臨界面とに生じる問題系からなっています。つまり、前者としての「環境」「公害」「資源」「エネルギー」の問題系。後者としての「「南北」問題、「第三世界」問題という不適切な呼び名によってしか未だその全体を語られていない」問題系。後者には、「貧困」「従来型の社会システムの解体」「流入労働力」「エスニシティ／マイノリティ」の問題などが分肢として含まれています。

さて、これらの「闇の巨大」の問題を人類が克服できるとすれば、その場合の回路は、現在の資本制システムの延長上にしかないのだろうか。これが、まず検討すべき点ですが、結論をいえば、これしかない、というのが、僕も賛成する、見田の考えです。

では、なぜ資本制システムか。

このことが、非常に説得的に語られている点が、この本のすぐれているところの一つでしょう。

この著作は、全四章からなり、その内の一つが、「光」の領域の分析にあてられ、先に述べた近代社会から現代社会への「離陸」のポイントが語られます。これに比べ、真ん中の二つの章は、環境と資源の問題、「南」と「北」の貧困と飢餓の問題という、二種の「闇」の分析にあてられています。最後の章が、では、そこから出てくる課題(先出)にどう答えることができるかを、考える章です。つまり、資源と環境、貧困と飢餓といった「外部」の問題について、きわめて深い分析と検討がなされた上で、しかしやはり資本制システムが相対的には優位であり、現実的には唯一の方向だと考えられるという結論が出てくるところが、この本の、この結論の方向の説得力の源泉の一つなのです。

たとえば、「南」の人口問題、それがたんに避妊知識の欠如などに起因するのではなく、子供を多く持つことが、共同体の崩壊と新しい社会の未到来の過渡期における人々にとって「物質的にも精神的にも」唯一無二の「残された希望」となっていることを語る箇所などは、この本の精緻な構造的分析の一例でしょう。そのような丁寧さで、「北」における「南」の実情の遠隔化、間接化、不可視化の構造、「南」における貨幣経済への疎外と、その上での貨幣経済からの疎外という二重の疎外などが、次々に取りあげられています。

さて、その上で、ということになりますが、見田は、「社会の理論は、とりわけ現代の社会の理論は、どのような社会がほんとうに望ましい社会であるかということについての、基本的な価値と方向が明確に把握されていないと、腰の定まった明晰な認識となることはできない」として、どのような社会が人間にとって望ましいのか、と問い、こう述べます。

二〇世紀の経験は、人間の〈自由〉を原理とする社会でない限り、たとえどのような理想と情熱から出発した社会であっても、必ず新しい抑圧のシステムに転化するほかのないことを示した。われわれの社会がその外部と内部に、どのような困難を生み出すものであっても、それらの困難をのりこえることは、〈自由〉を手放すことをとおしてではなく、ほんとうに〈自由な社会〉の実現にとって必要な条件と課題は何か、という仕方でのみ提起されるべきものである。（傍点原文）

これが彼が「資本制システム」の優位を結論する、先の地球物理学的な理由とは別個の、より根源的な理由です（なお、この地球物理学的な限界は資源、環境の限界として松井とは別の方向から触れられています）。彼は、別のところで、自由主義陣営の社会主義陣営に対する「冷戦の勝利」で押さえておかなければならない点は、それがけっして「軍事力の優位による勝利」ではなかったことだと述べています。では、それはどのような前者の後者に対する優位の帰結だったのか。軍事的に両陣営は膠着状態にあった。

この膠着をつき崩したのは、「自由世界」の、情報と消費の水準と魅力性であり、いっそう根本的な所では、人間の自由を少なくとも理念として肯定しているシステムの魅力性である。（傍点原文）

「情報と消費の水準と魅力性」と「人間の自由を最上位の価値とする理念」。この二つを、現代社会のポイントにあげたうえで、もしこれに代わる「理想の」体制が考えられるなら、このシステムの「具体的な矛盾や欠陥」についてつきつめて考える必要はないが、これしかないとなれば、その時はじめて人は、この問題に「腰を入れて正面から」取り組む理由をもつ、として、見田は、課題を、こう定式化するのです。

> 情報を禁圧するような社会、消費を禁圧するような社会に、われわれは魅力を感じない。〈自由〉をその根本の理念としないような社会に、われわれは魅力を感じない。けれどもそれならば、情報化／消費化社会のシステムの原理からして不可避であるかのようにみえるこれらの不幸と限界（環境の限界／資源の限界。南の貧困／北の貧困）を、どのような仕方でのりこえることができるだろうか。（中略）
> 〈自由な社会〉という理念をシステムの原理として手放すことなく、われわれは見てきたような不幸と限界を、どのようにのりこえることができるだろうか。（傍点原文）

この課題の提示に、この見田の仕事の、何物にも代えがたい、一つの達成があります。ちょっと見には、一つの作文のように見えますが、これはそうではない。誰もが、この問いに答えなければ、未来の出口を示せない、これはそういう最終的な問いの堅固さをもっているのです。

六　疑問点

この問いに答えるために見田の用意している答えは、以下の通りです。

彼は、この問いに、「情報」と「消費」をめぐる根本的な考察をとおして、これまでの情報観、消費観を「踏み抜く」ことで、答えようとします。

現代社会のこの消費の魅力性の根源にあるものは何か。また、現代社会が情報化社会だという時の、「情報」のもっとも根源的な意味とは何か。

こう問うて、見田は、消費社会論の第一人者ジャン・ボードリヤールの論が、消費の哲学的な意味をめぐる考察の「霊感と後彩」をジョルジュ・バタイユの「普遍経済論」から借りながら、そこでの「消費」(consommation)が、バタイユの〈消費〉(consumation)とは違う別個の概念に横すべりしていることに着目します。そして、商品の大量消費とは違う、別個の展望を、消費社会の未来に描こうとするのです。

ボードリヤールの consommation は、いわゆる「商品の購買による消費」の意味で、通常の商品の消費をさしています。ですから、この消費行動を拡大しつつ永続するには、これを供給する膨大な資源とエネルギーが必要となり、これだと、あの資源、環境の問題、資本制システムの上限の問題とぶつかります。資本制システムは無限に高度化しますから、ボードリヤールの消費観に立てば、一五〇キロ以内にスピードを抑えるという上限の問題をクリアできないでしょう。

しかし、一方、バタイユのconsumationは、「充溢し燃焼しきる消尽」という意味での本格的な〈消費〉概念です。これは、生の本源性としては「他の何ものの手段でもなく、それ自体として生の歓びであるもの」を意味しています。バタイユの考えではボードリヤール流の商品の大量消費は、彼の〈消費〉概念に必須のものでないばかりか、むしろ、まがいもの、二義的な、ニセの消尽＝「消費」を意味しています。バタイユは一義的な〈消費〉をどんな有効性、有用性にも回収されないムダ(消尽)、と呼びますが、その同じものを、また、「たとえばごく単純にある春の朝、貧相な街の通りの光景を不思議に一変させる太陽の燦然たる輝きにほかならない」こともあるといったりもしています(『至高性』人文書院、一九九〇年)。バタイユでは、消費の本質は「奢侈」にあるとされ、その「奢侈」とは、時に一つの都市を灰燼に帰してしまうような破壊的な行為でもあるのですが、同時に、「現代では、ほんとうの奢侈はかえって貧しいものの手に、地面をねぐらとして何物にも目をくれないような人間の手に帰している」とも語られる、いわば物質、エネルギーの大量消費と必ずしも重ならない概念であるところに見田は着目するわけです。

それは、「富への完全な侮蔑」と語られます。ですから、このバタイユの示唆する〈消費〉の本源性を追求することは、必ずしもあの一五〇キロの上限に抵触しない、というのが見田の観点なのです。

未来に向けての課題は上限の問題とともに下限の問題をもわれわれに課していますが、ここで肝心なのは、この観点を導入すると、これまでの資本制システムの無限拡大のオートマチズムから、消費を独立した項として取りだすことができるということでしょう。そうだとすれば、今後は、資本制システムの物質的な高度消費は抑えながら、他方、市場の規模は一定程度の拡大を確保しつつ、ここにいう「消費」の高度化、質的拡大をはかることが、少なくとも論理的には可能になります。

まあ、これだけではないのですが、大体見田は、こう考え、この後段の資源とエネルギーを高度消費せずに資本制システムを高度に運転するカギとして、今度はもう一つの問題、情報の本源的な意味の問題へと考え進めるのです。

さて、僕は、この消費と情報の本源的な意味の開示を手がかりにする見田の答え方に大いなる可能性があると考えます。それにいくつかの疑問があるにしても、それはこの回答の骨子にかかわるものではありません。しかし、それとは別の問題として、一つ、ここでは、僕の考えるこの見田の考察の弱点をあげておきたいと思います。書評の務めを果たすという意味だけではなく、この見田の仕事に僕としてもコミットしたい、そのコミットメントとして、一つの疑問を記したいのです。

問題は、「北」の「光」の世界に生きている人間が、なぜ、こうした「南」の、また「外部」の問題を考えなくてはならないのだろうか、ということに関わります。見田のこの考察では、第二、第三章で、こうした資源、環境、貧困、飢餓といった外部の問題の詳細が構造的に明らかにされます。ですから、この本の考察の構成からいうと、こうした「南」の現状が明らかである以上、また、それが「南」の問題だけでなく、「北」の破滅をも意味する以上、ここにある問題に真剣に取り組まなければならないことは自明のようです。

しかし、誰もがこの本を読むのではない。つまり、誰もが、この「北」の「光」の中にあって作用している「南」の現実の、「環境・資源」の問題の、間接化、遠隔化、不可視化に抗して、そこで見えにくくなっている外部の視野を進んで得るというのではありません。とするなら、たとえ、この本を読まなくても、善意で「南」の問題に意識的になるのでなくとも、「北」の社会に生きる人間が「南」の問題について考えるようになる、内在的な根拠が、これとは別に、示されなくてはならないのではないでしょうか。

つまりこの見田の論の構えでは、そこの理由づけが欠けている。与えられている理由が、外在的だと見えるのです。

何か、難癖めいて聞こえるでしょうか。確かに、これは「南」だけに関することではない、どんなにエゴイスティックな「北」世界人であろうと、資源がなくなり、人口が爆発的に増え続け、オゾンに穴が開き、温室化現象が進めば、地球もろとも破局がくることはわかりますから、関心をもつでしょう。そうだとすれば、この問いは不要とも見えます。しかし、こうした脅迫めいた言い方でこの問題に関心をもっても、それだけでは仕方がありません。それがここに現れている問題の本当の解決のために必要な問題関心のもち方でないことは、明らかでしょう。自分さえ助かればいい、という関心のあり方だけでは、この「北」のシステムの根底的な改変なしに問題が解決しないということの共通理解が得られるとは思われません。ここで問われているのは、「北」に生きる人間が、自分の生のただなかで「南」の問題に出会うといった内在的な理由があるのか、ないのか、ということなのですが、もしあるなら、それは、取りだされなくてはなりません。そして僕は、それがなければ、ここに見田が展開している考察には、普遍性が欠けていることになるのではないか、と考えるのです。

少し先走った言い方になりました。言い方を変えましょう。言葉を換えると、その内在的なみちすじはあるはずだというのが、僕のこの問題に関する確信なのです。ではそれはどのようなものか。その内在的な理由の出てくるすじみちへの観点が、この考察には抜けているのではないか、というのが僕のこの見田の考察に対する、ほとんど唯一の疑問なのです。

こう述べてみても、まだうまく言えたという気がしません。

この「確信」の意味をもっとわかっていただくために、一つ、寄り道してみましょう。

以前、僕は、演習で現代社会論を試み、学生諸君と「おタク」の研究をしたことがあり、テキストとして、中島梓の『コミュニケーション不全症候群』(筑摩書房、一九九一年)を取りあげました。これはいま読んでも色あせていない、現代日本社会の一面を深く分析したすぐれた著作です。ここで中島は、おタクと呼ばれる少年達の抱えている問題、拒食症、過食症の少女達、またＪＵＮＥものと呼ばれる同性愛少年の世界からなる物語世界に耽溺する少女達が体現している問題、家族との関係、社会との関わり、世界との関係がうまくとれない年少者に現れている問題を、関係不全の観点から論じているのですが、中島自身のいうところによれば、彼女は、最後にきて、一つの問題にぶつかり、それをどう考えたらいいのかわからず、著作の最後、一〇分の一くらいを書くのに、数カ月かかったというのです。

中島は言います。「おタク」と呼ばれる若者たちは要するに、殻のないかたつむりのような存在として社会に投げ出されるのだが、「ありとあらゆる魔術を使って」その社会の過酷な要求に応えつつ「けっこう満足して生きのびる」道を見つけている。しかし、「最大の問題点はまさしくそこにある」「彼らはすべて、自分自身の囚人である――しかも彼ら自身はそのことに〈満足している〉」、彼らは病人なのだが、病識がない。彼らは社会に背を向け、自分だけの世界にとじこもり、そこでその世界に満足している。それが最大の問題だと中島は言うのですが、ここにあるのは、どういう問題か。「だがそれなら――もうそろそろ、私は一挙に結論の部分に飛んでもいいのではないかと思う――そもそもなぜ〈そうであってはいけないのか〉――?」(傍点原文)つまり、〝なぜ内閉したままでいけないのか〟。ここにはこういう問いが残る。中島は、こう述べ、数カ月の熟慮の後、これに答えを出しているのですが、それは、こういうものです。

確かに彼らは満足している。しかし彼らの世界と外界は隔絶している。そのため、彼らは自分に外からぶつかってくるのは全部幽霊だときめつけるようになる。しかし、事実は、それは外部の社会の事物であり、幽霊なんかではないから、彼らはたえず日増しに人にぶつかるようになる。

「問題はそこにあるのだ。彼らは自分たちがコミュニケーション不全症候群であることにちっとも困っていないと考えるかもしれない。だが、それは確実に――何と云ったらよいのか――〈進行する〉のだ」。こうして著者は、こう話を進めます。このままゆけば、どうなるだろうか。「このままゆけば――ということはこの症状が世界じゅうのいたるところに蔓延してゆくのをそのまま放置していれば、最終的には世界は生きている幽霊ばかりの徘徊する、まったくすべての共同性をも有機的な連環をも欠いた場所になるだろう」、それはおそろしいことだ。どこかでこの連鎖を断ち切らなくてはならない。「どうしてか、とまだあなたは聞くだろうか？――もう、それはあまりにも簡単なことだ、と私は答えるだろう。それは、我々はまさしく、**この世界でしか生きてゆかれない、ここで生きてゆかなくてはならぬからなのだ**」と（傍点原文）。

ところで、ここに示された中島の答えが、〝内閉者は内的世界の中で満足かも知れないが、それでは世界が幽霊だらけになってしまう、だから内閉者は、彼の内的世界から外にでなければならない〟という形になっていることに注意して下さい。それは、「外に出なければならない」理由を内閉者の内的世界の生にではなく、彼が回復した後に訪れることになる、外部世界の生に求めていて、つまり、内在的な理由の提示になっていません。

もし、それが理由なら、中島のいう内的世界の内閉者が、この中島の答えに説得されないことは明らかでしょう。それに説得されるのは、内閉の外にいる普通人で、つまり、もう説得される必要のない人間でしかありません。とするなら、これは、答えをなしていないといわれても仕方ないのではないでしょうか。僕は、そういう疑問を、この中島の結論部分に感じたのでした。

見田にいま、呈している疑問は、この疑問と同型です。なぜ「北」に住む人間は、この「北」のシステムの内閉から「外にでなければならない」のか。彼らはそこで満足しています。そのままなら、世界は幽霊だらけになってしまう、地球は資源枯渇、公害、温暖化で破滅する、といわれても、自分には関係ない、とか、自分の生きている間はまだ大丈夫だろう、くらいにしか考えないでしょう。では、なぜ〈そのままではいけないのか〉。

僕は、ここでも、その理由が、内在的に示されない限り、この問いは答えられないと思うのです。

では、内在的な答えとはどのようなものか。

中島の問いについて、僕は、こう考えました。内閉者は、内的世界にいる。外から見ていると、自足しているように見えるかも知れないけれども、実は苦しいのに違いない。なぜなら、他者と関係を絶ち、幽霊でいることは、苦しいことだからだ。では、なぜ他者と関係を絶ち、幽霊でいることは、苦しいのか。一言でいえば、人間とは、そういう作りになっているからです。

でも、この言い方には、少し説明が必要でしょう。

人間がそういう作りになっているとはどういうことか。たとえば僕が僕として存在している、そのことのなかにちゃんと、しっかり他者との関係が埋め込まれているということです。

僕が僕であるために、僕は自分の中にもう、他人を入れてしまっているのです。

人間とはそういう形で自分をもつのだということです。むろん、皆さんもそうだし、オタクと呼ばれている内向的な若者たちだってそうなのです。さて、人間は楽しみを見つけ続けないとだんだん元気がなくなる存在です。ではその楽しみの素はどこからくるか。それは彼の中に織り込まれてしまっている他者との関係からくる。オタクの若者たちも、つねに内向しつつも外界からその楽しみ、いわば自分の生きる栄養分を摂取して、それで自分の内部の世界の楽しみを作っているのです。でも、その外界とのパイプが閉ざされたらどうなるか。たとえばテレビゲームにはまっている少年がいるとして、ファイナル・ファンタジーのこれまでのヴァージョンにあきてしまった。そこに新しく最新版が出ると聞けば、どんなに外に出たくないといってもこれを買いに自分の世界から出てくるでしょう。でもすぐ自分の世界に戻ってしまう。テレビゲーム・ソフトならそうです。でも、テレビゲーム・ソフトしかなかったら、いつかはあきてしまうでしょう。いや、これで三年はもつ、という人がいても、三年を過ぎれば、さすがにもういやになるはずです。そして全く別なことをしたい、内向的なままでも、別の遊びをしたいと思うことでしょう。

これが、ずうっと繭の中にこもり続けたら、必ず人間は、苦しくなる、人間はそんなふうに出来ているのだ、ということの説明です。人間は、自分が楽しむために、自分が元気でいるために、他者を必要とする。いや、自分は一人っきりでいいといったってダメなのです。人は、一人っきりの自分が成立するのに、他人との関係がもうすでに織り込まれている。

人ひとりが互いに他の人間の毛糸をまじえて編まれたセーターのような存在なのです。「他者」と隔てられたままでいると、生きることの喜びも意味もすりへり、「幽霊」に似た存在になってしまう。「内閉」が彼に苦しみとして現れるのは、人間がこのような存在だからにほかなりません。

これと同じことが、「北」と「南」についても、大きく言えば、言えるのではないでしょうか。それは大きすぎてまだ僕達には見えていません。でも「北」の世界だけで生きていることは、苦しいことなのではないでしょうか。そして、その生きていることの中に「苦しさ」を紛れこませるからこそ、僕達は、外に目をむけざるを得なくなるのではないでしょうか。そのような機制、すじみちが、ただ見つけられていないだけで、存在するはずです。そういう順序の内在的な「内から外へ」のみちすじが、ここに取り出されなくてはならないと思うのです。

では、その「北」のシステムの中に内閉されてあることの「苦しさ」とは、どのようなものでしょうか。

こういう「北」への閉塞という観点に立てば、それが、たとえば僕のような高度成長期以前に幼年時代を送り、いまでいう「南」的な生活を経験した年長者より、生まれたときからこの内閉、純粋の消費化・情報化社会に浸されている年少者に、先に現れる苦しみであることがすぐにわかるでしょう。

最近、ある雑誌を読んでいたら、作家の日野啓三が、一定の最適生存条件がなくなると、一定範囲内の動物間で、それまでなかった同種殺しなどの異常行動が現れるようになる、という動物社会学者コンラート・ローレンツの所説を引いて、最近の神戸での少年殺害事件について語っていました。要するに、ある種の鳥が、一定の範囲に限界以上繁殖してしまうと殺し合いだとか集団自殺めいた異常行動に走るのと同じく、そういうレベルでの最適生存条件の欠損が、これらの事件の背景にあるのではないか、というのです。

その事件について僕は詳しいことは知りませんが、そのような傍観者の目にも、一つの可能性として、殺人を行なった少年が、そういう手段でしか自分が生きているということの確かさ、かけがえのなさを感じられなくなっていた背景が想像できます。これ以後は、この現実の事件からは離れますが、もし、そういう少年が出現しているとしたら、それは、その少年に、これまでにない形で、「北」の消費化・情報化社会に内閉されて生きることの苦しさが、現れているということかもしれません。

実は、この「光」の世界に内閉されていることの苦しみは、「光」の世界に生きることが、他を隔絶した内閉にほかならないことの実質が強化されるにつれ、さまざまな形で現れていて、ただ、われわれがそうとは夢にも思っていないだけなのかも知れません。精神世界への関心の増加、自然環境の取り込みの欲求の広まり、そういうものがすでにして「北」に閉ざされていることの苦しみの一つの兆候なのかも知れません。

そこに生きる人間の生を検証することを通じて、この「南」と「外部」へと〝抜け出る〟内在的理由が、明らかになるのではないか。僕はそういう可能性を捨てきれないのです。

もちろん、これから先の議論に、僕の用意はまだありません。しかし、それが僕の著者への疑問だということです。

ところで、そう考えるなら、見田が「おわりに」として書いていることは逸せないでしょう。見田は、これが彼の構想の全てではなく、ここまでの考察に加え、「現代人は愛しうるか」「リアリティ／アイデンティティの変容」「社会構想の重層理論」という三章からなる後半部分を合わせ、この仕事が一つの「理論」の全体をなすことを断っていますが、この書かれるべき後半部分の主要部は「自己準拠系の内部問題」、つまりこの資本制システムの「内部問題」と名づけられているからです。しかし、そうだとして、なお、こういう疑問を呈したのには、理由があります。最後の最後に、そのことに触れ、この文章を終わりたいと思います。

七　内在的ということ——『自我の起原』一瞥

実は、上記のように考え、この仕事自身が、そのこととの連環を意識しているのではないか、という予想をもって、この文章を草するにあたって、僕は、この本の直前に書かれた見田(真木悠介)の著作である『自我の起原』(岩波書店、一九九三年)を読んでみました。これは、「愛とエゴイズムの動物社会学」と副題にあるように、「動物社会学」の最新の知見を動員して、その成果を批判的に摂取しながら、自我の複数性、多数性ともいうべき問題に光をあてた非常に意欲的な著作ですが、ここで問題となっているのが、自我という「内部問題」の領域なのです。

しかし、僕は、その著作を通じて、そこに、上にあげたと同質の問題がもっと鮮明な形で顔を出しているという、期待とは裏腹の感想をもつことになりました。何か、内在的に考えられるべき時点で、「自我」が、外から見られていると感じたのです。

この著作については、本誌の第一三号に竹田青嗣が適切な書評を寄せています（「「エロス」と「自己中心性」――真木悠介『自我の起原』」『国際学研究』第一三号、一九九五年）。関心のある人は合わせ読んでいただきたいのですが、簡単に内容を紹介すると、ここで引照されているのは、動物社会学の最新の理論として知られているリチャード・ドーキンスの『利己的な遺伝子』（紀伊国屋書店、一九九一年）という理論体系であり、この本があとづけているのは、人間に固有なものである「自我という現象」の生成過程といえます。

進化論の中で、ダーウィニズムといえば、適者生存の原則で知られる通り、単位となっているのは類、種族です。なぜ、キリンの首は長くなったか、キリンという種が、これこれの必要をもったからだ、とその説明は種、類単位でなされています。これに対し、個体単位の観点を提示したのがコンラート・ローレンツで、彼は、たとえば動物の攻撃性がすべて「種のための個」ともいうべき個体の種族保存のための利他的行動であることをその著『攻撃――悪の自然誌』（みすず書房、一九七〇年）で明らかにしました。ある種の熱帯魚は同種への激しい攻撃性で知られているが、その理由は、各個体が与えられた空間内で適切な距離に散開することを促すことにあった、つまり種の繁栄のための行動だった、という具合です。しかし、そのローレンツの理論でも説明できない事例が動物界には存在し、その代表的なものにある種の動物の子殺し行動がありました。そのような事例を突破口にその後、新たな理論が現れてきます。その一つとして最近脚光を浴びている仮説が、進化の動因に、むしろ個体を構成している下位のレベルの存在、遺伝子の――これは比喩ですが――自己増殖欲、利己性を見る、ドーキンスの「利己的な遺伝子」理論なのです。

たとえばハヌマンラングールという動物では、オス一頭とメス八、九頭がハーレムを作っていますが、そのオスの座が別の新しいオスにとって代わられると、新しいオスは、旧リーダーの遺児たちを片っ端から殺害します。子供を殺されたメスはすぐ発情して、新しいリーダーの子を作ります。あるいは、ある種のトンボはムチの先についている「かえし」を使って、メスの受精嚢からメスが先に交尾したオスの精子を掘り出して捨てます。こうしたことは、「種の繁栄」という観点からいうと、明らかな損失で、「自己の血統を排他的に残そうとするオスの「利己性」」として解釈されるでしょう。そのような解釈を裏付ける考えとして現れてきたのが、この遺伝子単位の進化論なのです。

ここから現れた俗論に、個体は遺伝子の乗り物に過ぎず、実は、遺伝子に操られている、とでもいった遺伝子主体論があります。これは、ポストモダン思想として現れた構造主義、ポスト構造主義におけるやはり俗論としての、制度、社会、文化が個体の思考形成を条件づける、という議論の、これがマクロコスモス版であるのに対して、ミクロコスモス版と考えればよいでしょう。むろん、ドーキンスも、見田も、こういう乱暴な構えは取っていません。しかし、この動物社会学の理論的成果を駆使して見田が明らかにしようとしているもの、最終的に示唆しようとするものが、このような考えから、完全に自由かというと、そこが、僕にはいささか疑問なのです。

たとえば考察の最後、見田は、遺伝子の乗り物である「身体」が、やがて「個体」となり、「主体」となり、人間において「自我」となる過程をあざやかに追った後、その「自我」が他に開かれてあるさまをこう語ります。

エクスタシーとは何か。これは、この言葉に日本語をあてると「脱自」となることに示されているように、「他者から〈作用されてあること〉の歓び」「つまり何ほどかは主体でなくなり、何ほどかは自己でなくなること」を意味しています（傍点原文）。では、なぜ「主体でなくなること」が主体にとって歓びなのでしょうか。主体とはいってみればばかりそめにタキギを一まとめにしたような存在であり、その一つ一つのタキギにあたる部分は、主体をなしつつ、その実、イマシメをほどかれ、バラバラの初原の状態に還帰したいと欲しているからだと、たとえば、ラカン学者は、そういう説明をします。というか、ラカンとラカン研究者の説を聞いて、僕はそういう解釈を促されます（「鏡の前にいるもの」『ゆるやかな速度』中央公論社、一九九〇年、所収）。

ところで、ここのところを見田は本来、㈠個体がさまざまな遺伝子たちの離合集散のいわば「一期の宿」として存在する複数性の存在であること、㈡しかし、個体はその後、遺伝子主導の組織体から独立し、離陸し、人類において独自の主体化をとげ、その帰結として自我がいまあること、㈢しかし、その主体化過程は、個体が生きる生活環境単位でなされ、その結果、個体を超える範囲で共生のネットワーク形成として遂行されるため、自己は他に開かれた態様をとっていること、といった前史の上に説明することになります。エクスタシーとはその自己の自己ならざるものとの交感のありよう、自己が外に開かれた存在であることをよく示す現象だとして、説明されることになるわけです。

つまり、これは一例ですが、自己というのは、もともと自己ならざるものが多数一時的に集結した多様体であり、複数性の存在形態なのだ、ということを理由に、見田は、個体が自己裂開的な構造を本質としている、と結論するのです。

> 個体という主体であることじたいが、すでに〈さまよい出た〉存在である。ecstasy の状態である。
>
> 個体を主体としてみれば、個体はその〈起原〉のゆえに、自己の欲望の核心部分に自己を裂開してしまう力を装置されている。（中略）
>
> けれど個体の、この自己裂開的な構造こそは、個体を自由にする力である。（傍点原文）

　しかし、ここのところ、僕は変わった言い方をしますが、ほんらい、自己は、これらのもろもろの動物社会学的な事実、確認されない外在的な知識、事実の教えること、「自己裂開的な構造」としてあることを、これら外在的な知識によらず、内在的に、己れに示すありようなのではないでしょうか。つまり、これらの外的事実(の知)に支えられてではなく、端的に自分が「自己裂開的」であることを通じて、自分の自己裂開的あり方を示すのではないでしょうか。

　つまり内在的に、自己裂開的な存在であることを開示するのではないでしょうか。では、ここで、内在的な自己の自己裂開的な構造の現れとはどのようなものか。

最初のタキギの例に関していうと、僕は、エドガー・アラン・ポーの小説で、死の瞬間、催眠術をかけられ、そのまま数カ月間生と死の中間に停止していた「仮死体」が、術を解かれた瞬間、みるみる異臭を放ち、腐敗し、溶けだし、白骨となるという描写に出会った時(「ヴァルドマアル氏の病症の真相」)、えもいわれぬ快感を感じたことがあります。この快感はどこからくるのか。この問いをめぐり考えたことはそれをモチーフにした先の文章に譲りますが(先出「鏡の前にいるもの」)、しかし、ポーの小説をめぐってあるラカン学者の書いていることを読んで(若森栄樹『精神分析の空間――ラカンの分析理論』弘文堂、一九八八年)、この快感がいわば主体の複数性に基づくという仮説を了解しました。

　しかし、この場合、順序が大事です。主体の複数説を僕に納得させているのは、この僕の身体の数万年前の記憶から来ているかもしれない「えもいえない快感」です。その淵源を説明する興味深い仮説として僕はラカンの考えを採用するにすぎません。この「えもいわれない腐敗への傾き」が僕の場合の内在的な主体複数性の開示となっているのです。

では、ここで見田の提示している自己の自己裂開的な自由は、どうでしょうか。この場合は、どうであることが、内在的なこの構造の開示を意味しているでしょうか。

僕は、ここにあげられているような見田の説明ではなく、たとえば、あの埴谷雄高の「自同律の不快」こそ、それにあたると思うのです。「自同律の不快」とは、「俺は俺だ」といおうとして、「俺は……」と主語を口にし、それに続けて「俺だ」と述語を発語しようとする時、かすかにAはAだと言うことに「えもいわれない不快」がある、ということです。そういう内的経験にあてられた、埴谷の言葉であり、その小説『死霊』のカギになっている概念なのです。小説では、主人公三輪与志がこの「不快」を胸に、この世の外に迷いでようとひそかに志す人間として登場します。うまく伝わるかどうかわからないのですが、ここで、埴谷が、自我の複数性とか「利己的な遺伝子」については何の予備知識ももっていないことを、思い出して下さい。この「不快」に埴谷がぶつかったのは、昭和一〇年代、一九三〇年代のことです。埴谷は、自我が複数性の存在であるから、この不快があると考えたのではない。自我が、「俺は……俺だ」と言おうとすると何か気分が悪い、そこに何かがある、と感じ、それを、「自同律の不快」と呼んで、自分の思想のカギ概念に育てているのです。

すると、ここには、自我が複数性の存在であることの認識に達するのに、二つの仕方があることになる。それを、分解してみる——外圧的、分析的に知る——という仕方と、それがそうであるために生じる信号に、耳をすませる、という仕方です。なぜ目覚し時計が動くのか、それを知るのに、分解して、そのメカニズムに触れることでたしかめるのと、明日の朝九時にセットしたら、やはり九時に目覚しがなるのをもとにたしかめるのと、二つの方法がありますが、それに似た二つの複数性のたしかめ方が、ここにあることがわかります。

しかし、自我というのは、分解できない目覚し時計なのではないか、時計の場合は分解して、その組成と本質を知ることができますが、自我は、分解すると、自我の自我たる所以のものが失われる、そういう目覚し時計なのではないか。つまり、見田は、この「自同律の不快」のような内在的な開示こそが必要なところで、彼の言いたい自己の複数性を、自我を起原から説き起こし、外在的に語ってしまっているのではないでしょうか。

この『自我の起原』も竹田が前記の書評で評しているようにきわめてすぐれた指摘と示唆に富みます。ここでは、そのことに触れません。僕の疑問とは、この『自我の起原』もそうであるように、見田の『現代社会の理論』においては、まだ、書かれていない項目があるのではないか、ということにほかなりません。あたっているかどうかわかりませんが、「北」のただなかに住む無関心な人間が、その消費と情報にまみれた生活の中で、「外部」へと関心を向ける内在的な理由、そのすじみちがある。なければならない。そう考えた上で、それの指摘が抜けているのではないか、といっておきたいと思います。

えです。

けたか(『マス・イメージ論』『ハイ・イメージ論』)、その答えもここにある、というのが僕の考

なぜ吉本隆明が、「北」に生きる人間として、「北」の生のあり方の突端部分にこだわり続

八　終わりに――自己について

そうすることが「北」にいて、そこから「南」という外部に抜け出る唯一の突破口の探索であることを、吉本は知っていたと思います。

その証拠に、というと何ですが、一つここに吉本の言葉を引いておきましょう。たとえば、彼は、これは一九九一年に行われた講演の中でですが、高度消費社会の突端で公害は人間の外の自然から人間の内側の自然の汚染へと深化してくるだろう、という見通しを示し、こう述べています。

たぶん現在の日本のいちばんおおきな問題は「現在」に入って社会経済が流通業・サービス業・医療・娯楽といった産業が大半を占めてしまったことです。たとえば、公害問題ひとつとっても、何が公害か、どこに公害の問題が生ずるかというと、第二次産業である製造工業と、流通業・サービス業などの第三次産業の境界で、主な公害問題が生ずるのが「現在」の問題です。決して農業・漁業といった自然対手の第一次産業と製造

工業の境界におこる緑を守れとか、緑が破壊されたとかという問題ではありません。すでに「現在」に入った社会ではその問題は小部分でしかないのです。(中略)多数を占めているのは、第二次産業と第三次産業の境界におこる公害だということは理論的に歴然としています。どういうことかというと、精神の障害の問題だとおもいます。境界線がはっきりしないボーダーラインでの、精神の異常とか正常とかいったことが、いまでも顕在化しているでしょう。それが現在に入った社会では、潜在的にいちばんおおきな公害問題だし、これからおこってくる公害問題も、主にそこにいくことは疑いないことです。

(「現代を読む」一九九一年、『大情況論――世界はどこへいくのか』弓立社、一九九二年、所収)

ここで「現在」といわれているのは、吉本の用語で、先の見田の論理での「現代社会」の高度な段階に見合っています。高度消費化・情報化社会と考えておいて構いません。するとここで吉本は、どういうことをいっているでしょうか。

近代社会の産業化が進展していくなかで、まず生じてきたのは、資本制システムと自然の間の問題、環境問題としての自然公害でした。それは、第一次産業としての農業・漁業と第二次産業としての製造産業の境界に生じるあつれきとして、「公害」が生じたことを示しています。ところで、高度消費化社会とは、(資源と自然環境への負荷の多い)第二次産業よりも（資源エネルギーの大量消費と大量廃棄を以前ほど伴わない）第三次産業の比重が大きくなる段階を指しています。この段階に生じてくるのは、この第二次産業と第三次産業の間のあつれきとしての「公害」ということになりますが、そこでは、人間の内部の自然が、損壊の対象として浮上することになるのではないか。「精神の障害の問題」が、今後は、社会の前面に浮上してくるだろうが、これは、公害として受けとめたほうがいいのだ、吉本は、ほぼここで、こんな驚くべきことをいっているのです。

これは、先に僕が触れたあの「北」の「南」との分断の深化がもつ「北」の内閉の〝苦しみ〟としての精神の障害という想定に響き合う観点です。これを僕なりに繰り返せば、こういうことになるでしょう。

第一次産業中心の世界とはここで、「南」の国と地域のうち、まだ資本制システムが浸透していない国と地域の段階に該当しています。第二次産業中心の世界は、まあ、見田のいう「近代社会」、「南」と「北」の中間にあって、現在産業化しつつある国と地域の段階をさすでしょう。第三次産業中心の世界とは、「現代社会」、高度消費化社会、情報化社会に見あっていると考えることができます。吉本はそこで、第一次産業中心から第二次産業中心に社会が移行した時、「公害」問題——自然環境の破壊——が生じたように、第二次産業中心から第三次産業中心に社会が移行する時にも、同じように「公害」問題が生じるはずだが、そこでは「自然」は、人間の外部の自然から、人間の内部の自然に移行しているだろう、と予測しているのです。

「北」にいる人間が、自分の苦しみをもつ、それを逃れようと、「北」の内閉を越えるべく促されずにはいられなくなる、「南」へと関心をむけざるをえなくなる、という内在的なみちすじを、ほぼ、こんな形で想定しておくことができます。

そして、同じことが、自我についてもいえるでしょう。

そもそも、自我というものを、先に見田が『自我の起原』で試みたような仕方で十分に説明することはできるでしょうか。そこで見田が試みた検討は必要です。しかし、それだけではまだ外在的な自我の素描にとどまるのではないでしょうか。それでは不十分です。というのも、自我というものは、その本質が、内在的だということだからです。

先の話に戻って、こう考えてみましょう。

なぜ人は外に、外から誘われて、「さまよい出る」のでしょう。これをたとえば僕の中の遺伝子が自己を増殖しようと僕を促しているのだといおうと、僕というさまざまな生成子(これが見田の遺伝子にあてている本来的な呼び名ですが)の離合集散の現象がさらに僕の外部に僕をはみ出させようとしているのだといおうと、説明としての乱暴さ、繊細さの違いこそあれ、本質的に同じだという気がします。こういう説明は本当かどうかわかりません。確かめることができません。しかし、たとえそれが事実だとしても、そういう仕方では説明しきれないものとして、自我、私という現象は、存在しているのではないでしょうか。

この『自我の起原』にも、あの視野の逆転、反転のシーンが出てきます。見田はこういいます。幼児の姿形にはどのようなわけか、われわれに「かわいい」という感情を呼び起こすものがある。それはローレンツのいう「幼児図式」のためもあるだろう。そのため、われわれは相当「利己的」であることを自負する人間でも、ほほえんでいる幼児に対してはつい「愛他」的な感情の動くことを抑制することができない。これをドーキンス風にシニカルに表現するなら、幼児が何らかの視覚的、感覚的刺激を使って「利己的に」われわれ大人を「操作」しているのだということもできる。「けれどもそうであるとして、私たちはそのように「操作されてある」ことに歓び、を感じてしまう」(傍点原文)。たとえドーキンスのいうとおりだとしても、われわれはそれを「拒否する必要はないはずである」と。

ここが、『現代社会の理論』では一歩進められて、たとえ「操作」されているとしても、その過程が「歓び」であることには「変わりはない」、とこの観点が反転させられ、完全に相対化されているのは、先に見た通りです。

しかし、そうなら、同じく、僕達はこういえるのではないでしょうか。われわれは異性に魅かれる。あるいは自分でなくなること、そのことに恍惚を感じる。それはわれわれの自我が、生成子の離合集散の運動の帰結としてあり、自己裂開的な構造をもっていることの結果なのかも知れない。しかしもしそうだとしても、そのことは、われわれが異性に魅かれ、異性に触れることの歓びが、その説明とは無関係に存在することを揺るがさない、と。つまり、先には「家畜が餌を食み、生殖欲求をみたすということは、牧畜業者の資本の循環の一環をなすからといって、それが家畜のよろこびであることに変わりはない」といわれたのでした。そして、これと同じ伝で、大衆の消費も、資本の増殖過程の一環をなすからといって、それが大衆自身の歓びであることに変わりはない、と視野の反転がなされたのでした。それと同じく、ここで、僕達は、われわれが異性に魅かれ、異性に触れて歓びを感じることは、遺伝子の自己増殖過程の一環をなし、また、生成子の派生史の一環をなしているのかもしれないが、だからといって、それがわれわれの歓びであることに変わりはない、そう、いってみることができます。

ここには、あの資格問題、権利問題があります。自己とは何か。それは、起原から説明すれば、ある複数性の産物である。しかし、そうだとしても、われわれが自己を単一の存在としか感じられないことには、変わりがない。そのことを、僕たちは、よく考えてみる必要があるのです。

自己が複数性の存在としてあるという説明は、たとえそれが事実だとしても、われわれが自己を単数的にしか感じられないという事実、そこからしかはじめられないという事実を、否定しません。この二つは、権利として同等なので、自我をめぐる考察には、ここで展開している考察に加えて、さらに、もう一つの後段の事実に立つ考察が必要だというのが、僕の考えです。

ここで自己を裂開的な構造であるということ、複数性の産物であるということを、自己の外在的な把握といえば、自己を単数としてしか感じられないと見ることは、その内在的な把握といえるでしょう。

ですから、ここにあるのは、まず外在的な見方に加えての、内在的な見方の必要ということです。

しかし、それだけではない。そもそも、自己とは何か。そういう問題がある。それは、自己という内的なものの、内在的な把握を意味してもいます。

自己がたとえ複数性の存在であろうと(僕もそれについては、そうだろうと考えています)とにかく単数的に自己に現れるということ。それが、あの「自同律の不快」の根拠であり、また、あの腐敗するものへの僕の「えもいわれない快感」の、根拠であったことを、考えて下さい。自我の本質とは、複数性の存在だということではありません。複数性の存在なのに、単数として現れること、それこそが、僕の考えからいえば、自我の本質なのです(これを別に言えば、他者性の存在なのに、自己として現れること、それが自我の本質だともいえるでしょう。ここにあるのはまた、僕自身の本『敗戦後論』において問題となった自己と他者の問題でもあります)。

この点が押さえられていると見えないことが、見田の『自我の起原』に対する僕の不満です。

この点が、また、上に述べた『現代社会の理論』に対する疑問の、根拠をなす考えでもあります。

内在的であること、それをできるだけしなやかな原理として受けとることにして、ここには、こうした問題を考えるまだ手つかずの、もう一つの観点が、見えています。

戦後的思考の原型
——ヤスパース『責罪論』の復刊に際して——

一

カール・ヤスパースの『責罪論』はドイツの無条件降伏の年に草稿が書かれ、この年から翌一九四六年にかけ、ハイデルベルク大学で講義された。戦争と敗戦から生じたドイツの罪と責任をどう考えるべきかを説いた小論考だが、これを、いま敗戦がどのような経験かを教える敗戦論として読むことも、不可能ではない。

この『責罪論』を『戦争の罪を問う』という題でこの度復刊した平凡社ライブラリー版(一九九八年)に解題を執筆している福井一光氏によると、この本は一九四六年に刊行され、スイスでこそ版を重ねたが、ドイツ本国では冷淡な無関心に迎えられた。いま『「世界」総目次』を見ると、日本でも、どうも同時代的にしっかりと紹介された形跡はない。たぶんドイツでもいまは、それほど省みられてはいないのではないかと思う。

では、なぜこのようなものがいま、戦後五三年目の夏という時期に日本で復刊されているのか、ということになるが、実を言えばこの著作の復刊のきっかけの一つが、わたしが去年(一九九七年)上梓した『敗戦後論』と、それに関連してある場所で話した、小さな講演だという。

その講演でわたしは、この著作が日本の戦後思想を見直すうえで画期的な、一つの光源になりうる、という考えを述べた。わたしはこの著作から戦後的思考という範疇のありうることを、教えられた。現在日本の戦後をめぐる思想状況には、およそ一二年前に西ドイツ(当時)で起こった歴史家論争を髣髴とさせるものがあるが、わたしの考えではその論争の対立の骨格を作っているのが、戦後的思考の結晶とも見える、この著作なのである。

二

さて、本書を読んですぐ気づくのは、ここに示されたヤスパースの姿勢が、日本の戦後知識人の思想の構えとまったく違っていることだろう。本書の解題に福井氏は、「今はじめて、私がドイツ人であり、私の祖国を愛するのだと、ためらいなくいいうる」という、この意味であざやかな、ヤスパースの敗戦直後の言葉を引いている。

彼はナチスの治政下、ドイツにあっていわば「祖国喪失者」として毅然とした抵抗をつらぬく。ナチスの政権にユダヤ人の妻との離縁を勧告された時には、これを拒否し、大学を退いている。しかし、いったんドイツが国として敗北し、連合軍の占領統治下におかれ、ユダヤ人絶滅政策をはじめとするさまざまなナチスの罪業が明らかになると、自分をこの悪をなした「敗戦国民」の側におく。彼は、多くの同国人がドイツ人たることから遠ざかろうとする時、逆に、自分たちのナチスからの解放が同時に敗者の屈辱でもある「敗戦経験の二重性」に、自分の戦後的思考の起点を、見届けようとするのである。

彼は、後年、カントを受け、世界市民という考えを提示したことで知られるが、そのような考え方の起点にあるのは、インターナショナリズムというより、敗戦国民としての自覚である。ある国が無法の独裁者の支配下に陥るとしたら、その責任の一半はそれを許した国民にある。でも、いったんそうなったら、そこで国民は何を足場に、自分を何者としてそのような政権と対峙することができるのか。

彼の世界市民はこのようなナショナルな文脈で摑まれている。彼は自分の思考の足場をドイツ人である自分に見るのでも世界市民としての自分に見るのでもない。「敗戦」とは、両者が両立不可能になる事態をさしているが、そのような時機に際会して、彼は、「ドイツ人でありかつ人間」という二重の姿勢を自分の思考の足場にすることを、選んでいるのである。

本書の序にはこう書かれている。

> 私はこの論述によって、一個のドイツ人としては問題を明らかにすることと人の和とを促し、一個の人間としては真理のためのわれわれの努力を分担したいと思う。

何ということのない言葉のように見える。しかしわたし達は、このヤスパースの姿勢のとりわけ同じ第二次世界大戦の敗戦国民であるわたし達自身にとっての意味を、考えてみる必要がある。はたしてわたし達の戦後はこのような二重の姿勢をもっただろうか。それは敗戦経験からくる。とすれば敗戦を正面から受けとめた戦後的思考を、日本の戦後はもってきただろうか、と。

この二重の姿勢は当然ある種の「ねじれ」を思考にもたらさずにはいない。

彼は書いている。

われわれは次の点をはっきりと意識しておくがよい。すなわちわれわれが生き、生き残っているのはわれわれ自身のおかげではないのだ。恐ろしい破壊のなかに新たな好機をもつ新たな状態が与えられているのは、われわれ自身の努力で達せられたのではないのだ。当然われわれに属すべきはずでない合法性を勝手に自分に認めたりするのはやめよう。

今日、いかなるドイツ政府であろうと、それが連合国の任命した独裁政府であると同様に、ドイツ人は誰しも、言い換えればわれわれの一人一人が、今日、連合国の意志ないし許可によって、自己の活動範囲を与えられている。これがなまなましい事実なのだ。われわれが誠実である以上、この事実は一日も忘れられない。誠実ゆえにわれわれは傲慢にもおちいらず、おのれの分を知ることを教えられるのである。

彼は自分たちの自由が自分たちの敗北をへていわば「ねじれ」を含んで自分たちのものとなっているところに自分の起点を見る。それはたとえば軍事力を否定する憲法を軍事力を盾に押しつけられながら、そこにひそむ「ねじれ」に十分に気づくことのないままはじめられた日本の戦後思想とは、だいぶ違う姿勢である。

とりわけわたしに貴重に思われるのは、このヤスパースの思考における次のような点である。

右のような冷厳な現実認識、敗戦国民としての自覚は、えてして、インターナショナルな理念への疑いと結びつきやすい。たとえば日本の文脈でいえば小林秀雄は敗戦に際して自分はバカだから反省などしない、利口なやつはたんと反省するがいいじゃないかと述べ、河上徹太郎は戦後の自由は占領軍に「配給された自由」だと書いて、戦後のインターナショナルな風潮に疑念を示す。また大多数の戦後派知識人は、「日本人」の反対語としての「世界市民」に自分の思想の足場を据え、その戦後民主主義、平和主義、中立主義の思想をマルクス主義から西欧的社会主義までの信条を背景に開陳する。ここではインターナショナルであることはナショナルであることの否定であり、ナショナルであろうとすることはインターナショナルなものへの疑惑をもつことと一体である。

でも、ヤスパースの場合、この敗戦国民としての自覚はなんらナショナリスティックな主張にも現実的思考にも帰着しないばかりか、むしろ逆に、彼の世界市民的な思考の跳躍板となるのである。

彼は書いている。

われわれが今日、軍政府をもつということは、明言するまでもなく、われわれが軍政府を批判する権利をもたないということである。

しかしそう言ったからといって、それはわれわれの研究を制限することになるのではなく、われわれの決してあずかり知らないことに、口を出すなということであり、言い換えれば現在の政治的な行動や決定にくちばしを入れるようなことをするな、という強力な圧力を意味するに過ぎない。このことがわれわれの真理の探求に制限を加えるかのように考えるとしたら、それはひねくれ過ぎているように思う。

われわれには政治的自由がない。しかしそれは、われわれに占領軍の意にかなうような研究しかできないということではない。

われわれにとっては権力の道は望むべくもなし、謀略の道は品位を傷つけ、実効をともなわない。公明正大こそ、無力のうちにもあり得べきわれわれの品位の宿るところ、しかもわれわれ自身の好機の宿るところである。

かつて江藤淳は占領軍による日本の言論統制を「不当」と考え、その結果、日本の言説空間は骨抜きにされたという占領政策批判を行なった。ここにあるのはそれとちょうど逆の認識であり姿勢である。ヤスパースによれば、被占領国民である自分たちに言論の自由がないのは当然である。本書の分類する罪の概念でいえば、これは敗戦国の「政治上の罪」に該当している。この罪を裁くのは「戦勝国の権力と意志」であり、いやしくも生を賭した国家間の実力行使である戦争で負け、しかも生き残ることを選んだものは、それがどのようなものであれ、「戦勝国の権力と意志」が定めるこの罪を甘受しなければならない。

ヤスパースの思考では、この政治的自由の拘束はそれへの抗議へとは向かわない。しかしそこでの思想的営為が必ずしも権力への迎合になるほかなく、不可能だとされるのでもない。彼は逆に、この敗戦が、思考が公正であることによってしか生き延びられない環境であることに注目する。これは、思考にとって一つの「好機」だと考えるのである。

わたしは、ここに、日本の戦後がもつべきでもてなかった戦後的思考の原型がある、という感想を抱く。それは、敗戦の起点にある自分たちのマイナス要因から目をそらすことなく、そこにある恥辱、汚れを直視し、逆にそれを足場にすることでこれまでにない思考を築こうとする自覚的な選択を意味している。しかし、このような選択こそ、敗戦がわたし達に要請したことだったのではなかっただろうか。

こう考えてみればわかるが、『責罪論』を書くヤスパースこそ、わたし達の戦後がもってよかった戦後知識人の祖型なのである。

さて、彼のような知識人が存在しないとは何を語っているのだろうか。

ヤスパースは一八八三年に生まれている。これは明治一六年にあたる。もちろんヤスパースのこのような態度表明はドイツにあっても例外的なものだ。ひるがえって日本の戦後に、ヤスパースに似た時局便乗にさからう声が皆無だったというのでもない。

だいぶ若いが、太宰治はあのヤスパースの敗戦直後の声に似て、「真の自由思想家なら、いまこそ何を措いても叫ばなければならぬ事がある」「天皇陛下万歳！　この叫びだ。昨日までは古かった。しかし、今日に於いては最も新しい自由思想だ」という声をその敗戦直後の小説の登場人物にあげさせている。また戦時下、軍部の言論弾圧と戦った明治生まれの硬骨のオールド・リベラリスト津田左右吉は、戦後創刊された『世界』に一転、熱烈な皇室賛美を書いて周囲を困惑させている。さらに戦時下、天皇機関説をめぐる弾圧に抗した美濃部達吉が戦後、枢密院本会議での新憲法案審議の場でただ一人反対するのも、この憲法が占領下に押しつけの事実を隠蔽する形で制定されるのをいさぎよしとしない、彼の抵抗の意思表示にほかならない。

だから、彼我の違いは、この敗戦の「よごれ」を直視する人間が日本にいなかったということではない。戦後の思想がこの「よごれ」の直視からそのままこれを足場には築かれなかったこと、それが違いの本質なのである。

これは、先にふれた『敗戦後論』に書いたことだが、戦後すぐに創刊された岩波書店の雑誌『世界』は、二年もすると主要執筆陣を安倍能成、天野貞祐、また美濃部、津田といったいわゆるオールド・リベラリストから、丸山眞男、都留重人、久野収といった革新派知識人へと交代させている。これは戦後思想の一つの断層を示している。丸山眞男、都留重人にしてもいまから見るなら、ある二重の姿勢を手にしていないわけではない。でも、それはヤスパースがこの敗戦経験の「ねじれ」に自分の戦後的思考の起点を見ようとしたほどの自覚にはささえられていない。またその敗戦の痛覚も美濃部、津田ほどには強くはない。美濃部、津田のこの時期の抵抗が彼らの領導した戦後思想にいまもって受けとめられていないことが、その両者間の落差を物語っている。

しかし、美濃部、津田が敗戦の課題に十分に応えたかといえば、そうもいえない。両者は、ともに一八七三年の生まれ、ヤスパースの一〇歳年長にあたる。彼らは敗戦という経験にある「ねじれ」を見たが、その「ねじれ」を生きることが、彼らを天皇への信従へと導いた。つまり、「ねじれ」はヤスパースにおけるように彼らをいま逆境にある思想行為の唯一の活路としての「公明正大」へと向かわせる代わりに、逆境にある「天皇」への信従へと、導いているのである。

戦後思想の「公明正大」への道は、丸山ら彼らよりだいぶ若い大正生まれの知識人の手に委ねられ、そこから、戦後思想の公共性への道が開かれるが、その起点は、「敗戦という経験」とそれほど強くは結びついてはいなかった。日本の戦後思想には、まだその時の弱点が色濃く影を落としている。それがその脆弱さの根本原因だが、ではどうすればよいのか、という反問の答えとして、ここにヤスパースがいるのである。

三

彼はわたし達の戦後に、何を語りかけているだろうか。

ヤスパースはまず、敗戦を起点にいわば「よごれ」から「普遍」へ、という思想のみちすじが可能であることを示している。敗戦に拘泥することを、ナショナルなものへの回帰だとおそれる必要はない。むしろ他者へとむかう志向がナショナルな枠組みを前提にしなければ空転せざるをえない場所が、敗戦国の戦後という思想環境なのである。ヤスパースの中では、いってみれば丸山が美濃部に肩車されて立っている。そこに対話があり、関与がある。その対話と関与に、その結果として、生き生きした「ねじれ」と「開口部」のあることが、ヤスパースの戦後に切り開いた新しい思想の地平だったのである。

いま、わたし達は戦後の知識人達が一人一人といなくなる時期に際会している。それに従い、戦争と敗戦を生き抜いた激動期の知識人達のいわば語られなかった裏面がわたし達に明らかにされようとしている。わたしにやってくる感想は、たとえば丸山眞男をはじめとするこうした戦後の知識人達がいかに現今の腰の軽い知識人より、人間的に魅力にあふれ、奥深い認識をひめていたかということだ。

しかし同時にこうも考える。なぜ、これだけの人間としての深さが、骨格として、彼らの政治思想、社会思想に反映されなかったのだろうかと。

それにしては、彼らの——一般読者として受けとる——社会思想に厚みが乏しく感じられるのはなぜかと。

敗戦経験とは何か。

ヤスパースはこう書いている。

罪に関しては「身を投げ出すか横柄に構えるか」が敗戦国民の一般の対応となる。「非難に対して敏感な者は、奇妙なことには、とかく心機一転して自己の罪を告白する衝動に駆られることがある」が、これは嘘の告白である。それは告白者の様子でわかる。「そういう人間の罪の告白には他人に告白を強いる魂胆がある」。一方、これの対極にあるのが「横柄な誇り」で、他人が攻撃を加えてくるといよいよ頑なになる。「内面的な独立とおぼしきもの」におのれの自意識を仮託しようとするが、責任を回避し、決定的な事項を曖昧にしたままなので「内面的な独立」は得られない。敗戦の経験において決定的に重要なのは、次のことである。「完全な敗戦状態にあって死よりも生を選ぶ者は、生きようとする決意がどのような意味内容をもつかということを意識しながらこうした決意に出るのでなければ、今やおのれに残された唯一の尊厳ともいうべき真実の生き方をすることができない」「すなわちヘーゲルによれば、無力な者として、奴隷として生きようとする決意は、生を樹立する真剣味を帯びた行為である。この決意からは一切の価値評価を修正する人間の生まれ変わりが生ずる」。

ここで念頭におかれているのはヘーゲルの奴隷と主人の弁証法である。思えば、敗戦経験には、「人間の魂のこの上もない展開の可能性」が、口を開いているのである。『責罪論』の冒頭に、ヤスパースが「語り合うこと」の大切さを述べているのも、こう考えてくれればゆえないことではないことがわかるだろう。ヤスパースとはわたし達の戦後にあって、あの相交わらない美濃部と丸山の交点、「語り合い」の場の別名だからである。

彼はこういっている。

われわれは語り合うということを学びたいものである。つまり自分の意見を繰り返すばかりでなく、相手方の考えているところを聞きたいものである。(中略)反対者は、真理に到達する上からみて、賛成者よりも大事である。反対論のうちに共通点を捉えることは、互いに相容れない立場を早急に固定させ、そういう立場との話し合いを見込みのないものとして打ち切ってしまうよりも重要である。

賛成意見よりも反対意見を尊ぶこと。

こういう姿勢が日本の戦後の思想から消えたのはいつ頃からだろう。わたしは、その頃から戦後がわたし達に結晶させたあの可能性としての戦後的思考の核心が、溶けはじめた、という印象をもつ。いま回復させられるべきは、この感覚、それが溶けてわたし達の手にない、という感覚である。かつてわたし達の戦後にも戦後的思考ともいうべきものがあった。それをどのようなものとして取り返すか、そのことがいま、思想的な課題としてわたし達に求められている。

あとがき

この本には、ここ数年間、わたしが大学の紀要や編集委員として関係していた『思想の科学』誌に発表した論考が収められている。一つだけ一一年前の論が含まれているが、他は、ここ三、四年の間に書いたものである。わたしの著作としては珍しく、文学に関するものが一切含まれていない。

この本の作られるきっかけは、一九九六年に岩波講座『現代社会学』第二四巻に寄稿した「「瘠我慢の説」考」にさかのぼる。これをわたしは一九九五年に書いたが、当初は、先に発表していた「敗戦後論」と合わせ、もう一本書いたうえでこれと三本で単行本にしようと考えていた。ところが、この本の刊行が遅れた等の事情から単行本への収録が困難になり、『敗戦後論』のためにもう一本別に書かなくてはならなくなった。一九九七年に講談社から出た『敗戦後論』所収の「語り口の問題」(『中央公論』一九九七年二月号)は、そのために書かれた代替稿である。同時に、残された「「瘠我慢の説」考」を中心に、『敗戦後論』所収の論考と平行しつつ進められた考察のもう一つの系列を一本にまとめる話が浮上したが、このような経過をへてここにあるのが、本書にほかならない。

大学の紀要に書かれたものが一般読者の目にふれることはほとんどないし、『思想の科学』

に発表されたものも、同誌が休刊間近かだったから、それほど多くの人の目には触れていないだろう。さらに、一〇年以上前に書いたものなど、この度収録するに際して、大幅に手を加えている。

収録されたものについて、成立事情を説明しておこう。

「「日本人」の成立」は、一九八七年に書いて、一九八八年三月に明治学院大学国際学部の論叢『国際学研究』第二号に掲載された。「日本人」という概念の形成過程を考えてみると、どういうことが明らかになるかという関心に支えられて、門外漢ながら色々と歴史書などを読みあさって、書いたものである。「日本人」という観念がかつては存在しなかったという観点に立った考察は、いまでは一種の流行のようになっているが、この時は、まだ歴史学にも現れていなかった。専門家からの反響は皆無だったが、それ以外の専門分野の何人かの論者からは取りあげられた。ただし、発表当時、これに注目してくれた上野千鶴子、西川長夫といった人たちは、いまこぞって前著『敗戦後論』の批判者である。運命の皮肉を感じる。

この論考を、これまで長い間単行本に収録しなかったのは、そこでぶつかった問題をわたし自身が解いたという気がしなかったからだ。わたしがいわゆる「国民」批判の観点では問題は浅くしかとらえられない、と考えるようになったきっかけも、この論考にある。たとえばこの後、名高い網野善彦氏の「日本人」フィクション説が現れ、また西川長夫、上野千鶴子両氏は「国民」フィクション説を展開することになる。しかし、わたしは、この一一年前の論考で、これらの問題にぶつかり、だいぶ考えたあげく、これだけでは面白くないと思った。今回、これを収録することにしたのは、ようやくこの問題について自分なりの見通しがついたからである。論考には各所で必要な筆が加えられている。前半には手を加えず、その先で、提示された問題をどう考えるか、という展開の部分をいまの考えに立って書き直した。具体的にいえば、差別をどう考えるか、『新撰姓氏録』での天皇の問題をどう考えるか、という箇所である。一四年勤めた国会図書館をやめ、大学に勤務先を移してはじめて取り組んだ仕事でもあり、わたしとしては思い出深い論である。わたしの文学の領域以外での考察の嚆矢がこの「日本人論」にあたっている。

「失言と癋見」は『思想の科学』一九九五年六月号の「失言の肖像」という特集のために書かれた。初出稿には時間のないままに書きいそいだため十分に論旨を展開しきれない恨みがあったが、今回、根本的に手を加えている。内容は本文にある通りであり、ここでは繰り返さないが、失言というコトバの面白さ、また、タテマエとホンネという考え方が戦前にはなかった、という直観に導かれ、癋見という異相面までのみちすじを辿った。これも準備にはかなり時間をかけている。この主題の延長でいまわたしは戦後日本論を執筆中だが、それもほどなくお目にかけられるはずである。

「「瘠我慢の説」考」は、岩波講座『現代社会学』第二四巻「民族・国家・エスニシティ」のために書いた。長い間、福沢諭吉のこの文章のことが気にかかっていた。いつか書こうとは思っていたが、この時、こういう形で書くことになったきっかけは、これがルナンの「国民とは何か」の九年後に書かれていることに気づいたからである。フィヒテの「ドイツ国民に告ぐ」をこれに加えれば、フィヒテは一八〇七年、ナポレオンに敗れたプロシャの首都ベルリンで、ルナンは一八八二年、そのプロシャに敗れたフランスの首都パリで、福沢は一八九一年、官軍に負けた江戸で、これを書いている。前二者がこれを講演の形で公衆に訴えているのに対し、福沢はこれを当事者、知友数名に見せ、筐底深くこれを隠した。しかし、これが旧幕臣の手になる敗戦論であり、国民論であることは動かない。福沢はわたしにとって年をへるとともに大きな存在になっている。

『思想の科学』発表の文には、前出「失言と癋見」の他に、一九九六年五月の最終号の「スタートのライン」、またその前月発表の「チャールズ・ケーディスの思想」がある。後者は、そう長いものではないが、印象深い。ケーディスという人物の発見は、わたしにとって彼の作った憲法を考える上で、いまも大きな意味をもっている。この原稿を雑誌の編集部に渡して数日して、ケーディス氏の訃報に接した。ケーディスは、日本の保守層からは薄っぺらな米国革新派の代表のように思われ、大げさにいえば蛇蝎のごとく忌み嫌われたし、革新派からも心ここにあらずの称賛と、あとは複雑な視線を向けられるだけのニューディーラーで通ってきたが、わたしにはそのような人物とは思われない。彼は日本では正当に評価されないままに終わったが、われわれよりも、数枚も上手のかなり上等な人物だったことは確かである。

「二つの視野の統合」は、明治学院大学国際学部『国際学研究』の創立一〇周年記念号をかねた第一七号に載った。見田宗介氏の『現代社会の理論』を読んだインパクトの中で書かれた長めの書評文である。学生に読ませようと、模擬授業のつもりで書いた。「北」の地域の人間が「南」の地域の人間のことを考える理由とはどのようなものか、という問題を扱っている。しかしこれはいうまでもなく、わたしの中では、戦後生まれの人間が戦争のことを考える理由はどのようなものか、という問いと同形である。

最後には、カール・ヤスパースの『責罪論』の復刊によせて書いた解説「戦後的思考の原型」を載せている。ヤスパースのこの文章に接して、わたしは「戦後的思考」ともいいうるものが第二次世界大戦の戦後に存在するという感触を受けた。今後にむけての足場をそこに記したつもりである。

書かれた時期によって三部構成としているが、この三部構成はわたしの現在の考えの基層、展開、将来への課題と展望をも意味している。本書の題を『可能性としての戦後以後』としたのは、わたしの中の重心の移動に対応している。前著『敗戦後論』の解体作業からの、一つの進展と構築への意欲が、本書収録の文から窺われるようであると、うれしいと思う。

本書収録の論考が日の目を見るにあたっては多くの人々のお世話になった。歴代の『思想の科学』編集部の面々と同誌編集委員、明治学院大学および『国際学研究』の実務にあたられた方々、この本の仕掛け人であり生みの親でもある岩波書店編集部の高村幸治氏、『言語表現法講義』に続き、途中から実際の編集作業にあたり、この本の産婆役を務めてくれた同編集部の坂本政謙氏、素晴らしい装丁を寄せて下さった桂川潤氏に、深い感謝の言葉を申し上げる。

この本を、ご迷惑ではあると思うけれども、『思想の科学』の編集作業を通じてさまざまな教示を与えて下さった同じ編集委員、鶴見俊輔氏に捧げる。

一九九九年一月

加藤典洋

「わたし達は何者なのか」から始めなくてはならない

大澤真幸

わたし達は何者なのか。語るわたし（達）は誰なのか。わたし達は何者として語っているのか。わたし達はどこから語っているのか。こうしたことに対する非常に先鋭な自覚が、加藤典洋という批評家が書くものに、他の誰の著作にも見られない圧倒的な厚みを与えている。本書には、加藤さんのこうした特徴がとりわけはっきりと現れている論文と評論が収録されている。

端的にこの問い、「わたし達とは何者なのか」という問いに捧げられているのは、本書に収録されている論考の中で最も古い「「日本人」の成立」である。「Xとは何か」と問うことは必然的に、問う者が問われている対象Xとの間に距離をおくことを要求する。だが、もしその問われているXが、問う者自身だったらどうなるだろうか。「探究」という営みを、無害で安全なものにしていた「距離」が失われ、問う者は不安に陥ることになる。このとき感じる不気味さを、加藤さんは、エドガー・アラン・ポーの小説『アッシャー家の崩壊』の結末で、読者が受け取らざるをえない恐怖に喩えている。

日本人が「日本人とは何か」と問うことは、他国の人が同じ問いを問うこととは、あるいは日本人がたとえば「アメリカ人とは何か」と問うこととは、根本的に異なっている。どう違うのか。この問いには、二重性があるからだ、と加藤さんは説明する。一方では、このとき、日本人は、「かれら」として対象化されている。「日本人」は、「アメリカ人」や「イタリア人」と同列に置かれる普遍的で客観的な場の中で示差性を通じて同定される。しかし、他方では、問われている日本人は、問う「われわれ」でもある。つまり、問いは、即自的かつ対自的な自己のアイデンティティに関わっている。この二重性に気づき、これを繰り入れた学問的な考察がなかった、という指摘から、加藤さんの探究は始まる。もちろん、加藤さんには、自らが展開する思考こそが、この二重性を繰り込んだ考察だという自負がある。要するに、加藤さんは、「日本人とは何か」という問いそのものを主体化しているのである。

ところで、ここで問われている「日本人」が、最初から与えられて存在しているわけではない。「日本人」という概念は、歴史の過程の中で人為的に形成されたものだ。だから、日本人とは何かを問うことは、「日本人」概念の形成過程を辿ることである。そのためには、ある誤りに陥らないことが、絶対的な必要条件となる。犯してはならない誤りとは、過去に対する遠近法的倒錯——現在確立している概念を過去に投影してしまう転倒——である。

遠近法的倒錯を厳密に禁じたとき、はじめて見えてくる。渡来人を差別する主体としての「日本人」なるものが、古代史を通じてどのように形成されてきたのかが、である。この点を解明していくまことにスリリングな探究のプロセスは、本書の本文を読みながらじっくり楽しむべきものだ。

ここでは、ひとつのことだけ述べておこう。この探究の最後に、日本史をめぐる執拗な謎に対して、ある回答が示唆される。日本人はどうして「天皇」を必要としたのか。どうして「天皇」を棄てることができなかったのか。この問いへのひとつの回答が試みられている。すなわち、『新撰姓氏録』(平安時代初期に成立した、畿内在住の氏族の系譜集成)を主たる史料的な根拠としながら、「日本人」としてのまとまりの意識に対して「天皇」というカテゴリーが果たした必須の役割について、ひとつの仮説が提起されているのだ。

＊

それにしても、わたし達が何者であって、どの場所から語っているのか、を自覚することがどうしてそんなに大事なのか。わたし達がどこから出発しているのか、ということを加藤さんが重視する理由はどこにあるのか。次のように考えてみるとわかる。

「……しなければならない」(何をなすべきか)という倫理的な当為命題が与えられたとする。「あなたは他人のために……しなければならない」と。こうした当為命題が、それだけ独立に取り出したときには、いかに正義にかなっているように感じられようとも――いやそれが正しそうであればますます――、わたしにとっては、抑圧的であり、脅迫的である。しかし、この「……しなければならない」が、わたしの「……したい」という欲望と順接したらどうだろうか。わたしの「……したい」の延長線上に、「……しなければならない」が位置づくのだとしたらどうだろうか。そうなれば、倫理的な当為命題の抑圧性・脅迫性は消え去るだろう。なぜなら、このとき、わたしは自らの欲望に合致するかたちで、喜びとともに、まさになすべきことをなすことになるからだ。

考えてみれば、公共的な倫理は、内発的な動機に支えられていないときには、つまり強制されしぶしぶとそれに従っているときには、ほんものではないし、強いものにもならない。公共的で普遍的な倫理が真実になるのは、それが、わたしの「……したい」という欲望を禁圧することなく、逆に、わたしの欲望や快楽を肯定し、それらを支えとしているときである。加藤さんが、わたし(達)はまずは何者であり、どの場所に立脚しているのか、どこから出発しているのか、ということにこだわるのは、このためである。今ここに述べたような事情は、本書では、「公共性は、私利私欲の上に立脚しなければ」ならない、といささか誤解を招きやすい語彙を用いて表現されている。

本書では、たとえば「二つの視野の統合」と題された論考に、加藤さんのこうした考え方がよく示されている。この論考は、副題にあるように、見田宗介の『現代社会の理論』という著作を手掛かりとしている。全体として、きわめて好意的・肯定的にこの見田著が紹介されるのだが、加藤さんはひとつだけ、はっきりとした疑問を突き付けている。

見田は、現代社会の「光の巨大」(情報や消費の魅力、自由という価値)をもたらしている資本制システムを、基本的に肯定する。この点は、加藤さんも大賛成である。資本制は、わたしたちの「……したい」という欲望に対して、最も肯定的なシステムである。しかし、資本制システムは、その反面として、つまり外部と接する臨界部に「闇の巨大」を随伴している。闇の巨大のひとつは、「南北問題」等と呼ばれてきた、地球規模の格差だ。資本制システムは、非資本制的なシステムとの接点にいる人々を、あるいは資本制の浸透度の低い社会を搾取し、そこに貧困や飢餓などの悲惨な状況をもたらすことによって、成長し、維持されてきた。この南北問題は、当然、克服されなくてはならない。この点に関しても、加藤さんは賛成である。

しかし、加藤さんから見ると、まだ答えられなくてはならない問いが残っている。日本を含む「北」(資本主義の先進国)の人たちは、自らの欲望「わたしは……したい」(①)を満たし、快楽を享受している。その「北」の人たちが、「「南」の問題を考え、その問題を克服するために行動を起こさなくてはならない」(②)として、①からどのようにしたら②が導かれるのか。これが、加藤さんが見田著に対して向けている疑問である。①が②へと自然と結びつかなければ、②は、「北」の人間にとっては、容易には受け入れにくい抑圧的な命令にとどまることになる。

＊

出発点となる「わたし(達)」とは、具体的には何なのか。それは、主題と相関して、さまざまな意味で、さまざまな水準に設定することができる。それは、今見たように、現代の資本制システムの「北」(豊かな社会)の人々ということかもしれないし、また、環境問題との相関では人類ということになりうる。しかし、加藤さんにとってずば抜けて重要な、「わたし達」を規定する条件は、「敗戦後」という歴史的コンテクストである。

このコンテクストは、加藤さんにとってだけではなく、現代の日本人にとっても死活的な意味をもつ。というのも、「敗戦後」は、わたし達「現代の日本人」を強く拘束しており、それがために、わたし達の思考や実践は十分な深度や真実性を得ることに失敗しているのに、わたし達はまったくそれを自覚していない――むしろ無意識のうちに否認している――からである。このことは、「敗戦」を実際に経験しなかった世代にとっても――加藤さんも戦後生まれだ――言える。

本書に収録された諸論文が書かれた、戦後およそ半世紀の段階でも、日本人は「敗戦後」に規定され、そこからまったく抜け出せずにいた。戦後日本社会にしか見られない政治家の「失言」という現象、すなわち「ついうっかり」というかたちで何かを発言したあと、国内外の批判にあってすぐに前言を撤回しても――本来であれば「信念」を貫き徹すことができなかったのだから政治家としては命取りにもなりかねない失態であるはずなのに――、本人はこれを特に恥ずべきことだと感じておらず、周囲も容認しているという現象について考察した「失言と癋見」は、日本人が「敗戦後」の内にあることを明らかにした一種の歴史社会学的「精神分析」になっている。「敗戦後」というコンテクストが、失言を生み出していたのだ。さらに、この論考の中では、「失言」との関係で、「タテマエとホンネ」という考え方、ほとんど歴史貫通的に日本人の態度を特徴づけているとされていたこの二項対立が、実のところまことに新しいもので、戦後の一九五〇年代になってようやく登場し、七〇年代に広く普及したものだという、驚くべき事実も明らかにされる。

本書収録の論文の執筆時点からさらに二十年以上が経過し、戦争の終結からはおよそ四分の三世紀の後になる現在はどうなのか。ほとんどの日本人が戦後生まれになっている現在はどうなのか。もう「敗戦後」を抜け出しているのか。否、である。わたし達は、かつてより、戦後半世紀の時点より、さらに深くこの歴史的コンテクストの中にはまりこんでしまっている、とさえ言える。というのも、「敗戦」の否認はより徹底され、こうしたコンテクストが「わたし達」を規定しているという自覚がますます小さくなっているからである。

それにしても、敗戦の否認はなぜ生ずるのか。というか、そもそも、わたし達が敗戦後という歴史的コンテクストに規定されていることの、どこに問題があるのか。その問題を、加藤さんは、戦後の出発点にあった「ねじれ」と「よごれ」と呼んでいる。どういうことなのか。ここで述べてきたように、公共的な正義に向かうためには、「わたし(達)」から出発しなくてはならない。「わたし(達)」の、「……したい」という欲望から、である。こういう構成は、デカルトのコギトの場合と同様に、わたし達の「……したい」が、すべての論理の土台になりうるような堅固で絶対的に確実な立脚点になっていなければならない。ところが、この土台が底抜けになっていたとすればどうだろうか。つまり、わたし達の「……したい」の部分にこそ、矛盾が孕まれていたらどうなのか。この矛盾が、ねじれとよごれなのだが、もう少し具体的に説明しよう。

日本人は、総力戦に敗北したとき、戦前までの体制(天皇主権)やそれを支えていた考え方

（皇国思想）をすべて否定し、あらたに、平和や国民主権の民主主義を自らの国家の基本理念とした。それが、日本国憲法のかたちで表明されている。しかし、平和や国民主権を、日本人が自ら「わたしは……したい」という形式で摑んだわけではない。憲法の戦争放棄、軍事力の否定をうたう条項は、まことに矛盾したやり方で、つまり当時日本を占領していたアメリカによって、軍事力を背景にして「押しつけ」られたものである。国民主権をうたう憲法は、当時主権を奪われていたわたし達の政府に、占領当局であるアメリカが、作らせたものである。

このように、戦後の出発点のわたし達に、根本的な矛盾がある。わたし達(の欲望)から出発して公共的で普遍的な正義に至らなくてはならないとしても、まさにその出発点のところに矛盾があるとしたらどうしたらよいのか。わたし達は、この矛盾の克服の仕方がわからず、矛盾をしかと直視してもいない。両極に分かれるかたちで自分を偽るだけだ。一方では、わたし達ははじめから「それ」(平和や国民主権の理念)を欲していたかのように偽装し、他方では、逆に、「それ」を受け入れたことさえも否認しようとする。憲法九条が、律儀に実行しない限りにおいて維持されてきたのは、こうした敗戦後のわたし達の欺瞞のためである。九条に記された「……しなければならない」が、わたし達の「……したい」とまったく結びついていないのだ。

*

それならば、どうしたらよいのか。この点に関して、「失言と癋見」という論考は、ヒントになることを述べている。鶴見俊輔や多田道太郎に導かれながら、加藤さんは、日本の芸能の歴史の中から、こうした状況において取るべき態度の原型のようなものを抽出してみせるのだ。それが、表題にもある「癋見」である。癋見とは、「しかめっ面」の表情をもつ能面のひとつである。癋見は、「翁」面と対になっている。「ひょっとこ」は癋見の変異したものだ。また翁と癋見の対は、今日の漫才のツッコミとボケの起源でもある。どういう意味で、癋見がヒントになるのか。

敗戦ということは、外来の高度な文明(アメリカ)にわたし達が、軍事的にも文化的にも屈服したということである。ところで、外部からやってきた高度な文明と土着の劣位の文化の間の対立＝優劣関係は、日本の歴史の中で繰り返されてきた基本的なパターンでもある。たとえば、古代や中世においては、中央政府から、中国風に漢字で書かれた文書を携えてやってきた官僚に、地方の住民たちは服従せざるをえなかった。そして何より、日本列島の人々は、中華文明の優位を認め、それに屈服した。もちろん、明治以降は、この中華文明の位置に西洋が入る。第二次世界大戦の敗戦後に起きたことは、日本の歴史の中で繰り返されてきたこの対立＝優劣関係の最も激しいヴァージョンだと考えればよい。

癋見は、この種の関係の中での、土着の劣位者がとる屈折した態度の表現である。土着の劣位者は、最終的には屈服する。しかし、その屈服は、純粋な屈従ではなく、抵抗の姿勢を残してもいる。その表情が癋見である。この屈従的抵抗は、芸能においては、「もどく」演技によって示される。「もどく」とは、中央からやってきた翁を模倣することだ。模倣し反復することは、一方では、服従の姿勢の現れだが、他方では、模倣対象の神聖性を犯し、それを揶揄してもいる。もどくことは、相手にへつらうことを通じて、その同じ相手に抗ってもいるのだ。

癋見に示されている、抵抗の核を残した服従、ここに打開の糸口があるのではないか。加藤さんはこう暗示しているようだ。

＊

もっとも、これはまだ遠回しのヒントのようなものである。「敗戦後のわたし達」の原点にあるねじれとよごれにどう対応したらよいのか。そのことに対する端的な処方箋は、加藤さんの多数の著作の中で最も広く知られている本『敗戦後論』に書かれている。この本は、出版されるや激しい論争を巻き起こし、左・右からのバッシングにあった。『敗戦後論』は、ほんとうは何を言おうとしていたのか。『敗戦後論』の主張にまっとうな合理性があるということが、本書『可能性としての戦後以後』を読むとよくわかる。ここに収録された論考は、『敗戦後論』とほぼ同時期に書かれたものを中心としており、その中にはしばしば『敗戦後論』が言及されている。最後に、『敗戦後論』のポイントがどこにあるのかを、この『可能性としての戦後以後』で論じられていることを基礎にして解説しておこう。

『敗戦後論』で加藤さんが述べたことの中で最も大事なことは、わたし達が日本の侵略戦争の犠牲になったアジアの二千万の死者に哀悼を捧げ、彼らに謝罪するためには、その前に、日本の三百万の死者を哀悼しなくてはならない、ということだ。この順番は、絶対に譲ることはできない、と。この提案に対して、右からは、アジアの死者への哀悼や謝罪ということが含まれていることが批判の対象となった(これは、しかし予想通りだった)。左からの批判は、戦争を遂行した日本の死者にも哀悼を捧げなくてはならないとしたこと、しかもこちらを優先させなくてはならないとしたことに集中した。それは、靖国に祀られた死者を英霊として讃えるのと同じではないか、と。『敗戦後論』が述べたことは、しかし、これとはまったく違う。正反対である。

どういうことか。わたし達は、アジアの二千万の死者に、深い謝罪の意味を込めて、哀悼を捧げることになる。このとき、わたし達とは誰なのか。たとえば、何百万ものユダヤ人がナチスの犠牲になった。わたし達は、ナチスの虐殺行為は究極の悪であり、収容所で死んでいったユダヤ人は純粋な犠牲者であって、ほんのわずかな罪もないことを知っている。しかし、わたし達はユダヤ人に謝罪することはできない。そんなことをしたら、とてつもない冒瀆に感じられるだろう。わたし達はナチスではないからだ。勝手に謝罪などできない。

わたし達日本人の「アジアの死者」への態度は、わたし達の「ユダヤ人の死者」への態度と同じであってよいだろうか。どちらも理不尽な悪の犠牲者なのだが、わたし達は、二つの死者に、同じように対することができるだろうか。できない。そうしてはならない、はずだ。ユダヤ人の犠牲に関しては、わたし達は第三者だが、アジアの死者は、わたし達の問題だからだ。アジアの死者への哀悼を表明するときには、ユダヤ人の死者に哀悼を捧げるときと違って、深い謝罪の意味を込めなくてはならない。

ということは、アジアの死者への哀悼・謝罪に先立って、まずは、わたし達は、アジアへの侵略を含む戦争の遂行者の末裔であること、その継承者であることを引き受けなくてはならない。たとえ自分が戦後の生まれで、戦争にまったく参加していなくても、謝罪し哀悼する主体の「資格」として、戦争の遂行者との連続性を引き受けないわけにはいかない。アジアの死者への哀悼に先立って示される、日本の死者に対する哀悼の表明は、この資格を得るために必要な手順である。これまで、日本人は、日本の左翼は、アジアの犠牲者について云々するとき、まるで、その犠牲をつくった侵略者と自分が関係がないかのような態度をとってきた。しかし、それは欺瞞的であり、それでは謝罪を含む哀悼には絶対になりえない。だから、加藤さんは、日本の三百万の死者への哀悼を先行させなくてはならない、と主張したのである。

だが、この日本の死者への哀悼には、独特の屈折が孕まれている。敗戦ということに規定された屈折が、である。これは、靖国神社で死者を英霊として祀るのとは、まったく違うのだ。この部分を伝えるのに、加藤さんは苦戦し、多くの誤解を生んでしまった。ここでは、加藤さんがほんとうに言いたかったこと(とわたしが解釈すること)を、少し踏み込んで説明しておこう。

今述べたように、戦争を遂行し死んでいった日本人を哀悼するということは、その日本人と現在のわたし達との間の連続性を引き受けることだ。しかし、その連続性は、断絶の形式をもった連続性である。と結論を述べると、あまりに抽象的で理解しがたいだろうが、こういうことだ。日本の死者への哀悼にも、やはり一種の謝罪の意味が込められているのである。こちらの哀悼も謝罪だ。何を謝るのか。死者たちを裏切ることになることを、である。どういうことか。

まず、わたし達が現在こうして生きていられるのは、日本の死者のおかげで(も)ある、という事実は否定できない。しかし、同時に、わたし達は、彼らがそれのために命を捧げた大義を、彼らが必死で守ろうとした思想や体制を、もはや継承するわけにはいかない。敗戦によって得た理念(平和や戦争放棄の思想)に基づき、アジアの死者に哀悼を捧げるならば、その前提として、わたし達日本人はまずこの「非継承」を意志しなくてはならない。それはしかし、わたし達が、(日本の)死者を裏切ることであろう。彼らはわたし達のことを思い、崇高な大義のために死んだつもりなのに、わたし達はその死は無意味だった、と言わざるをえないのだから。これほど死者に申し訳ないことはない。だから、わたし達は謝罪の意味を込めて日本の死者を哀悼するのだ。

日本の死者への深い謝罪の意識によって、わたし達はその死者たちとの連続と断絶の両方を引き受ける。というか、もう少し厳密に言えば、次のようになる。死者に対して心底から申し訳なさを感じ、謝罪しているとき、まずは、わたし達と死者との間の連続性が打ち立てられている。わたし達は、彼らがそのために戦った彼らの末裔だからこそ、申し訳なさを感じるのだから。だが、なぜここでわたし達が謝罪という形式で哀悼の意を表明するかというと、このあとに続く第二の謝罪——アジアの死者への哀悼——が成功したときには、つまりその第二の謝罪が受け入れられ、(アジアの犠牲者達から)赦しが得られたときには、このときにこそほんとうに、現在の日本人であるわたし達と日本の死者たちとの関係が切断されることになるからだ。したがって、日本の死者への哀悼とは、成功したときには、あなた方への裏切りになってしまうことをこれからなさなくてはならない、ということを報告し、謝罪するためのものである。

このように『敗戦後論』で提案された二段階の哀悼は、まずはわたし(達)が何者であるかを自覚し、そこから出発しなくてはならない、という加藤さんの基本的な考え方に基づいている。アジアの死者への哀悼において示される倫理(平和の思想)に到達するためには、敗戦したときのわたし達の位置から始めなくてはならない。だが、このやり方には、特殊なひねりが含まれている。この一連の行為が完遂し、成功したときには、「わたし達」のアイデンティティは、変容してしまうからだ。戦争を遂行した死者たちとの連続(よごれ)から、彼らとの断絶(ねじれ)へと、である。敗戦の原点にあった矛盾を引き受け、かつ克服する方法は、これしかない。これが加藤さんのメッセージだったのではないか。

加藤典洋さんは、昨年、亡くなった。加藤さんが提案したことをわたし達はまだ果たせていない。わたし達は加藤さんが遺したことを継承し、完遂させなければならない。

［初出一覧］

スタートのライン——日の丸・君が代・天皇　『思想の科学』一九九六年五月号

I

「日本人」の成立　明治学院論叢『国際学研究』第二号、一九八八年三月

II

失言と癋見——「タテマエとホンネ」と戦後日本　『思想の科学』一九九五年六月号

「瘠我慢の説」考——「民主主義とナショナリズム」の閉回路をめぐって　岩波講座『現代社会学24 民族・国家・エスニシティ』一九九六年九月

チャールズ・ケーディスの思想——植民地日本の可能性　『思想の科学』一九九六年四月号

III

二つの視野の統合——見田宗介『現代社会の理論——情報化・消費化社会の現在と未来』を手がかりに　明治学院論叢『国際学研究』第一七号、一九九八年一月

戦後的思考の原型——ヤスパース『責罪論』の復刊に際して　カール・ヤスパース『戦争の罪を問う』解説、平凡社ライブラリー、一九九八年八月

本書は一九九九年三月、岩波書店から刊行された。

可能性としての戦後以後

2020年4月16日　第1刷発行

著　者　加藤典洋（かとうのりひろ）

発行者　岡本　厚

発行所　株式会社　岩波書店
〒101-8002 東京都千代田区一ツ橋2-5-5
案内 03-5210-4000　営業部 03-5210-4111
https://www.iwanami.co.jp/

印刷・精興社　製本・中永製本

ISBN 978-4-00-602323-2　　Printed in Japan

岩波現代文庫創刊二〇年に際して

二一世紀が始まってからすでに二〇年が経とうとしています。この間のグローバル化の急激な進行は世界のあり方を大きく変えました。世界規模で経済や情報の結びつきが強まるとともに、国境を越えた人の移動は日常の光景となり、今やどこに住んでいても、私たちの暮らしは世界中の様々な出来事と無関係ではいられません。しかし、グローバル化の中で否応なくもたらされる「他者」との出会いや交流は、新たな文化や価値観だけではなく、摩擦や衝突、そしてしばしば憎悪までをも生み出しています。グローバル化にともなう副作用は、その恩恵を遥かにこえていると言わざるを得ません。

今私たちに求められているのは、国内、国外にかかわらず、異なる歴史や経験、文化を持つ「他者」と向き合い、よりよい関係を結び直してゆくための想像力、構想力ではないでしょうか。

新世紀の到来を目前にした二〇〇〇年一月に創刊された岩波現代文庫は、この二〇年を通して、哲学や歴史、経済、自然科学から、小説やエッセイ、ルポルタージュにいたるまで幅広いジャンルの書目を刊行してきました。一〇〇〇点を超える書目には、人類が直面してきた様々な課題と、試行錯誤の営みが刻まれています。読書を通した過去の「他者」との出会いから得られる知識や経験は、私たちがよりよい社会を作り上げてゆくために大きな示唆を与えてくれるはずです。

一冊の本が世界を変える大きな力を持つことを信じ、岩波現代文庫はこれからもさらなるラインナップの充実をめざしてゆきます。

（二〇二〇年一月）

B313
惜櫟荘の四季
佐伯泰英

惜櫟荘の番人となって十余年。修復なった後も手入れに追われ、時代小説を書き続ける毎日が続く。著者の旅先の写真も多数収録。

B314
黒雲の下で卵をあたためる
小池昌代

誰もが見ていて、見えている日常から、覆いがはがされ、詩が詩人に訪れる瞬間。詩人は詩をどのように読み、文字を観て、何を感じるのか。〈解説〉片岡義男

B315
夢十夜
近藤ようこ漫画
夏目漱石原作

こんな夢を見た――。怪しく美しい漱石の夢の世界を、名手近藤ようこが漫画化。描き下ろしの「第十一夜」を新たに収録。

B316
村に火をつけ、白痴になれ
伊藤野枝伝
栗原康

結婚制度や社会道徳と対決し、貧乏に徹しわがままに生きた一〇〇年前のアナキスト、伊藤野枝。その生涯を体当たりで描き話題を呼んだ爆裂評伝。〈解説〉ブレイディみかこ

B317
僕が批評家になったわけ
加藤典洋

批評のことばはどこに生きているのか。その営みが私たちの生にもつ意味と可能性を、世界と切り結ぶ思考の原風景から明らかにする。〈解説〉高橋源一郎

2020. 4

岩波現代文庫[文芸]

B318
振仮名の歴史
今野真二

「振仮名の歴史」って？　平安時代から現代まで続く「振仮名の歴史」を辿りながら、日本語表現の面白さを追体験してみましょう。

B319
上方落語ノート 第一集
桂米朝

上方落語をはじめ芸能・文化に関する論考・考証集の第一集。「花柳芳兵衛聞き書」「ネタ裏おもて」「考証断片」など。

〈解説〉山田庄一

B320
上方落語ノート 第二集
桂米朝

名著として知られる『続・上方落語ノート』を文庫化。「落語と能狂言」「芸の虚と実」「落語の面白さとは」など収録。

〈解説〉石毛直道

B323
可能性としての戦後以後
加藤典洋

戦後の思想空間の歪みと分裂を批判的に解体し大反響を呼んできた著者の、戦後的思考の更新と新たな構築への意欲を刻んだ評論集。

〈解説〉大澤真幸

2020. 4